SERGIO RAMÍREZ

Sombras nada más

punto de lectura

Título: Sombras nada más

Juan Bravo, 38. 28006 Madrid (España) www.puntodelectura.com

ISBN: 84-663-1290-0
Depósito legal: B-25.100-2004
Impreso en España – Printed in Spain

Diseño de cubierta: Acuerda
Fotografía de cubierta: © Aci, A.F.
Diseño de colección: Suma de Letras

Impreso por Litografía Rosés, S.A.

137 / 05

SERGIO RAMÍREZ

Sombras nada más

Para Antonina Vivas

«Fortuna ya me enseñó antes su gran fuerza y poder. Ya me enseñó cómo mueve, con un giro de su rueda, al mundo entero. Al mundo entero lleva dando vueltas, y vigila con la mirada el giro de cada uno. Quienes están sentados arriba en su rueda, ignoran lo que les va a tocar en suerte: caer a sus pies, en la desgracia, heridos de vergüenza, cansancio y dolor. Ahora en la cumbre, luego precipitados en la caída...»

PHILIPPE DE RÉMI, *La doncella manca*

Primera parte

«Estruendo de multitud en los montes, como de mucho pueblo...»

Isaías 13:4

1.

La costa le pareció como nunca un páramo sin fin mientras saltaba por entre las rocas, promontorios de hierro quemado como tras un incendio que sólo hubiera dejado ruinas bajo la resolana, la arena como carbón en polvo bajo sus zapatillas a medida que corría tratando de alcanzar la rompiente demasiado distante, el ronquido de las olas cada vez menos perceptible porque el mar seguía alejándose si él aceleraba su carrera, el maletín cada vez más pesado en su mano, y a pesar de que el yate había huido describiendo una amplia curva de espuma al nomás oírse la primera ráfaga, él seguía corriendo ya sin saber por qué, y ahora que el agua le embebía los calcetines y se le empozaba en la planta de las zapatillas oía las voces a sus espaldas dándole el alto, oía los jadeos, el ruido metálico de las cantimploras chocando con los arneses, y de pronto los veía acercarse por los costados, saltar por encima de las rocas, y cuando uno de ellos puso la rodilla sobre la arena y le apuntó, detuvo al fin su carrera, alzó los brazos, el maletín aún en su mano, y se derrumbó ya sin ánimo dejando que la débil ola lo bañara empapándole los pantalones.

Lo rodearon, siempre apuntándole. Cuando alzó los ojos descubrió al que parecía ser el jefe, un muchacho de piel quemada y barba montuna, una barba que junto con el sombrero de fieltro, manchado de sudor, lo hacía verse como disfrazado de adulto, aunque su mano, que ahora lo agarraba por el cuello de la camisa para levantarlo, era una mano callosa, de uñas renegridas de maque, acostumbrada a trabajos de carpintero. La otra, con la que sostenía la correa del fusil colgado al hombro, no era mano, sino un muñón abierto en tijera.

¿Por qué corrió sin necesidad? La voz suave, cargada de un deje juguetón, se volvía seria, como la de un instructor, para explicarle: Jamás hubiera podido llegar hasta la rompiente cargando ese cartapacio, ¿pensaba nadar con semejante sobrepeso, inmovilizado de un brazo?, ¿y es que sabía nadar? No sabía nadar. Nunca supo. Y aunque hubiera logrado atravesar la rompiente, el muchacho señalaba ahora hacia el mar, la parte más difícil estaba en agarrar el salvavidas en el lomo de la montaña de agua, porque del yate iban a tirarle un salvavidas amarrado a una cuerda, bajando la potencia de los motores para acercarse a doscientas brazas de la costa, ¿no era verdad?, al entrar ellos a la casa seguían llamando por radio, repitiendo las instrucciones como si usted siguiera allá arriba, dueño y señor de su casa, «Tiburón de mar llamando a tiburón herido», vea qué pesimismo, darse usted mismo ese nombre en clave de «tiburón herido» o permitir que se lo dieran, ¿alguna vez se había aventurado nadando más allá de la rompiente? Negó, mientras otro muchacho, de sombrerito de lona tipo ranger, un tanto bizco, trataba de quitarle el maletín con mucho modo, tirando suavemente, y él se dejó, soltó los dedos, y cuando el otro tuvo el maletín en su mano le limpió la arena y luego lo sopesó. Era un maletín Samsonite, color gris perla, de tapas duras y cerradura de combinación. Y vestido de esa manera, por favor, el muchacho del sombrero de fieltro y barba feroz lo iba señalando de pies a cabeza con su mano buena, su mano de ebanista: la guayabera manga larga de lino, color beige, ajustada sobre el leve promontorio de la barriga, los pantalones de gabardina marrón, las zapatillas Florsheim con fleco en el empeine, y en la bolsa de la guayabera la pluma Parker de 21 kilates que todavía no le habían requisado. ¿Iba a tirarse al agua para agarrar el salvavidas, o iba a algún ágape como aquellos de sus tiempos dorados, doctor?

Ya de pie, otro de los muchachos, de barba muy rala, como de enfermo, y boca picuda, de dientes amontonados, vino a amarrarle las manos con un trozo de cordón eléctrico que sacó de su mochila. Se las amarró hacia atrás. Lo hacía con energía, como quien está acostumbrado a menesteres ganaderos, a ratear por las patas a las reses tumbadas en el suelo antes de herrarlas, y sintió la grosería del cordón que le sollamaba las muñecas. Yo calculo, decía el jefe de sombrero de fieltro, mirando siempre al mar, que ese yate se lo mandaron de San Juan del Sur, cuando cogí el micrófono del transmisor y les contesté, se callaron, ¡aquí está al habla el comandante Manco-Cápac, pendejos!,

¡patria libre o morir!, les grité, y se callaron, qué susto madre se habrán llevado. Se reía despacio, como si le costara creerse a sí mismo. Manco-Cápac. Se mofaba este muchacho de su propio defecto físico poniéndose aquel seudónimo. Un comandante manco. Centenares de comandantes sueltos de la noche a la mañana por toda Nicaragua. ¿Fue Bravo quien le mandó el yate, verdad, doctor?, a lo mejor cree la guardia que va a hacerse eterna en toda esta zona de Rivas, que va a quedarse toda la vida en San Juan del Sur, pero los vamos a sacar de allí, como los sacamos de Tola, ¿ya sabía que nos tomamos Tola?

Otra vez se calló. A pija limpia les quitamos el cuartel aunque tuvimos que incendiarlo, pero logramos salvar de las llamas a todos los prisioneros, ladrones comunes, cuatreros, borrachines pleitistas, libres andan y agradecidos, y de donde quiera que se habían hecho fuertes los perros genocidas los sacamos, de la iglesia parroquial, los muy sacrílegos tenían apostados francotiradores en el campanario, de la alcaldía frente al parque, cercada con costales de arena, de la casa cural, allí hemos instalado provisionalmente el cuartel miliciano, todos estos muchachos, se los presento, son parte de la columna Gaspar García Laviana que libró esos combates, y sepa, pues, que cuando ya habíamos pijeado a la guardia en Tola, un pajarito mensajero llegó a contarnos que usted estaba atrincherado en Santa Lorena, y el comandante Ezequiel me dio el encargo de venir a buscarlo, una distinción para mí, pero como no conozco mucho esta zona, me traje a unos voluntarios de la comarca, buenos baquianos, son ellos los que me dijeron desde que veníamos rompiendo monte: «Ése va a querer zafarse por mar», y ya ve, tenían razón, pero ahora, si me hace el favor, camine, vamos de regreso a la casa, ordenó, cuando ya lo tenían debidamente amarrado. Y él inició obedientemente la marcha, las zapatillas zafándosele a cada paso porque se le quedaban pegadas en la arena húmeda que se deshacía bajo sus pies.

Las figuras que empiezan a andar por la playa se recortan en negro a la lumbre del sol, una fila irregular moviéndose con dificultad sobre la arena floja que va volviéndose cada vez más hirviente y tiene ahora la textura del vidrio finamente molido. Pero si no fuera por el resplandor que nos ciega podríamos ver que van vestidos de muy distinta manera, y que pueden parecer cualquier cosa menos una tropa regular, quienes en ropa de camuflaje, quienes de verde olivo, uno de blue jeans desteñidos y camiseta de los Bulls de Chicago, un gran número 2 a la espalda, y van entre ellos muchachas que parecieran andar de paseo si no fuera por su fiereza, una vestida con un uniforme caqui que perteneció a algún soldado de la Guardia Nacional muerto en combate, otra con boina a lo Che Guevara, y otra, muy morena, de quizás dieciocho años, los labios pintados de rojo carmesí, luciendo con gracia su gorrita de lona sobre los rizos tupidos, mientras el que lo ha amarrado lleva sombrero de palma a lo Camilo Cienfuegos, y ya se sabe que Manco-Cápac, el de la barba montuna que marcha detrás, luce sombrero de fieltro, y todos, mochilas, fajines cargados de tiros, zambrones de los que cuelgan granadas de mano, fusiles de guerra de diferente catadura unos, y otros, armas de cacería.

Su marcha se vuelve aún más penosa cuando van ascendiendo por la duna sembrada de zarzas antes de alcanzar las losas de roca que rodean el promontorio donde se alza la casa. En esas terrazas oscuras, sobre las que estallan en revuelto fragor las olas, pueden encontrarse, cuando se retira la marea, toda suerte de moluscos, percebes, ostras y mejillones que es posible despegar con un cuchillo de cocina de las estrías de la piedra, y como aun en bajamar queda allí empozada el agua, es posible disfrutar también de un agradable baño con el agua a la cintura. El prisionero, mejor que nadie, lo sabe.

Tal como ha mencionado Manco-Cápac, algunos de aquellos muchachos alzados en armas son vecinos de esas comarcas costaneras, pescadores y campesinos, y más de alguno de ellos apuntado en la planilla de la hacienda Santa Lorena, peones, rejoneadores, vaqueros, o campistos como el picudo encargado de amarrar al prisionero. Por lo tanto, muchos de estos mismos que andan ahora sublevados se presentaban en la casa el día de su cumpleaños a felicitarlo, puestos en paciente fila, muy distinta de esta otra fila que va moviéndose por la playa bajo la lumbre inclemente, jugaban partidas de beisbol en su honor, venían después con sus mudadas de domingo a la verbena, a comerse las reses que se degollaban para ellos, y terminaban emborrachándose con las cajas de Ron Plata que él mandaba a comprar desde el día antes a Tola, seis cajas de doce botellas cada una por lo menos. Luego sobrevenían las reyertas, que acababan a veces en hechos de sangre. Los trabajadores de uno llegan a ser como de la familia, quisiera haberle dicho a aquel Manco-Cápac, tan locuaz, y tan engreído en acariciarse la barba, por eso había hecho edificar viviendas dúplex de paneles prefabricados para las parejas casadas, con letrinas en el patio, galpones ventilados para los solteros, y en los galpones proveyó catres de litera con colchonetas, botiquín de primeros auxilios y un televisor en comunidad, larguezas de las que se burlaban los hacendados vecinos, usted está ensebando la cuerda con la que lo van a colgar, lo sermoneaban, ¿y vendría a salir cierto el vaticinio? Por la Radio Sandino, la radio clandestina de los guerrilleros que él sintonizaba cada noche, con miedo y curiosidad, siempre estaban repitiendo que ésta iba a ser una revolución humanista, sin paredón, y que se garantizaba la vida a todos los que se rindieran. Él no se había rendido, más bien quiso huir. ¿Tenía que rendirse alguien que no portaba armas? ¿Alguien que estaba hacía tiempos retirado de la política? ¿Alguien que se había enemistado con el régimen que estos muchachos andaban buscando derribar? Es cierto, fuiste justo con tus trabajadores, le respondería a lo mejor Manco-Cápac, ¿pero tu pasado? Bueno, estaba el pasado cercano, todos sus años recientes sin salir casi nunca de

Santa Lorena, y estaba también el pasado remoto, de los dos tendría que prepararse para hablar.

Pero vamos primero a lo justo, al pasado cercano. Pregunten en los alrededores. Preguntando iban a saber que tenía aquella fama de hacendado cabal. ¿No peleaban ellos por una revolución socialista? Condiciones dignas para sus trabajadores, y no como Macario Palacios, el antiguo propietario, que había proclamado en sus tierras unas leyes feudales que él, apenas llegó, abolió. Macario Palacios se sabía de memoria las caras y los nombres de pila de sus trabajadores, el vicio y la virtud de cada uno, si hacendoso o haragán, si embustero o sincero, si mujeriego o amujerado, si renco o tuerto, aquí los léperos y allá los cabales, de este lado los leales y del otro los traidores, y no sólo se sabía los nombres de sus trabajadores, también los de sus mujeres, cuántas estaban panzonas, y los nombres de sus hijos, a los que llevaba cada seis de enero a la pila de bautismo en la iglesia de Tola, una sola hornada de ahijados, y todos aquellos nombres, cada trabajador con su familia, habían quedado inscritos en un libro mayor forrado de tela de dril, bautizos, y casamientos, defunciones: pero estaba también el otro libro con la lista negra, los que quedaban prohibidos de acercarse a los linderos de la hacienda si le habían fallado en algo grave, faltarle al respeto de acto o de palabra, robar frutos, bestias o aves de corral, y otro libro con la lista de los deudores, cargados con intereses leoninos como si fueran cadenas, y todavía otro con las cuentas de La Milagrosa, porque pagaba los jornales con vales que sólo servían para comprar en aquella tienda de raya, una Mejoral para el dolor, un córdoba, una pila para lámpara de mano, cinco córdobas, una cuarta de kerosín, tres córdobas.

Gaspar García Laviana, el cura español, si es que había oído bien. Había oído bien. La columna guerrillera llevaba ese nombre. ¿Serviría hablar de aquel bautizo? Había presenciado el último bautizo colectivo en la iglesia de Tola, con Macario Palacios de padrino, el domingo que vino de Managua a cerrar el trato de la compra de Santa Lorena, que entonces se llamaba El Limonal. Vendía la finca porque padecía de cáncer avanzado en la próstata y necesitaba dinero para el tratamiento en Estados Unidos, mal sobre mal, ya paralítico, ochenta años, qué esperanza puedo tener, doctor, Jacinto, mi hijo único, muerto tan injustamente a manos de esos asaltantes sin conciencia que tienen por héroe a Sandino, un bandido que quiso dividir Nicaragua y quedarse él mandando en una parte, nada menos que toda la parte de Las Segovias, un patán, me lo demostró una vez que estaba visitando a su padre don Gregorio en Niquinohomo, ya firmada la paz en 1933, para ese entonces yo buscaba aliviar a mi papá de la carga de costear mis estudios de farmacia, y encontré un empleo que consistía en llevar de pueblo en pueblo el paseo de propaganda de la Cafiaspirina Bayer encabezado por un muñeco robusto y rubicundo que bailaba al son de una banda de música mientras yo repartía de puerta en puerta sobrecitos de muestra del producto, quise conocer al muy mentado héroe aquel mediodía, entusiasmado ante su fama, detuve el paseo, mandé a descansar a los músicos y al bailarín que iba metido dentro del muñeco, y pedí muy cortésmente a uno de los rufianes que custodiaban las puertas que transmitiera a su jefe supremo mi deseo de saludarlo, me dijo el gañán que en ese momento se celebraba adentro un almuerzo con los miembros de su Estado Mayor, yo insistí, terquedad de juventud, y al mucho rato recibí respuesta suya por boca del mismo rufián, «que siguiera mi camino porque yo andaba en negocio de reales, y él en negocios de la patria», fíjese qué altanería, yo un pobre estudiante asoleándose en busca del sustento, despreciado por un autoproclamado general que almorzaba rodeado de analfabetos, y que por gloria y fama tenían volar cabezas y extremidades sin piedad, el famoso corte de chaleco, no en balde los que ahora se llaman sandinistas asesinaron a Jacinto con la misma saña, y quién mejor que usted que fue amigo verdadero de mi hijo para quedarse con estas tierras, cuatrocientas manzanas de pastos, trescientas manzanas de caña, un trapiche, tres pozos artesianos para riego con su correspondiente tubería, corrales de piedra, tres kilómetros de playa cabales para algún futuro proyecto de turismo, y la casa frente al mar en el peñasco, alguien que la admire de lejos puede bien pensar en un cuartel colonial o en una iglesia misionera, y aun de cerca verá su solidez en los recios pilares de guayacán que sostienen la techumbre del corredor de vuelta entera, pero es en todo una casa de recreo, la terraza que da al mar bajo la sombra de tantos árboles frutales, mangos, icacos, almendros, y el piso alto con su aposento matrimonial que es una belleza en holgura, ya no se diga el paisaje que desde allí se admira, y si le vendo esta querencia es porque mi esposa Coralia me lleva forzado a Houston sólo para dejarme humillado como los toros convertidos en bueyes, ya sin huevos, perder esta hacienda sólo para que me cape un cirujano de lujo, vea qué negocio, y tanto que me acusan de haber robado, ya quisiera que dijeran verdad quienes me endilgan tantas cuentas de banco en el extranjero, y se despedía con aquel bautizo, cincuenta muchachitos berreando dentro de la iglesia en brazos de las mamás que desfilaban frente a la silla de ruedas de Macario Palacios colocada al lado de la pila bautismal, mientras el cura les echaba en la mollera el agua bendita con una concha marina, el padre Josías Talavera, cura párroco de Belén, porque el de Tola, recién llegado de España, el padre Gaspar García Laviana, un misionero asturiano de la Orden del Sagrado Corazón, se había negado a celebrar el bautizo, se lo dijo en su misma cara a Macario Palacios en la casa cural cuando se presentó al trámite, que todo eso del bautismo de los hijos de sus siervos era una farsa farisea, y el viejo inválido, encendido en cólera, alegando que él era, a mucha honra, hijo de un campesino de caites y cotona que lo había graduado de doctor en farmacia a puro machete y azadón, pero el cura, tan intransigente, no importaba el origen de clase del explotador, ningún campesino honrado llegaba a terrateniente así dejara el lomo en el surco, lenguaje escandaloso en boca de un ministro del Señor, no dejaba de quejarse Macario Palacios, y ya no supo que se había hecho al fin guerrillero y que lo mataron en un combate cerca de la frontera con Costa Rica, y ahora él, el nuevo dueño de la hacienda, iba prisionero de la columna que llevaba aquel nombre, las manos amarradas a la espalda con un cordón eléctrico, las nalgas mojadas y los zapatos zafándosele a cada paso.

La casa se alzaba silenciosa en lo alto de la loma como si nada hubiera ocurrido, la urdimbre roja y verde del follaje de los almendros en la terraza, los cocoteros cargados de frutos tras las tejas oscuras, la misma decrepitud que ya mostraba desde sus tiempos de estudiante cuando Jacinto los invitaba a él y a Ignacio a pasar alguna temporada de vacaciones, y tal como seguía estando cuando tomó posesión de ella y le puso por nombre Santa Lorena. Vieja pero sólida, oyó que decía Manco-Cápac a sus espaldas, con razón sus hombres pudieron resistirnos bastante. Él quiso volver la cabeza, pero desistió. No lo culpo de que la haya escogido para hacerse fuerte, presta todas las condiciones defensivas, siguió diciendo Manco-Cápac. Ahora sí se volteó, y era la primera vez que iba a responder algo: una simple casa hacienda, vivo refugiado aquí hace tiempo. Qué calidad de refugiado, protegido por guardias de línea enviados de Rivas, una ametralladora calibre 50 bien pertrechada, sus mozos fieles armados con fusiles de guerra, y por demás, un radio de transmisiones militares, no me haga reír, doctor, Manco-Cápac se quitó el sombrero y se enjugó el sudor que le chorreaba por el pelo, una breña igual que la barba, y se rió, con ganas. Yo ya me había distanciado de Somoza, por eso me vine a refugiar aquí, dijo él. ¿Y en su carácter de refugiado mandó a que nos volaran tanto plomo? Fue por miedo, dijo. Ese miedo suyo me costó tres muertos y cinco heridos, volvió a reírse Manco-Cápac. Nada tenía que ver ya con Somoza, ustedes saben bien la historia de esa enemistad. De eso no me doy cuenta, doctor, lo único que sé es que Somoza lo tenía bien protegido en esta finca, y sólo protegen a los guapotes gordos. Me ofrecieron seguridad del Cuartel Departamental de Rivas, pero nada de eso es político, a cuántos hacendados no les habrán ofrecido la misma protección. Aquí en Rivas solamente a usted, dijo, tajante, Manco-Cápac. Hace varios años Somoza quiso salir de mí, instigado por su amante. ¿La pérfida Mesalina? Ésa misma, respondió. Rara mujer, reflexionó Manco-Cápac, allí se ha quedado con Somoza en el búnker, hasta el final, aunque sabe bien que si llegamos a agarrarla viva, no quedará para contar el cuento. Así va a pagarlas todas de una vez, dijo él. Entre las greñas de la barba, mojada también de sudor, Manco-Cápac enseñó otra vez su risa, y él vio de soslayo sus dientes muy blancos, en uno de ellos una calzadura de oro, de un amarillo apagado, como una joya muerta. No lo creía tan vengativo, doctor, dijo.

El reloj que Manco-Cápac lleva en la muñeca sana es un Rolex arrebatado al cadáver de un capitán de infantería de la Guardia Nacional en el asalto relámpago a un jeep de las Brigadas Especiales contra Actos Terroristas (BECAT). No lo recuperó él entre la chatarra prendida en llamas, todos los ocupantes despanzurrados, sino otro combatiente, pero lo recibió en premio porque durante ese operativo, que tuvo lugar en plena Calle Real de la ciudad de León, perdió la mano al estallarle la bomba de contacto que no alcanzó a lanzar. El muñón en tijera resultó de una operación que le practicaron de manera clandestina médicos amigos de la causa. El artefacto en referencia es de invención casera, un envoltorio liado con masking tape en forma de un pequeño bollo de pan que cabe en la cuenca de la mano, y que estalla al más leve choque con cualquier superficie, por lo que viene a ser muy delicado de manipular. En la carátula de ese reloj, que aguanta presiones submarinas de cincuenta atmósferas y tiene grabadas en el cierre de la pulsera metálica las iniciales de su antiguo dueño, las agujas marcan las ocho cincuenta de la mañana, y el sol pega de lleno en la cabeza del prisionero, ardiéndole el pellejo de la calva, que empieza a ampollársele.

Había empezado a perder el pelo muy joven, una herencia de familia. En la única foto de su padre que llegó a sus manos, retratado en el patio de la desmotadora Los Manguitos, aparece ya calveando a los treinta años, la edad que tenía cuando lo mataron, aunque todavía le quedaba cabello alrededor de las sienes, como a él. Pero no usaba las patillas largas como él, porque no era la moda entonces. En esa foto, en la que parece nevar porque el aire está lleno de la pelusa de algodón que avienta la tolva de la desmotadora, la inscripción del reverso dice: *Para mi adorada esposa Carlota, A. M. 18 de marzo de 1952.* Y los ojos verdosos, las pestañas crespas y largas, la papera, las orejas diminutas, son herencia también del padre, a quien apodaban El Muñeco, según se sabrá después por fuente fidedigna.

Qué raro que no cogió un avión y se fue para Miami, doctor, montones de somocistas se han ido, Manco-Cápac sacudía el sombrero antes de ponérselo de nuevo, ahora estaría tranquilo allá, viendo los toros de largo. Eso habla a mi favor, que no me fui a Miami, iba a decir, pero sólo parpadeó, herido por la lumbre del sol que seguía cociéndole la cabeza. Cuando diez días atrás se había presentado la patrulla enviada por el coronel Ferrey, comandante departamental de Rivas, a prevenirlo de que debía volver a Managua, decidió quedarse. Habían pasado ya cinco años desde su caída. Su caso había sido célebre, aunque el muchacho este, Manco-Cápac, no se acordara, o fingiera no acordarse, y siempre pensó que aquel escándalo jugaría a su favor en el remoto caso de un triunfo sandinista.

Demasiado remoto, como le hizo ver al coronel Ferrey cuando fue a Rivas a darle las gracias por acordarse de él, que seguía siendo poco menos que un leproso. Los Estados Unidos no iban a permitir una segunda Cuba, otra vez el cáncer del comunismo en sus propias costillas. Pero se guardó de decirle al coronel que, según su parecer,

Somoza tenía de todas maneras los días contados, y seguramente habría una transición ordenada bajo la vigilancia de una fuerza interamericana de paz de la OEA, de acuerdo a la letra del tratado de Río de Janeiro, capaz de desarmar a los rebeldes, como había ocurrido en 1965 en la República Dominicana. Es cuando iban a llamarlo de su destierro en Santa Lorena, porque muerto el perro se acababa la rabia, una intriga calumniosa como aquella que lo había hundido, se volvería más bien una condecoración en su pecho. Cualquier nuevo gobernante civil del Partido Liberal, apoyado por una Guardia Nacional depurada de malos elementos, iba a necesitar de alguien como él, que se sentía cómodo en las sombras y no trataba de robar nunca la luz de los reflectores. Cálculos equivocados. Aquí estaban ya los sandinistas, se multiplicaban por todo Nicaragua, gente común y corriente, mozos de fincas, taxistas y camioneros, dependientes de comercio, barberos y cocineras, albañiles y ebanistas, estudiantes de institutos públicos y de colegios de curas y de monjas, asaltaban los cuarteles, tomaban los pueblos. Y cuando se dio cuenta que vendrían por él, quiso huir y ya no pudo.

El coronel Ferrey lo convenció esa vez de que por lo menos permitiera la instalación de un radioteléfono militar en la casa hacienda. Pero unas semanas después, a medida que la situación en el país empeoraba, volvió a visitar al coronel Ferrey en demanda de protección. Por si acaso. Pero ya no era tan fácil, se trataba de distraer fuerzas y debía consultarse a Managua, ahora cada hombre de línea valía por cien, y el coronel insistió en que mejor evacuara. Se negó otra vez. Seguía convencido de que estando lejos de los acontecimientos se preservaba mejor políticamente, y el lugar ideal para apartarse seguía siendo Santa Lorena, porque si se iba al extranjero ya no valdría nada, los exiliados siempre llegaban tarde a las reparticiones.

Fue el propio Somoza quien autorizó el envío del destacamento militar a Santa Lorena. Una sorpresa. No estaba del todo olvidado por los unos, y cuando atacaron la hacienda, se dio cuenta que tampoco por los otros. Manda a decirle el Jefe que no echa en saco roto los viejos tiempos, y que no son momentos de pensar en rencores, ni en errores, le comunicó el coronel Ferrey. ¿Los errores de quién? Eso no se lo aclaró, pero el recado traía un colofón: la Dama se había puesto también al habla al final de la transmisión, y mandaba a decirle que siempre lo recordaba, ella, la pérfida Mesalina, la misma que lo había destruido en venganza porque no quiso rendirse al más peligroso de sus caprichos, gozarlo como amante, algo que valdría la pena contarle también a Manco-Cápac en su debido momento.

Llegaron entonces a la hacienda tres rasos al mando del sargento Ifigenio Estrada, con la ametralladora calibre 50 que fue emplazada en un nido de sacos de arena en el corredor que daba a los corrales y al camino real, el punto probable de un ataque, fusiles Garand suficientes para armar a quince hombres más, y un transmisor de radio.

Uno de los guardias traía consigo a un sobrino suyo de unos catorce años, huérfano reciente porque su padre, guardia también, había muerto en un ataque anterior al cuartel de Rivas dirigido por el cura Gaspar. Tenía la cabeza rapada, los pequeños troncos de cabello apenas despuntando de nuevo, y las orejas puntiagudas. El uniforme militar le nadaba en el cuerpo.

Ahora el prisionero y sus captores iban llegando al remate de la escalinata. En las gradas de cemento se acumulaba la arena que el viento barría desde la playa, y bajo las pisadas crujían las hojas ya secas y encolochadas desprendidas de los almendros. Sabía que a medida que sus ojos fueran alcanzando el nivel de la terraza, lo primero que vería sería el enorme caparazón de tortuga que alguna vez pensó en colocar en la pared encima del estante del bar, una vez barnizada, y que desde hacía tiempo recogía agua de lluvia, abandonado cerca de la regadera donde los bañistas se quitaban la sal, y luego, a pocos pasos, la gran jaula de barrotes oxidados, quizás de metro y medio de altura, donde había vivido en cautiverio Blackjack, el mono congo regalo del mandador de Santa Lorena en su último cumpleaños. Al empezar el ataque se había insolentado con aullidos tan insoportables que fue necesario dejarlo en libertad, y huyó entonces despavorido, subiendo al techo y de allí a los árboles. Nadie volvió a verlo más.

Para entrar a la terraza tuvo que subir por encima de la trinchera improvisada con piedras de cantera y colchonetas que cerraba la escalera, y amarrado de las muñecas como iba, lo empujaron por las nalgas para ayudarlo. Fue entonces cuando se sorprendió, como si lo notara por primera vez, de que la casa se hubiera convertido en un teatro de guerra. En los corredores y en la terraza quedaban armas abandonadas, cajas de municiones que los guerrilleros se dedicaban a requisar, y regueros de casquillos, mesas volteadas que habían servido como parapetos, silletas quebradas, trapos empapados de sangre, rastrillazos de botas marcados en el lodo que se extendía sobre los pisos, y tres cadáveres que logró contar. La ametralladora calibre 50 estaba ahora en poder de un mulato adornado con una pañoleta rojinegra al cuello, que mantenía la vista fija en el horizonte del mar, las manos asidas a los manubrios, mientras otro muchacho, en cuclillas junto a él, sostenía la cinta de municiones replegada en un cajón de pino. Por si el yate volvía, pero era algo que ya no iba a ocurrir.

Lo había descubierto a través de los binoculares acercándose desde el sur, la proa alzada, el toldo listado de azul y blanco, en la popa los sillines y los arneses de las cañas de pescar, y con toda nitidez había podido leer el nombre en el costado, Marlin II. Fue cuando bajó a la playa y empezó a correr. Entonces, al nomás oírse la primera ráfaga, la embarcación se había puesto en fuga. Y ahora, perdido como una ficha solitaria en una esquina del tablero, nadie iba a hacer ya nada por él.

Había otro cadáver que hasta ahora descubría recostado contra la baranda de la terraza, las piernas abiertas y la cabeza inclinada a un lado. Era el sargento Ifigenio Estrada. Sintió un escalofrío de emoción al verlo, y hubiera querido decírselo a Manco-Cápac: ese hombre había muerto cubriéndole a él la huida, ¿y acaso lo conocía siquiera?, apenas una semana habían convivido, si se puede llamar a eso convivir, siempre al lado suyo, como un perro guardián, arisco y silencioso desde que llegaron las novedades de la caída de Tola, cuando ya todo fue sobresaltos y carreras. Ambrosio, el viejo mandadero, había vuelto a galope con la noticia de que el poblado se hallaba en poder de los guerrilleros, el ambiente era de fiesta, y era voz pública que alistaban un destacamento para caer sobre Santa Lorena. Al amanecer empezaron los tiros. Los asaltantes tomaron los galpones de los mozos, y tras neutralizar el primer círculo de defensa establecido por el sargento Estrada, lograron parapetarse en los corrales de piedra.

Fue entonces cuando suplicó que lo evacuaran. El sargento Estrada consiguió dar en el transmisor con la estación del búnker, porque Rivas no respondía. Tras muchos trámites con los operadores se había puesto al habla el coronel Adonis Selva, jefe del Estado Mayor Presidencial, y tuvo que soportar que lo tratara como a un completo desconocido, a pesar de que él había empezado la comunicación llamándolo por su viejo apodo, Pirañita, algo que al otro le disgustó y no se cuidó en ocultarlo. Quedó de resolverle, pero como no le daban respuesta, la siguiente vez que Pirañita se puso, siempre reacio, él estiró el cordón del micrófono en todo lo que daba para que escuchara con sus propios oídos lo recio de la balacera. Horas después, cuando ya caía la noche, Pirañita le comunicó que se estaban impartiendo a Bravo, el jefe de operaciones de la zona, órdenes de evacuarlo a San Juan del Sur por mar, y de allí a Managua en helicóptero, aunque le adelantaba que Bravo no había recibido con alegría las órdenes, tenía prioridades más urgentes, no estaba de vacaciones en el cuartel de La Virgen, sino buscando contener la ofensiva desatada desde la frontera con Costa Rica por las fuerzas de Edén Pastora. No lo querían dentro de la Guardia Nacional, eso tenía que saberlo también Manco-Cápac. Desde que estalló en los periódicos aquel sonado caso, se había convertido en el hazmerreír de los oficiales, se burlaban de él en las mesas de tragos del Casino Militar, hacían chistes obscenos a sus costillas. Y el testigo de cargo en toda aquella pantomima que le montaron, ¿quién había sido? Pirañita. Vestido de uniforme de gala blanco, porque venía de asistir a Somoza en una ceremonia de presentación de credenciales, llegó al juzgado a declarar mentiras que ya estaban arregladas desde antes con el juez, seguido de una nube de periodistas.

En la Guardia Nacional no sólo hay fantoches como Pirañita y desalmados como Bravo, quería haberle dicho a Manco-Cápac, también hay personas de deber, como este sargento Estrada, que allí está muerto. Cuando al avistar el yate remontó la trinchera custodiada por uno de los tres efectivos del contingente enviado desde Rivas, y bajaba ya corriendo las gradas en busca de la playa, corría también el sargento Estrada hacia la terraza cargando la ametralladora que acababa de quitar de su emplazamiento original, al otro lado de la casa, para sembrarla en la baranda, corría y le gritaba sin volver la cabeza, con la esperanza de que aún lo oyera, que iba a cubrir el trecho de costa para que el yate, que no debía tardar, pudiera arrimar a la rompiente, detrás el huérfano con el cajón de la sarta de tiros. Entonces, debilitada la defensa por el flanco donde se daba el grueso del ataque al faltar la ametralladora, el tiroteo se había declarado muy cerca de los corredores, los asaltantes pugnando ya por escalar, y el fuego era respondido desde arriba cada vez con menos aliento. Casi enseguida, entraron los guerrilleros.

Nada de eso ve ya. Agazapado, avanza sobre las rocas con cuidado de no resbalar y salta después a las dunas hirvientes, se deja ir de nalgas por el declive, toca pie en la costa y emprende la carrera levantando pringues de arena húmeda a su paso, apenas una diminuta cabeza desnuda que arde bajo el sol desde lo alto, donde vuela solitario un cormorán que se prepara a lanzarse sobre un banco de sardinas, y una figura demasiado lejana en el temblor del relente a los ojos del único marinero que desde el costado del yate se prepara a tirar la cuerda a la que va atado el neumático salvavidas.

Dentro de la casa, y hay que regresar allá para poder verlo, los defensores del corredor que da al camino real lanzan sus fusiles por la pendiente en señal de rendición, mientras el sargento Estrada, a quien de nada sirvió el traslado de la ametralladora porque no hay aún un solo guerrillero en la costa, sin tiempo de hacerla girar en dirección a los atacantes que irrumpen a sus espaldas, es acribillado mortalmente mientras el huérfano alza las manos, rindiéndose como los demás. Enseguida apartan el cadáver para que el mulato de la pañoleta rojinegra se haga cargo de la pieza y pueda disparar contra el yate, que huye entonces, describiendo una amplia curva de espuma.

En el ala del corredor que daba a la terraza los prisioneros permanecían sentados en el suelo, todos con las manos en la cabeza, entre ellos el huérfano, que no paraba de llorar con un llanto roto. Junto a él, su tío el soldado raso, el único sobreviviente del contingente de línea, le hacía muecas severas con la boca para que se callara, la indignación ardiendo en sus ojos. Los demás eran trabajadores de la hacienda entrenados a la carrera por el sargento Estrada en el manejo de los fusiles Garand, y uno de ellos, Ambrosio el mandadero, lloraba también, pero de manera callada, sosteniéndose el hombro ensangrentado donde había recibido un balazo, mientras se obligaba a mantener la otra mano en la cabeza. Los tres guerrilleros que los rodeaban, apuntándoles, mudos e inmóviles, parecían figurar en una foto fija que desde ahora empezaba a envejecer.

Manco-Cápac apartó la silla de alto espaldar de la cabecera del comedor, la situó en el centro de la estancia y llevó al prisionero para que se sentara, mientras un centinela se instalaba detrás, el fusil bala en boca. Apareció entonces el operador de radio del destacamento cargando el equipo a sus espaldas, la larga antena moviéndose al compás de sus pasos, y tras desembarazarse del aparato lo depositó en el piso, se arrodilló luego al lado y se dedicó a buscar comunicación, Potrero, Potrero, Potrero, llamando a Lago, Lago, Lago, ¿Lago, me estás escuchando? Lago respondió que sí, escuchaba, aquí Lago, cambio. O.K, Lago, el comandante Manco-Cápac necesita comunicarse con el comandante Ezequiel, cambio. O.K, Potrero, viene el comandante Ezequiel, está viniendo, Cambio. El comandante Ezequiel va a ponerse al habla, comandante Manco-Cápac, dijo el operador, extendiéndole el micrófono. En el otro equipo de radio instalado sobre la mesa del comedor, el de la Guardia Nacional, sólo se oían soplos de estática.

Manco-Cápac, la voz llena de risa, como si todo lo hiciera por diversión en aquella guerra, reportaba la acción de la toma de Santa Lorena al comandante Ezequiel, Cayó el palacio de Caifás, el palacio de Caifás, acción victoriosa, victoriosa, dieciséis bajas de parte del enemigo, dieciséis, siete muertos y nueve heridos, siete, nueve, y bajas de parte nuestra, de parte nuestra... Ezequiel lo interrumpió: Copiado, copiado, todo eso mejor por escrito, por escrito, más bien quiero saber qué pasó con Caifás, Caifás, ¿logró embarcarse Caifás? Negativo, negativo, Caifás en mi poder, Caifás en mi poder, todo bajo control, cambio. Confírmame si oí bien, si oí bien, se oyó que decía aquella voz antes cansada, rutinaria, y ahora de pronto entusiasta, confirmame que tenés a Caifás, Caifás, ¿vivo y coleando?, cambio. Positivo, vivo y coleando, aquí frente a mí, frente a mí, sin un solo rasguño, cambio. Entonces mando por él, mando por él, y felicitaciones del mando, del mando, a todos los compañeros, cambio y fuera.

Recostó la cabeza contra el espaldar que coronaba un penacho de hojas de laurel labrado en la madera. El tejido de junco le estorbaba en la espalda, pegajosa de sudor. Quería pedir agua al centinela a sus espaldas. Las ganas de beber le habían venido de pronto, y también de pronto sentía la boca en carne viva y un ardor en toda la garganta, como si hubiera tragado litros de agua salada, y ganas de refrescarse la calva bajo el chorro de la regadera en la terraza donde ahora permanecía vacía la jaula de Blackjack. La sed. Y las palabras «Caifás en mi poder» que entraban tarde a su mente, mucho después de haber sido dichas, como si se hubieran perdido por un vericueto donde quedaban rezagadas también las otras: «Llegarán por él». Caifás. Entonces, él era Caifás. Caifás no había podido escaparse, vendrían a llevárselo. Amarrado de las manos con un trozo de alambre eléctrico, sentado en la silla de cabecera del comedor desechado por su esposa cuando inauguraron la nueva residencia en el barrio Bolonia, en Managua, y guardado por años en una bodega hasta que mesa y sillas fueron traídos a Santa Lorena junto con otros muebles declarados ya de segunda, las únicas innovaciones en la antigua casa hacienda de Macario Palacios.

Al fin se decidió a pedir agua al centinela, pero lo oyó Manco-Cápac, que entraba en ese momento trayendo el cartapacio Samsonite sostenido con la tijera del muñón, y como si le costara decir lo que iba a decirle, se le acercó, tímido: Doctor, le propongo un trato, me da lástima abrir de un balazo la cerradura, su cartapacio está nuevecito, ¿por qué no me da mejor la combinación y yo ordeno que le den el agua? Lo que hay allí son papeles que sólo a mí me interesan, contestó, y se dio cuenta de que tartamudeaba. A la revolución todo le interesa, ahora usted ya no puede tener secretos con nosotros. ¿Qué es eso de Caifás?, se oyó preguntar, extrañado él mismo de su pregunta. Manco-Cápac soltaba de nuevo su risa. Yo interesado en el cartapacio y usted con lo que sale, bueno, son chochadas de nosotros, nombres que les ponemos a ustedes, y nombres que nos ponemos entre nosotros, ¿no ve el mío?, Manco-Cápac era un heroico jefe de los incas, el hijo del sol, que voló mejenga contra los españoles, muy bien, alta honra para mí, pero mi seudónimo me lo puso un compita por mi mano tunca, de modo que también podían llamarme Tunco-Cápac, mientras usted es Caifás, qué más quiere, gran capitoste del Sanedrín, entonces, ¿la combinación?

Manco-Cápac permanecía frente a él, balanceando el cartapacio, sin ninguna impaciencia. Quiero agua, dijo. Y yo la combinación, dijo Manco-Cápac. No hay papeles allí, sino dinero, dijo al rato, y agachó la cabeza. ¿Ve?, ¡ni que fuera yo adivino, lo pensé desde un principio!

La combinación es la fecha de mi cumpleaños, 09-10-39, dijo, la cabeza más hundida aún, como si hablara para sí mismo. Fíjese qué casualidad, la misma fecha del cumpleaños de mi mamá, nueve de octubre, sólo que en año distinto, Manco-Cápac se dirigía ahora a la mesa del comedor y depositaba a plan el cartapacio, mi mamá, una vieja que ni siquiera es tan vieja pero el trabajo de bestia me la ha descalabrado, si la viera, sirvienta toda su vida en León, levantándose a las cuatro de la madrugada a encender el fuego, primero en los campamentos de los algodonales, para darle de desayunar a los mozos, después en casas de potentados, yo, en tiempos clandestinos, siempre que podía le mandaba un papel con algún correo, un saludo, y ella me contestaba de voz, porque no sabe escribir: que no fuera ingrato, que por qué andaba en la vagancia, que tuviera juicio, que mejor me dedicara a mi oficio de ebanista, ya no quedaban ebanistas de primor, y mientras con la tijera del muñón sostenía vertical el cartapacio, con las yemas de los dedos de la mano sana hacía girar la cerradura, no me va a creer, se quedó cuidando la casa de sus patrones, que se fueron a pasar la guerra a Honduras, y allí sigue, fiel, esperando que regresen, en sus cuentas para entregarles todo como lo dejaron, ¿pero volverán esos ricos?, ¿volverán las oscuras golondrinas, como dice el verso de Rubén Darío?, qué van a volver, ya no tienen a Vulcano para que los defienda y proteja, ahora ya León está prácticamente liberado, sólo falta sacar a los perros del Fortín de Acosasco donde fue a refugiarse

Vulcano, quién iba a decirlo, el general Gonzalo Evertsz, nada menos, con su famita de gran culazo de la Guardia Nacional, daba gusto oírlo en su frecuencia de radio suplicándole a Somoza, entre lágrimas, que buscaran cómo evacuarlo del Cuartel Departamental, no le quedaban municiones, no le quedaba comida, el olor de los muertos no se aguantaba, y al fin salió, ¿ya sabe cómo?, escudándose, el muy hijueputa, en mujeres, en niños, en viejos, los puso amarrados unos con otros en sarta, rodeando el convoy, cuando se abrió el portón del garaje del cuartel venía Vulcano a la cabeza en el asiento delantero de un jeep, herido en el pecho porque se le veía el vendaje manchado de sangre, y agarrada del pescuezo traía a una pobre señora vendedora de tortillas que caminaba a la fuerza a su lado, la escuadra 45 del cobarde cabrón pegada contra la cabeza de la anciana, y así, al paso, en lenta procesión, llegaron al Fortín, los compas detrás, a prudente distancia, quién iba a dispararle a los perros sin causar una mortandad de inocentes.

Manco-Cápac fracasaba con la cerradura del cartapacio, y ahora se secaba el sudor de las yemas de los dedos en el pantalón para volver a empezar: Pero bueno, era de mi mamá que le hablaba, costó que dejara entrar a los compas a la tal casa de sus patrones, necesitados de instalar allí un hospitalito de campaña, ahora casas, fincas, son del que las necesita, y ella necia, que allí se quedaba entonces, recluida en el cuarto de las sirvientas, cada día jodiendo con el cuento de que cuándo van a desocupar, como si no estuviera viendo la tendalada de heridos, todo eso me lo cuentan por radio los compas, divertidos, no la aguantan pero la consienten, y algo que me arrechaba de ella, me arrechaba y al mismo tiempo me entraba lástima, es que prefiriera estar pendiente de la propiedad de unos burgueses en lugar de preocuparse de cuidar a mi papá, paralítico en una cama desde que se cayó de un andamio reparando el entorchado de un altar en la iglesia de la Recolección, murió hace una semana, se le paralizaron los riñones de tanto vivir acostado, aunque eso sí, para qué negar, ella le llevaba siempre toda la comida que podía, la escalfaba antes de la cocina de los patrones o se la regalaban ellos, como fuera, después la compraría en la calle, no sé con la escasez de la guerra cómo haría, pero lo alimentaba abundante, toda la vida le gustó comer bien, y con la inmovilidad, bien gordo que se puso, entonces, bañarlo, vestirlo, darle vuelta, eso, ella no, limpiarlo a cada rato, pues si tanto comía, lo que por consiguiente deponía, todo eso quedaba a cargo de la Erlinda, mi hermana mayor, bastantes años mayor porque yo vine a nacer cuando ya nadie me esperaba, unas grandes maletas tenía que sacar a botar al excusado del patio en la casita del barrio de San Sebastián, donde tuvo allí mismo el señor su ebanistería.

Aun del deseo de beber se había distraído y volaban sus pensamientos entre sombras con torpes aleteos mientras las palabras de Manco-Cápac caían sordamente dentro de su cráneo, una tras otra, como piedras en un abismo, pero de pronto sacudió la cabeza, una piedra de aquellas se detenía, dócil, en un recoveco del tímpano, y él miraba ahora con sorpresa a Manco-Cápac, que ocupado con la combinación no se daba cuenta de aquella mirada sorprendida suya, la casita del barrio San Sebastián, había oído, la ebanistería, la Erlinda, la pregonera de frutas, ¿iba a resultar ahora que era la misma?, ¿tan chiquito venía a ser el mundo? La Erlinda Campuzano, hermana de este guerrillero Manco-Cápac que para entonces sería un niño. Podría decirle desde la silla donde estaba amarrado, muerto de sed: ya sé que tu apellido es Campuzano, fuimos en un tiempo cuñados, cuñado.

La cerradura cedió por fin con un breve clic, y Manco-Cápac suspiró, satisfecho, al tiempo que se echaba hacia atrás el sombrero: habrá que educar a los pobres, doctor, enseñarles cuáles son sus intereses de clase, tanto a mi mamá como a ese viejo, mandadero suyo, que salió herido en el hombro, ¿Ambrosio se llama?, lo regañé, al muy sobrado, ¿para qué jodido agarraste ese rifle?, ¿querías sacarte tu balazo?, le dije cuando lo llevé a que lo curaran, pues ya ves, lo lograste, y dicha que no te matamos en el combate, soberano huele culo. Abrió despacio la tapa del cartapacio y sus ojos fueron llenándose de gozo mientras removía los fajos de billetes con la tijera del muñón, sacaba un fajo, luego otro, los abanicaba, los olía, vea qué clase de papeles que sólo a usted le interesan, cómo no van a interesarle, a nosotros también, se reía como si se salvara de una broma inocente que no hubieran podido jugarle, vamos a contarlos, por supuesto, ¿su caja chica, verdad, doctor? Y él tuvo ganas de decirle: no hay necesidad, son veinte mil dólares en fajos de mil.

Y no se sabe cuánto tiempo más tarde, tartamudo otra vez primero, y luego en una voz que le salió desde los pulmones como el acorde de un órgano viejo, se atrevió a decir: Ustedes los sandinistas pueden pasar a la historia si de verdad hacen lo que prometen. Tras cerrar el cartapacio Manco-Cápac lo quedó mirando con ojos curiosos: ¿y qué es lo que prometemos? Una revolución humanista, siguió atreviéndose él en su ingrata ronquera. Pues si es eso, quítese toda preocupación, doctor, Manco-Cápac dejaba colgar de nuevo el cartapacio de la tijera del muñón, el primer humanismo va a ser que los pobres no se nos mueran de hambre, ¿usted sabe que allí nomás, al entrar a las montañas de Matagalpa, por el lado del Tuma, hay comunidades donde los campesinos no pueden ver nada de noche, por causa de no comer?, es una enfermedad que tiene un nombre científico que a mí se me olvida, su causa es la falta de vitaminas, o sea, ciegos por hambre. Y él: Sí, los pobres, pero yo digo, también una revolución sin venganza. Ah, bueno, de acuerdo, sin venganza, pero con justicia, doctor, por medio siglo hemos tenido aquí en Nicaragua una negrura de crímenes y una robadera a lo descosido, los zánganos dueños y señores del colmenar, empalagados de miel.

Acunó el cartapacio contra el pecho y se volteó hacia una guerrillera que permanecía en la puerta que daba a la terraza esperando el permiso para entrar: consígale al prisionero un vaso de agua, compañera Judith, ordenó, y tras cuadrarse militarmente, la muchacha dio media vuelta y muy luego estaba de regreso trayendo el agua en un vaso de plástico verde. El fusil le pesaba en el hombro, porque se inclinaba de un lado al caminar, y recortada contra el deslumbre que bañaba la puerta notaba ahora que era muy blanca y pecosa, que tenía caderas estrechas y senos pequeños, que el pelo, mal recortado, le sobresalía en desorden debajo de la gorra de trapo, y que en lugar de botas militares usaba zapatos tenis blancos, por supuesto muy sucios. Le daba de beber en la boca, retirando el vaso cada vez que el agua comenzaba a derramarse por su barbilla, como si se tratara de un enfermo inválido, y debió recogerla seguramente en la pileta del lavadero porque estaba tibia y tenía gusto a jabón. Pidió más, y ella fue a llenar de nuevo el vaso. Muchas gracias, linda, se atrevió a decirle, escrutándola con algo de sorpresa. Parece que me reconoce, dijo, y acusó un dibujo de sonrisa en la comisura de los labios. No me acuerdo bien, respondió, confortado por aquella sonrisa que avanzaba desde lejos. ¿Me vio alguna vez en el periódico, o en los archivos de la OSN? ¿Qué archivos?, no sé nada de ningún archivo. De todos modos estoy cambiada, dijo, volviendo a sonreír apenas, y se fue.

Habrá pasado quizás una hora de absoluta quietud, tanta que sólo se oía alborotar en las ramas de los almendros a los zanates clarineros, y el estallido de los tumbos ahora que empezaba la llena. A través de la puerta podía ver más allá de la baranda de la terraza una ceja de mar de un gris verdoso y el cielo azul pulido, casi sin nubes. El mulato artillero, pendiente siempre de la ametralladora, se había despojado de la camisa y le alcanzaba al ayudante su cigarrillo a medio arder para que el otro encendiera el suyo, y aquella chispa que iba de una mano a la otra fulguraba en su visión al irse entredurmiendo, aturdido por el sueño, pero de pronto la voz de Manco-Cápac lo sacaba de la modorra, venga, vea, quiero enseñarle algo, lo llamaba desde la puerta con un gesto imperativo de la mano sana. Vaciló, pero Manco-Cápac seguía invitándolo con firmeza, y al fin se puso de pie, los brazos cautivos adoloridos, las muñecas entumidas.

El desorden afuera era el mismo, pero el cadáver del sargento Estrada y todos los demás cadáveres habían sido evacuados. Tampoco quedaba en el corredor ninguno de los prisioneros, y habrá notado Manco-Cápac la pregunta en su mirada, porque mientras lo llevaba tomado de los hombros por uno de los corredores laterales, empezó a informarle: No se preocupe por ellos, los tenemos encerrados en la bodega de los repuestos agrícolas para mientras son trasladados a Tola, se les va a dar de comer lo mismo que coma mi tropa, y en lo que hace a los muertos, van a ser enterrados en la ronda del cañal, ya estamos abriendo la zanja, vamos a darle preferencia a tres mozos de la hacienda, de los que puso usted a defender los galpones y los corrales, esos fenecieron desde ayer, y ya hieden. Llegaron hasta la trinchera donde había estado el emplazamiento original de la ametralladora, de cara al camino real, a los galpones, a las casas prefabricadas, los corrales de piedra. Asómese, le dijo. Y obedeciendo, se asomó por encima del parapeto de sacos.

Abajo hay un camión quemado del que sólo queda la cabina ennegrecida montada sobre el chasis. El esqueleto de un galpón humea todavía con bocanadas densas que crecen de pronto, como aventadas por una mano invisible, y las cenizas vuelan sobre los cañaverales chamuscados. En los corrales vemos reses muertas ya infladas, la nutrida zopilotera cayendo sobre ellas desde las ramas desnudas de los jícaros, mientras otras vagan sueltas por el camino real, arrastrando las sogas. Pero no es eso lo que Manco-Cápac quiere enseñarnos. En el descampado cubierto de grava que se abre en el remate del camino real, al pie del contrafuerte de la casa, dos guerrilleros ayudan a una mujer a apearse de la tina de una camioneta. Desciende de espaldas, las nalgas muy apretadas dentro de los blue jeans, y lleva una blusa típica bordada en colores, tan corta que deja descubierta su cintura, sandalias plateadas de tacón alto, y un sombrero de palma que defiende con ambas manos cuando un repentino soplo de viento quiere arrebatarlo de su cabeza. Ya en tierra se sacude el polvo mientras los guerrilleros descargan su equipaje, un juego completo de valijas Samsonite de distintos tamaños, todas de color rojo. Podríamos creer que viene a veranear si no fuera por esos dos guerrilleros que la acompañan y por la novedad del paisaje: el camión quemado, la espesa humareda, los cadáveres que están enterrando más allá de los corrales, en la ronda del cañaveral, y la pestilencia de las reses muertas en el fuego cruzado, que la obliga a taparse la nariz, sin olvidar los racimos de zopilotes posados en las ramas de los jícaros, cada vez más numerosos.

¿La conoce o se la presento?, le dice Manco-Cápac, y él, extremando su docilidad, responde: Es la Yadira. Claro que sí, su Yadira, la agarramos escondida en la casa de un pastor pentecostal en el empalme de Virgen Morena, al lado del camino que va para Ochomogo, huyendo con todo ese montón de valijas que son de la misma raza de su cartapacio, ¿cómo puede alguien creer que va a escaparse con semejante equipaje, en plena guerra? ¿Dónde la van a poner a dormir?, pregunta él, tragando saliva, y siente vergüenza de la mansedumbre que aflauta su voz. Aquí, con usted no, ni quiera Dios, a tanta complacencia no llegamos, se ríe muy despacio Manco-Cápac, como si no le gustara otra cosa que oírse reír unas veces, y otras acariciarse con demora la barba, voy a dejarla en la casa del mandador, que de todas maneras huyó con toda su familia, y créamelo que lo hago por el bien suyo. ¿Por mi bien?, iba a decir, no iba a decir, dijo al fin, y Manco-Cápac, conteniendo un nuevo golpe de risa: sí, por su bien, y por el bien de la revolución, vaya y le llegan con el cuento a su señora esposa, qué iba a pensar ella de nosotros, usted libre es una cosa, se mete con su Yadira al aposento de los espejos, y se acabó, pero prisionero del poder popular, de ninguna manera.

Mi esposa Lorena está en Miami, respondió, sabiendo que era mentira, y alzó la barbilla para mirar a Manco-Cápac con rostro que a él le pareció de desafío, aunque en el aposento de los espejos hubiera visto más bien reflejado otro rostro, unos huesos desencajados bajo la calva lívida, el temblor impúdico de una boca que se aflojaba con cada palabra. ¿En Miami?, Manco-Cápac lo empujaba otra vez con suavidad, de vuelta a su silla episcopal. No importa, doctor, de todos modos las noticias tienen alas, y por eso vuelan.

El aposento de los espejos [Testimonio del doctor Edgard Morín, 2 de agosto de 2001]

Durante la etapa final de la lucha contra la dictadura, mi hija mayor y yo nos dedicábamos a escuchar, por lo general a partir de la caída de la tarde, las transmisiones supuestamente secretas de la Guardia Nacional. Se habían puesto de moda unos receptores especiales conocidos como «escáneres», y no pocas veces se organizaban tertulias clandestinas para escuchar esas comunicaciones que permitían obtener noticias sobre los entretelones de la guerra. Algunas fueron grabadas y enviadas al exterior en prueba de las barbaries cometidas por las tropas de Somoza, como decir, órdenes de ejecución de prisioneros en el mismo lugar donde eran capturados, bajo el eufemismo de «darles agua», durante las famosas «operaciones limpieza» que tuvieron lugar a partir de septiembre de 1978 en las ciudades de Matagalpa, León, Masaya, Chinandega y Estelí; o instrucciones de bombardeos con barriles de quinientas libras repletos de dinamita que dejaban caer desde aviones de carga sobre los barrios insurreccionados del sector oriental de Managua, allá por junio de 1979.

En una de esas conversaciones, por ejemplo, Anastasio Somoza Portocarrero, El Chigüín, heredero frustrado de la dinastía que dirigía la «operación limpieza» en León, le confesaba a Adonis Selva, jefe del Estado Mayor Presidencial, conocido como Pirañita, el ametrallamiento de un convoy de ambulancias, con el saldo de varios socorristas asesinados a mansalva, y le pedía «inventar algún cuento» ante las autoridades de la Cruz Roja Internacional que reclamaban por el crimen.

El Chigüín había recibido como regalo de su papá la jefatura de la famosa EEBI, supuestamente una escuela de entrenamiento de infantería que se volvió una tropa de carniceros, lumpen de los barrios de Managua y campesinos traídos de los lugares más remotos de la manigua, condicionados en los entrenamientos para matar sin asco alguno. Tal como bien lo recordás en tu libro *Adiós muchachos*, desde las ventanas del Hotel Intercontinental era posible oír los gritos de los reclutas, que mientras corrían a marcha forzada en el patio de maniobras de la explanada de Tiscapa, respondían a las consignas del mercenario David Chaney, un veterano de la guerra de Vietnam contratado como instructor: ¿Qué somos nosotros? ¡Tigres! ¿Qué beben los tigres? ¡Sangre! ¡Sangre! ¡Sangre!

Había estado de sitio en todo el país, y después de las seis de la tarde, toque de queda. Mi hija y yo nos dedicábamos a esas exploraciones en el escáner por falta de mejor entretenimiento, pues era peligroso aun ir al cine, ya que las calles eran vigiladas constantemente por los agentes de las famosas Brigadas Antiterroristas (BECAT), que se movilizaban en unos jeeps descapotados, dispuestos a disparar contra cualquiera al menor movimiento que les pareciera sospechoso.

Recorriendo el dial, nos habíamos acostumbrado a detenernos en un lugar donde conversaban, usualmente de cosas sencillas y domésticas, un hombre y una mujer. A medida que el tiempo transcurría iban apareciendo en la plática detalles que nos fueron orientando, hasta que ya no tuvimos dudas de que se trataba de Alirio Martinica, famoso somocista caído en desgracia, que hablaba desde su hacienda Santa Lorena, en la costa de Rivas, y su esposa, Lorena López, que se hallaba en Managua, seguramente en su residencia de Bolonia. Él se negaba a regresar a Managua, algo en lo que ella no dejaba nunca de insistir, y el asunto se volvía tema de constante discusión.

Se escuchaban, por parte de Martinica, solicitudes de envío de medicinas, alimentos enlatados, licores y artículos personales. Ella le hablaba de la necesidad de sacar de la casa hacienda, y devolver a Managua mientras estuvieran libres los caminos, «las cajas con la vajilla y las cajas con los manteles, todo lo que llevaste aquella vez para la fiesta de tu cumpleaños que ya no se celebró allá, porque al final pasó lo que ya sabés».

Al hablar de la celebración frustrada del cumpleaños en la hacienda, porque «pasó lo que ya sabés», seguramente se refería ella al juicio a que Alirio Martinica fue sometido, si mal no recuerdo en el año de 1977, y que le costó su caída, pues fue por varios años secretario privado de Somoza y hombre todopoderoso en las sombras. En aquel tiempo muchos vieron el juicio, que recibió gran despliegue, como una maniobra de Somoza y de su amante para deshacerse de Martinica, algo típico dentro de las luchas internas que se daban en las alturas del somocismo.

Es natural que en esas comunicaciones se comportaran cautelosos, de manera que a Somoza lo trataban siempre con alabanzas, y al referirse a los guerrilleros sandinistas se esmeraban en darles nombres despectivos. Martinica se burlaba constantemente de ellos. Los llamaba «los chapuceros», y alegaba delante de su esposa, en busca de tranquilizarla, que no tenía por qué temerles, pues no representaban ninguna amenaza; «la Guardia Nacional va a acabar con ellos como si fueran moscas bañadas en DDT», decía, «son unos pobres ilusos».

Una tarde, creo que a mediados de junio de 1979, Martinica le contó a su esposa que había aceptado protección militar. «Por un si acaso», dijo, en son de broma. Pero a los pocos días nos dimos cuenta de que algo grave estaba ocurriendo. «Sí, andan guerrilleros por todas partes, parece que cayó Tola, no te preocupés, yo tengo a mis hombres acá, bien preparados», se le oía decir, con gran tensión en la voz. Ella lo llenaba de reclamos por haberse negado a hacerle caso antes, y una de esas veces él respondió, abatido: «Mamita, no te me pongás brava, ahora es tarde para estarnos peleando».

Al día siguiente comenzó el ataque. «Se vienen acercando. Son muchos hombres, nos están rodeando», decía él. «Vienen por el camino real. Se mueven allá por los tanques de agua. Se acercan a los galpones. Ya están en los corrales.» El aparato quedaba abierto, entraban ruidos, voces, y volvía él a hablar: «Ya nos están disparando». Y era cierto, se oían los tiros. Ella contestó: «Pero vos tenés suficientes armas y hombres». «Sí, pero ellos son muchos, demasiados, salen hasta debajo de las piedras», dijo él, «ve si te comunicás vos con el búnker, que a mí no me responden las llamadas por el radio, que manden más refuerzos, que envíen aviones, te tienen que hacer caso». Pasaban minutos de silencio. «Nos están balaceando nutrido desde varios puntos. Tienen ametralladoras, bombas, granadas, tal vez lanzacohetes coreanos, armamento soviético, deciles eso, que quién sabe si vamos a poder aguantar mucho. ¿Te pudiste comunicar con el búnker? ¿Van a mandar los refuerzos?». «Ya hablamos. Te los enviarán. Aguantate. ¿Cómo estás vos?» «Resistiendo, pero son montones. Ya tenemos bajas, hay heridos. Que se apuren, que entren por el lado de Nandaime, que los agarren por la retaguardia. Que los bombardeen con los aviones, ¿qué están esperando?»

Los refuerzos militares nunca llegaron, y ya por último Alirio Martinica se calló. La voz de la esposa desapareció también. Entonces nos movimos hacia el sitio del dial donde usualmente se oían las comunicaciones del búnker. Se notaba una gran agitación, y pronto descubrimos que se ocupaban del ataque a Santa Lorena. Una voz de talante militar pedía informes a alguien que respondía en tono de subordinado: «Nos están diezmando, quedamos pocos, nos están matando». «¿Quién se reporta al habla?, ¿no sabe que debe identificarse al dirigirse a un superior?», advirtió en son de regaño el que hablaba desde el búnker, y eso nos impresionó, que en esas circunstancias regañaran al que decía «nos están diezmando». «Estrada, Ifigenio, sargento de infantería, señor», fue la respuesta. Y aquella otra voz altanera, no nos quedó duda, era la de Pirañita.

Nos mantuvimos en la frecuencia del búnker. Había períodos prolongados de silencio. Después se cruzaron voces confusas. Alguien hablaba de una lancha que estaban mandando desde San Juan del Sur, y entonces Alirio Martinica apareció en el dial para recibir de parte de Pirañita las instrucciones sobre la llegada de aquella lancha que supuestamente iba a rescatarlo. Le dio datos sobre la embarcación, la hora aproximada en que debía esperarla, le explicó que iban a tirarle un neumático, que debía alcanzar la rompiente y agarrar el neumático. Él sólo decía. «Sí señor, sí señor.» Y finamente: «Dígale al Jefe que le quedo agradecido». Luego regresó el silencio. Se acercaba el amanecer. Entonces apagamos el escáner y nos fuimos a acostar.

Triunfó la revolución. Habían transcurrido meses desde aquella larga noche última que te cuento. Una tarde, salía yo de mi visita rutinaria al pabellón de varones del Hospital Militar Dávila Bolaños, donde ahora prestaba mis servicios, cuando me encontré en las gradas con un grupo de muchachos combatientes que convalecían de diversas heridas. El mayor no tendría diecisiete años. Sostenían una animada tertulia, felices, conversando sobre sus hazañas de guerra. Se quitaban la palabra unos a otros. Escuché que uno de ellos mencionaba algo relacionado con Santa Lorena y me detuve, entrometiéndome en la plática. Todos habían participado en la toma de la casa hacienda.

Cada uno contaba con mucha minucia y de manera muy gráfica su parte en el asalto. La tensión vivida en los preparativos desde que salieron de Tola por veredas de monte para no exponerse a alguna emboscada en el camino; la manera en que habían establecido el cerco, los combates encarnizados, avanzando palmo a palmo sobre la casa hacienda, que por su posición elevada presentaba óptimas condiciones defensivas, decían, hablando con mucha propiedad en argot militar; la estratagema que atribuían a la sagacidad del mencionado sargento Estrada, quien había mandado colocar entre las ramas de los árboles del perímetro unos muñecos de zacate vestidos con uniformes kaki de guardias, y armados con rifles de palo, obligándolos así a consumir abundante munición antes de darse cuenta del engaño; los compañeros heridos, los muertos, y daban los nombres de cada uno; y la gran admiración que sentían por el comandante guerrillero que había dirigido el operativo, un muchacho un poco mayor que ellos, originario de León, Tupac-Amaru o Manco-Cápac, al que idolatraban por su gran valentía y arrojo en el combate, siempre al frente de las acciones más arriesgadas.

Fue él quien primero entró en la casa disparando ráfagas cuando al fin pudieron escalar el promontorio. No se cansaban de contar que aun siendo manco podía quitarle la espoleta a una granada con la tenaza del muñón mejor que con los dedos, y se arrebataban entre ellos la palabra para relatarme el episodio en que, con esa misma tenaza, había arrastrado por el cuello de la camisa a un combatiente herido, hasta sacarlo de la línea de fuego, mientras con la otra mano disparaba el fusil. Esto de que le faltara una mano me lleva a que su seudónimo debió ser Manco-Cápac y no Tupac-Amaru.

Cuando lograron penetrar por fin a la casa buscaron a Alirio Martinica sin resultado alguno. Entonces oyeron que en el radio de transmisiones militares preguntaban desde el cuartel de La Virgen por el sargento Estrada, que acababa de morir en el asalto final. El muchacho manco se hizo pasar por él y así recibió información acerca de la inminente llegada de la lancha que desde San Juan del Sur iba al rescate de Alirio Martinica. Formó una escuadra y bajó de inmediato a la playa en su busca, no sin antes dar orden de que una ametralladora que los mismos guardias habían emplazado viendo al mar disparara ráfagas contra la lancha que en ese momento se oía acercarse a toda máquina, para ponerla en fuga; episodio este último contado por el propio artillero a cargo de la ametralladora, un ayudante de mecánica originario de Nandaime al que llamaban Chico Jaiba, herido después en un pulmón en el ataque al cuartel de Rivas mientras manejaba la misma ametralladora.

Al poco rato dieron con Alirio Martinica. Lo capturaron y le quitaron un cartapacio lleno de miles de dólares, decían ellos que medio millón, de joyas costosas, y escrituras de las docenas de propiedades que poseía por todo Nicaragua. Fue llevado a Tola para ser juzgado por un tribunal popular, pero de eso los muchachos ya no sabían nada, ellos andaban en «la runga», y como el comandante Ezequiel los necesitaba para la toma de Rivas, allá se fueron sin dilación.

De ese juicio popular celebrado en la casa cural de Tola puedo contarte, aunque no mucho, porque un primo lejano mío, Leónidas Galán Madriz, fue juzgado junto a Alirio Martinica. Lo que sé, pues, es por boca suya. En noviembre de 1983, cumplía una mañana mi turno en la consulta externa del hospital, cuando la enfermera me anunció que un pariente quería saludarme y lo hizo pasar. Canoso y medio calvo, caminaba apoyándose en un andarivel, y no lo reconocí hasta que soltó su peculiar risa pícara. En realidad, tenía años de no verlo. Lo recordaba de joven como un hombre de paso alegre y además muy velludo, al grado de que para los años en que estudiaba leyes en la Universidad de León le pusieron por nombre El Niño Lobo. Ahora hasta los pelos abundantes parecían haberse esfumado de su cara y de sus brazos.

Éramos primos lejanos, pero más lejano aún era el trato que nos dábamos, ya que él había oficiado como un incondicional del somocismo.

Manejaba un programa de radio en la Estación X, y desde allí lanzaba las calumnias más viles contra cualquiera que estuviera en la mira del régimen, llevándose de encuentro a cónyuges y familiares; y lo peor es que agredía a sus víctimas con ingenio perverso, haciendo uso y abuso de su ironía cáustica.

Me contó de su mal de diabetes, de sus crisis de hipertensión y de la artritis gotosa que lo tenía muy baldado, haciendo mofa de sus propios males. Y con el mismo humor me contó lo del juicio. En espera de que lo sacaran clandestino hacia Costa Rica, había ido a esconderse en casa de una comadre suya que tenía un comisariato en la hacienda Nagualapa, una propiedad de los Somoza en la costa del Gran Lago. Lo capturaron mientras almorzaba y lo llevaron a pie a Tola, donde compartió encierro con Alirio Martinica, no recuerdo si me dijo que en la sacristía de la iglesia, vecina a la casa cural, y una y otra vez se vanagloriaba de que el pueblo, facultado para perdonar a los reos con sus aplausos o condenarlos con su silencio, lo había salvado por la simpatía que despertó su arenga. «Vos sabés cómo he sido yo siempre, campechano», recuerdo sus palabras, más o menos, «le gustó a la plebe mi modo de defenderme, a veces serio, a veces en guasa, me aplaudieron en ovación, y tras los aplausos ya quedé libre». Su comadre, fiel en seguirlo sin fijarse en riesgos, lo esperaba en el portón de la casa cural, y protegidos por la misma escuadra que lo había traído preso a Tola salieron de vuelta a Nagualapa, adonde llegaron a tiempo para el desayuno, huevos de amor con recado de tomate, y frijoles amanecidos vueltos a freír, bien se acordaba, pero que sólo él disfrutó, se acordaba también, porque a su comadre se le había cerrado el estómago, no sólo de la impresión de saberlo vivo, sino porque se hallaron con la novedad de que los guerrilleros le habían vaciado su comisariato y se barruntaban amenazas contra ella, pero él la supo defender, también con buenos alegatos, y le devolvieron buena parte de la mercancía confiscada.

Nadie había vuelto nunca a molestarlo, y aún más, había conseguido trabajo en la misma emisora, que ahora era estatal, bajo el nombre La Voz de Nicaragua, sólo que como comentarista deportivo para hacerle propaganda al equipo Los Dantos, que patrocinaba el Ejército Popular Sandinista. Todavía hoy me pregunto cuál fue el objeto de aquella visita, porque si es cierto que me dio la lista de sus achaques, no me pidió ningún consejo médico.

No sé cuánto tiempo después, quizás al año siguiente, me tocó encabezar una brigada médica voluntaria que se desplazó a la comarca del Astillero, donde se había desatado un brote de dengue hemorrágico, y fuimos alojados en la casa hacienda de Santa Lorena, utilizada para entonces como lugar de descanso para altos dirigentes de la revolución. La hacienda se llamaba ahora Unidad de Producción Agropecuaria Ignacio Corral, en memoria de aquel guerrillero de los primeros tiempos, cuyo cadáver, te acordás, fue lanzado al cráter del volcán Santiago.

Era época de lluvias, y tras vadear un río algo crecido, al poco rato estábamos entrando al camino real de la hacienda, convertido en un gran lodazal. Yo tenía una viva curiosidad en reconocer cada lugar de la casa y sus alrededores, de manera que esa misma tarde, después de una reunión en la que planificamos el trabajo de la brigada en coordinación con el secretario político del FSLN en Tola, me dediqué a reconocer el terreno. Visité los galpones, recorrí la ronda del cañaveral, donde habían sido enterrados los muertos, y luego anduve por la casa, tratando de descubrir huellas del combate. No fue en vano, porque en varios sitios de las paredes pude ver los agujeros producidos por balas de todo calibre.

La casa tenía corredores abiertos por los cuatro costados, pero por dentro era demasiado oscura, aun en las horas del mediodía, aunque los tragaluces ayudaban a disipar la penumbra. Al pie del promontorio en que se asentaba había una formación de pura roca, como una mesa gigantesca, con pozas de poca hondura. El aposento único del segundo piso, que me fue asignado, era como una especie de palomar con techo de zinc que sobresalía del tejado de barro, y tenía una especie de balcón. De frente al mar quedaba la terraza, sombreada por mangos y almendros, y de todos era el lugar que resultaba más agradable.

Una cocina de tablas, ubicada en la culata, que por lo visto ya nadie usaba, porque una nueva y más espaciosa había sido construida aparte de la casa, tenía unas grandes piletas para destripar pescados, revestidas de azulejos blancos que habían ido tomando un color como el marfil. Y aunque desde hacía tiempos no se destripaban pescados en esas piletas, una densa nube de moscas se acumulaba sobre los azulejos, sin moverse, como si estuvieran muertas.

Me llamó la atención el aposento principal. Ni de día ni de noche podía apreciarse el mar desde dentro porque el espacio que debía ocupar el ventanal se hallaba cegado por la luna de un espejo. Y no sólo eso. El techo y las paredes laterales, salvo el espacio ocupado por un clóset de varios paños, estaban también cubiertos por espejos que mostraban las reventaduras del azogue en forma de finas telarañas, de modo que uno se sentía como prisionero dentro de la caja de un ilusionista. La cama era, además, una de esas camas de agua, incómoda para dormir según mi gusto, pues daba la sensación de que podía derramarse en cualquier momento.

En una de las paredes laterales, incrustado en el espejo, había un aparato de aire acondicionado, tan caduco que mostraba el empaque, y capaz de un ruido tan infernal que más bien desvelaba, pero era imposible permanecer dentro de aquel cajón con el aparato apagado, ya no se diga con la luz encendida, porque los espejos multiplicaban las luces, y entonces la sensación era la de encontrarse uno tendido en la capilla velatoria de una funeraria, comparaciones, necias a lo mejor, que a mí se me vienen a la cabeza pero que ya podrás suprimir, o cambiar a tu propia voluntad.

Nunca me expliqué a qué se debía aquel capricho de los espejos, y tampoco por qué los altos comandantes, que ahora veraneaban allí, no mandaban abrir una ventana verdadera frente al mar. Lo que sí tengo por seguro son las largas noches de soledad que debió pasar Alirio Martinica encerrado en aquel extraño aposento durante los años de su destierro, acompañado solamente por su reflejo en los espejos. Su reflejo, y a lo mejor también el de su amante, que según las historias que me contaron los combatientes de que he hablado, fue capturada mientras buscaba huir en lo más recio de la balacera. Me parece recordar que mi primo lejano, El Niño Lobo, me mencionó que ella, por desesperación de salvarse, había declarado en contra de Alirio Martinica durante el juicio, o algo así.

Pero si algo recuerdo bien es que a lo largo de todas esas noches tuve la ingrata sensación de que el fantasma de Alirio Martinica me acompañaba, como si ahora viviera en los espejos.

2.

A punto de golpear con el taco la blanca madrina para dispersar a las demás bolas formadas en triángulo al centro de la mesa en surtido de colores, alzó la vista como si alguien le avisara que por encima de una de las celosías de resortes que defendían las puertas de la calle pasaba en ese momento la muchacha pregonera de frutas. Se quedó congelado en el impulso, esperando verla aparecer ahora por encima de la otra celosía, y entonces, tras descargar por fin un estacazo certero, vino hasta la acera con el taco en ristre mientras las bolas de marfil chocaban con golpes secos y rodaban ruidosas, huyendo y persiguiéndose sobre el paño.

Tampoco esta vez había ella condescendido a volver la mirada hacia los interiores del salón Lezama, que bullía a esa hora de jugadores empedernidos, porque su altanería era su escudo, una quinceañera rústica, superior a cualquier candidata a Miss Pacífico, que se entrenaba para caminar con garbo llevando una canasta de frutas sobre la cabeza, mangos, guabas, zapotes, mamones, mameyes, anonas y guanábanas, libres a la cadencia de su paso las cariocas sueltas que golpeaban contra los talones encallecidos. Y cuando la visión desapareció, porque la muchacha había doblado hacia la calle real en la esquina de la Casa Prío, puso los ojos en sus propios zapatos decrépitos aunque recién lustrados, los calcetines flácidos color carne pálida con una flecha azul que subía por los lados, el remiendo sutil en el codo de la camisa como una cicatriz que ya se apagaba de vieja. Su atuendo de pasante de derecho con sueldo de Juez Local del Crimen de ciento cincuenta córdobas mensuales.

Regresó al salón de billar y se acercó a la mesa donde lo esperaban los otros dos jugadores de la partida interrumpida en su comienzo, cada uno afanado en dar tiza al estoque. Recostó el taco a la pared, gesticuló, como en súplica, y se cubrió la cara con las manos.

—Vení, papá, dejate de payasadas y volvé a tirar, una sola bola entró en la tronera, la del cinco —dijo Jacinto.

—Nos ha ganado cuatro en fila, el muy cabrón, pero empieza a ahuyentarse su suerte —dijo Ignacio.

—Y la próxima vez que abandonés el juego, sabelo que perdés el turno —dijo Jacinto.

—Me arrastra sin piedad la ciega pasión, qué quieren que haga —recuperó el taco y rodeó la mesa, haciendo que se enjugaba una lágrima.

—Ni siquiera sabe cómo se llama su princesa mengala —dijo Ignacio.

—Erlinda Campuzano, con domicilio que sita de la iglesia de San Sebastián dos cuadras abajo, esquina opuesta a la pulpería Castalia, siendo el oficio del padre, ebanista, y el de la madre, empleada doméstica, sin que se le conozca novio alguno —ensayaba la mira acercando apenas el estoque a la blanca madrina, en busca de la bola del uno.

—¿Ya te la pasaste entonces por las armas? —dijo Jacinto.

—Ustedes siempre vulgareando los sentimientos puros —no conforme con el punto de mira se alejó de la mesa para tener a su gusto una vista de todo el panorama.

—¿Vas entonces por el camino de fundar con ella un hogar honrado? Y ya dejá tanta mueca y tirá de una vez —dijo Ignacio.

—Olvidate, este camarada bolchevique a las mujeres proletarias sólo las quiere para el amancebamiento ilícito —dijo Jacinto.

—Nada tiene que ver la doctrina proletaria con la cama, así lo escribió el propio Iván Ilich —ahora sí, la blanca madrina iba en busca de la bola del uno, como atraída por una fuerza magnética.

—Qué sabía ése, jamás le propuso lujurias a la Kupraskaya, todo era en ellos santo y frugal ayuntamiento —dijo Ignacio.

—No le toqués a Lenín al camarada, que se ofende —dijo Jacinto.

—Si se ofende es porque anda metido entre todos esos del FER que reciben clases de marxismo con el gordo Aragón, escondidos a medianoche en el laboratorio de la Facultad de Farmacia —dijo Ignacio.

—Verídico, los reconozco porque al día siguiente la ropa les huele a azufre —dijo Jacinto.

—¿Ya agarraron pegue con Manitos de Seda en la Oficina de Seguridad para que sepan tanto de mi vida? —la bola del ocho, tocada en carambola por la del uno, entró en una de las troneras, y la del uno rodó sin prisa hasta caer en otra.

—Sólo queremos estar prevenidos para escondernos a tiempo el día que llegue a traerte preso el sargento Pipilacha con su cortejo de ángeles de la guarda —dijo Ignacio.

—¿Preso yo? ¿Un miembro conspicuo del poder judicial? —elevando el taco apartó a su favor las cinco fichas del tiro inicial, y las nueve adicionales, en una de las ristras que colgaba encima de la mesa.

—Qué raro, un subversivo de juez, si esos nombramientos delicados las revisan allá arriba, en la Loma de Tiscapa —dijo Jacinto.

—Son mis superiores clandestinos los que me han ordenado ponerme el manto de juez oficialista por si cae un compañero —volvió a acercarse a la mesa, estudió con calma la situación y se decidió por la bola del doce, que había quedado junto a la banda lateral izquierda, muy cerca de la tronera intermedia.

—¿Y no te da ningún remordimiento el flaquito Masías, que renunció de juez porque vos lo obligaste para ocupar su lugar? —dijo Ignacio.

—Dejó de estudiar por tu culpa, por tu culpa se volvió a Juigalpa y se quedó de amanuense —dijo Jacinto.

—Yo lo único que hice fue comunicarle una decisión de la dirigencia estudiantil, como a muchos otros —embocó el taco con impulso corto, y la blanca madrina golpeó con suavidad la bola del dos, que entonces pasó rozando apenas a la del doce, lo suficiente para hacerla precipitarse en la tronera.

—Y el puesto de juez te cayó del cielo —dijo Ignacio.

—Ya les dije, yo sólo obedecí instrucciones de mis jefes clandestinos —con el ceño fruncido estudiaba ahora la situación de las bolas regadas sobre el paño, porque la del dos había quedado en un ángulo de tiro difícil para alcanzar en carambola a la del diez, que era su siguiente objetivo.

—Eso de jefes clandestinos nada bueno te va a dejar, cogé ejemplo de Ignacio, un decente miembro de la Juventud Social Cristiana, nada de ideas extremistas, nada de subversión armada —dijo Jacinto.

—Para que no se tiña con sangre de hermanos el pendón bicolor —dijo Ignacio.

—Vos y toda tu cofradía de social cretinos —pese a la dificultad se decidió por la del diez, se colocó el taco a la espalda, y de espalda se apoyó en el borde de la mesa.

—O te metés en la violencia o sos cretino, no hay más para donde agarrar según las sagradas leyes del camarada aquí presente —dijo Jacinto.

—A mi padre lo mató Tachito el Malo con sus propias manos, háblenme a mí de violencia —el taco iba y venía como un émbolo entre sus dedos, blancos de tiza, sin tocar aún a la blanca madrina.

—Y a mi ilustre antepasado Ponciano Corral, no te olvidés, lo fusiló el contumaz filibustero

William Walker en la plaza mayor de Granada —dijo Ignacio.

—Que venga el espíritu de tu ilustre antepasado a socorrerlos, porque como pueden ver y apreciar, en un abrir y cerrar de ojos tengo ya veintiséis puntos, y en lo que llega desde el más allá, voy a quedarles sumamente agradecido si me explican cómo salir de Tachito el Malo y de Luisito el Bueno sin que sea a balazos —la bola del diez recibió al fin un leve toque de efecto comunicado por la del dos y se fue rodando hacia la tronera de la esquina a lo largo de la banda, como si las demás se apartaran por magia de su camino, mientras la del dos, que la seguía rezagada, entraba de pronto en la tronera intermedia.

—Este valiente tan generoso en ofrecer bala es un cobarde probado frente a las mujeres, ni siquiera se atreve con la humilde princesa de la canasta —dijo Jacinto.

—Prestame a la huérfana una noche, y vas a ver si soy cobarde —antes de elevar el taco para marcar la nueva suma en la ristra de fichas, se inclinó ante cada uno con una leve reverencia.

—¿La huerfanita sabia? ¿La que pasa leyendo poesías de Campoamor todo el día? Con ésa no te metás, que se la tiene reservada a Jacinto su papá —dijo Ignacio.

—No puedo, ni que quisiera, la manda testamentaria me lo prohíbe terminantemente —dijo Jacinto.

—Si me la dieran por esposa, le derrocharía la herencia sin contemplaciones para que nadie dijera que me casé por la plata —fue contando con un movimiento de los labios las doce fichas, mientras las apartaba con el taco, y después las empujó de un solo varazo.

—Ya veo cuál es tu filosofía de la lucha de clases —dijo Ignacio.

—Si hay que acabar con la propiedad privada, mejor empezar dando el ejemplo —la bola del catorce le quedaba muy lejana, casi un imposible llegarle con la del tres, pero quería apurar el fin de aquella partida en la que sólo él jugaba igual que en las cuatro mesas anteriores, una tarde de billar que se estaba volviendo ya monótona.

Abominad la boca que predice desgracias funestas, guerra a la propiedad privada, fosas comunes para los ricos —dijo Jacinto.

—Y fuego, también voy a pegarle fuego al Club Social allí enfrente —dio tiza al estoque de manera despreocupada, como si nada trascendente fuera a ocurrir, pero de pronto se montó a horcajadas sobre la mesa.

—Sólo porque un día no te dejaron entrar, por plebeyo medio pelo —dijo Ignacio.

—Peor, me sacaron cuando ya estaba adentro —pulsó el taco sin ninguna reflexión, y tras el golpe, la blanca madrina corrió enloquecida al encuentro de la bola del tres, que contagiada del impulso fue a pegarle a la del catorce para hacerla atravesar en diagonal el paño y desbocarse en la tronera de una de las esquinas de la banda lateral derecha.

—Toda propiedad privada es un robo, ¿verdad amor? —dijo Jacinto.

—Que siga robando plata tu papá Macario Palacios en el gobierno para que yo pueda ganártela jugando billar, y les anuncio, de paso, que con cincuentidós puntos, de todas maneras ya están perdidos, mis muchachitos, el tiro que viene es cortesía de la casa —y antes de sumar las nuevas fichas en la ristra, les alcanzó las costillas con el estoque del taco.

—Eso es una calumnia vil, probale que su papá haya robado algo —dijo Ignacio.

—Cuando fue gerente de la Lotería Nacional, de pura casualidad el premio mayor quedaba a cada rato entre los billetes no vendidos, «cayó en la gerencia», anunciaban, y allí se perdía el rastro —se apoyó en el taco, como si se tratara del cayado de un pastor, y miró a Jacinto con ojos de burlona mansedumbre.

—Puede una gota de lodo sobre un diamante caer... —dijo Jacinto.

—Yo me rindo ante las evidencias, esa finca en Rivas, a la orilla del mar, adonde fuimos a temperar la otra vez, debía llamarse La Lotería —dijo Ignacio.

—Se la dejó en herencia mi abuelo, ¿quieren ver las escrituras? —dijo Jacinto.

—Y los patroles de Fomento le abrieron el camino, y ENALUF le puso la luz, y ENACAL le excavó el pozo artesiano —ya había dado tiza de nuevo al taco, ya estaba inclinado sobre la mesa, una pierna en el aire, dispuesto a acabar de una vez por toda acertándole a la bola del nueve.

—Para ser justos, hay que reconocer que si bien roba, los campesinos también se benefician de algún modo de todas esas obras de progreso —dijo Ignacio.

—¿Ejerce tu papá el derecho de pernada sobre la huérfana? —la bola del tres estaba tan cerca de la tronera, y tan a su lado la del nueve, que daba lástima.

—¡Tu madre que te tuvo! —dijo Jacinto.

—Yo quisiera conocer a la huérfana, prestásela un día a las monjas pelonas y la llevamos a pasear —la bola del nueve entró sin dificultad en la tronera empujada por la del tres, que obedientemente se fue detrás.

—Las pelonas no me la prestan ni para llevarla a comer sorbete donde Prío los domingos —dijo Jacinto.

—Olvidate de las pelonas, éste ya nos dejó en la perra calle —dijo Ignacio.

—Sesenticuatro puntos, según mi leal saber y entender, así que vayan pagándome sus óbolos porque ya me retiro, y en efectivo, si me hacen el favor, no se aceptan cheques —y con alegre celeridad fue sacando las bolas de las troneras para llevarlas en brazadas al casillero adosado en la pared.

Quiero saber si realmente perteneciste al Frente Estudiantil Revolucionario, conocido por sus siglas FER, pregunta el comandante Nicodemo, bosteza, parpadean sus ojos enrojecidos, vuelve a bostezar, cierra apretadamente los ojos, estira los brazos sobre la mesa, qué fatalidad ésta, uno resfriado y no poder acostarse en una cama de verdad, será hasta cuando entremos a Managua que voy a saber otra vez lo que es una cama, y entonces, ni siquiera entonces, quién sabe, con todo lo que nos espera, y aún sin abrir los ojos sus dedos rozan la carabina que descansa sobre la mesa, se deslizan a todo lo largo del cañón, entretenidos en reconocer el arma, y luego, como si despertara, los ojos de pronto muy abiertos, saca su pañuelo colorado del bolsillo trasero de los blue jeans, y se suena ruidosamente.

Son pasadas las once de la mañana y pareciera que las bolas de billar siguieran chocando en el aula del Kindergarten adornada con dibujos a crayola en cartulinas celestes y rosadas, volcancitos y sus penachos de humo, prados sembrados de flores y soles radiantes. Los asientos en miniatura han sido arrinconados contra el fondo, y han colocado un pupitre para el reo de cara a la mesa del tribunal investigador, del otro lado de la mesa dos silletas que ocupan Nicodemo y Manco-Cápac, en un costado otra silleta para la compañera Judith, y frente a ella una máquina Underwood en la que escribe sin poner atención al teclado, mientras mira a los labios del reo y con movimientos de sus propios labios va repitiendo lo que dice, como si rezara. Sobre la pizarra han fijado con tachuelas una bandera rojinegra con las letras FSLN pintadas en blanco de albayalde, y dos guerrilleros armados de fusiles M-16 hacen guardia a cada lado de la bandera, en el cuello unas anchas pañoletas recién cosidas, también rojinegras.

¿Por qué insistía el jesuita Nicodemo en regresar a asuntos tan lejanos como ése del FER, pláticas banales de mesa de billar, medio enterradas? No estaba su memoria para perderse en cuestiones remotas que tendían a confundirse y a olvidarse, ni siquiera sabía si amanecería vivo, con todo ese gentío afuera pidiendo su cabeza ahora que los fusilamientos, a pesar de las prédicas de Radio Sandino, ya habían comenzado. Y mientras Nicodemo entretenía los dedos en las guedejas que adornaban su mentón, Manco-Cápac se permitía, por su parte, escarbar entre aquellos mismos escombros del pasado: y también sería bueno saber si es cierto que usted hizo renunciar a ese compañero de estudios de apellido Masías para quedarse con el puesto de juez.

A ambas preguntas procede a contestar el reo según el orden en que son planteadas: no sólo pertenecí al FER, señores comandantes, fui uno de sus fundadores en la asamblea constitutiva celebrada en el mes de mayo de 1961 en la Facultad de Economía recién abierta en Managua, contiguo a la Alianza Francesa. Tache donde escribió «señores», compañera, ordena Nicodemo, el pañuelo colorado sobre la nariz, y la compañera Judith responde: nunca escribí esa palabra en el acta, comandante. En lo referente a la segunda pregunta relacionada en autos, responde el reo que al darse en León los acontecimientos del 23 de julio de 1959, en que una manifestación de estudiantes indefensos fue masacrada en las calles por tropas de la Guardia Nacional, con un saldo de cuatro muertos y sesenticuatro heridos, surgió en el movimiento estudiantil la demanda de que aquellos alumnos de la universidad que ocupaban cargos en el gobierno somocista debían renunciar en repudio a la acción criminal, y de esta manera, por decisión voluntaria, todos los que eran jueces o secretarios de juzgados, empleados de la sanidad, maestros e inspectores escolares, pusieron sus renuncias. Pero muchos de ellos eran personas pobres, sin vínculo ninguno con el somocismo, dice Manco-Cápac. A lo mejor algunos no tenían ese vínculo, responde el reo, pero se trató de una decisión política, acatada sin excepciones, y en lo que le concierne, le tocó vigilar que fuera cumplida por los alumnos de la Facultad de Derecho, pues era él secretario de la asociación estudiantil del ramo.

Fue entonces cuando lo nombraron para ocupar la plaza vacante de Masías, afirma Manco-Cápac, y el reo replica que existe sin duda en ese punto una inexactitud de fechas, pues el cargo de Juez Local del Crimen de León comenzó a ejercerlo tres años después, en 1962, ya cuando no pesaba ninguna prohibición política de parte de la dirigencia estudiantil. Recomendado por Macario Palacios, reconocido cacique somocista, vuelve Manco-Cápac. Que no es verdad, dice, pues las únicas recomendaciones que tuvo fueron las de sus profesores, en base a sus buenas notas, y además, no duda en reafirmar que contó con el debido permiso político, pues se consideró conveniente que un cuadro de confianza como él estuviera en posición de absolver a algún compañero que fuera puesto en sus manos por las autoridades represivas del régimen. Que si se presentó alguna vez un caso semejante. Que no lo recuerda, responde. Que de parte de quién y en qué circunstancia y lugar recibió ese permiso. Que de parte del propio Carlos Fonseca Amador, en la oportunidad de una visita clandestina que hizo a León, cuando se reunió con él en la casa de los hermanos Sergio y Octavio Martínez Ordóñez, ambos estudiantes universitarios. Que conoce muy bien a los hermanos Martínez Ordóñez, por lo que puede mandar a requerir su testimonio por radio, advierte Manco-Cápac. Que a lo mejor las personas antes citadas ya no recuerden el hecho en cuestión, tanto es el tiempo transcurrido, responde el reo.

Nicodemo mantiene el pañuelo colorado sobre la nariz, como si se soplara, y cuando lo retira su cara es de desgano, y las guedejas de su mentón parecen más escasas. Seguime hablando del FER, pide, casi con indiferencia. Y el reo se apresura en responder que de las filas del FER surgieron dirigentes muy destacados que después figuraron entre los fundadores del FSLN, entre ellos Francisco (Chico) Buitrago y Jorge Navarro (Navarrito), caídos heroicamente en 1963 en las acciones guerrilleras de Bocay, siendo los anteriormente mencionados amigos cercanos suyos. Mucho me extraña la forma y el tono de adhesión y simpatía con que te referís a los héroes y mártires de aquellos primeros tiempos, como si fueran tus hermanos de ideales, dice Nicodemo, siempre lleno de desgano. Lo fueron, y siguen siendo dignos de todo mi respeto porque se mantuvieron consecuentes con su forma de pensar. Que vos dejaste de compartir. Que yo dejé de compartir, y no es delito. O nunca de verdad compartiste. Tuve ideas de avanzada en mis tiempos de juventud, pero cuando se me exigió pasar a la lucha clandestina, no me sentí dispuesto, y eso tampoco es delito. No, cambiar de manera de pensar no es delito, ni echarse para atrás en la vida, y ojalá solamente de eso se tratara este juicio, pero quiero hacerte ahora la siguiente pregunta: ¿por qué no mencionaste en esa lista al compañero Ignacio Corral, de seudónimo Igor, capturado, torturado, y atrozmente asesinado por la dictadura en el año de 1971? Afirma el reo que esa omisión se debe al hecho de que durante la época estudiantil Ignacio Corral no fue miembro del FER, sino de la Juventud Social Cristiana, como ya cree haberlo expresado, y era rumor en la universidad que esa organización recibía fondos de la embajada de Estados Unidos en Managua, cosa que Ignacio negaba durante las discusiones de carácter político que solían sostener, pues ambos eran condiscípulos en la escuela de derecho, y compartían la misma pieza de estudiantes.

Manco-Cápac pide que se tache del acta la maliciosa especie de que un héroe y mártir de la revolución fuera capaz de recibir fondos provenientes del imperialismo, a lo que el reo aclara que no lo ha dicho con mala intención, sino sólo para que se vea que Ignacio Corral evolucionó desde una posición reaccionaria a otra revolucionaria, hasta terminar comprometiéndose en la lucha armada para la liberación de su pueblo. Y vos, ¿con qué cara hablás de posiciones reaccionarias? Nicodemo sacude con calma su pañuelo y luego lo dobla en cuatro. Vos, que evolucionaste de una posición revolucionaria, si es que alguna vez la tuviste sinceramente, a otra de enemigo del pueblo, y traidor a la causa que una vez dijiste defender, traidor aun a tu propia sangre, pues tu padre mismo, si no estoy equivocado, se cuenta entre los asesinados del 4 de abril de 1954.

La compañera Judith pone punto final al párrafo, hace girar el rodillo hasta la siguiente línea, mira con aire de intriga sosegada al reo, revisa ligeramente la abotonadura de la camisa de su uniforme, y espera: el reo no tiene inconveniente en admitir que a lo largo de su vida ha cometido equivocaciones que afectaron el recto curso de su conducta, una de ellas haber dado la espalda a los ideales de su padre, muerto, como se ha mencionado, en el año de 1954, ocasión en la que su madre se vio en enormes dificultades para sostener la casa con sus escasos ingresos de modista, y no fue sino en medio de ingentes sacrificios que logró enviarlo a la universidad para que pudiera coronar sus estudios de abogado. Que si el reo sabe en qué circunstancias murió su padre, pregunta Nicodemo. Las autoridades informaron maliciosamente a su madre que había muerto a raíz de un enfrentamiento armado con la Guardia Nacional, ocurrido en un plantío de caña de azúcar cercano al río Gil González, comarca de La Virgen, en el departamento de Rivas, mientras buscaba huir hacia la frontera con Costa Rica, pero ahora sabe que más bien fue capturado vivo, torturado, y poco después asesinado por mano del propio Anastasio Somoza Debayle con una pistola que le pasó Manitos de Seda, indefenso en absoluto como estaba, con las manos esposadas al espaldar de una silla en la que esperaba turno para ser torturado de nuevo, revelaciones de naturaleza muy reciente que han causado un enorme impacto en su espíritu, pues si por equivocación colaboró con la dictadura que dichosamente toca a su fin, hoy se siente seguro de que ante el más mínimo indicio acerca de semejante hecho, jamás habría consentido trabajar al lado del propio asesino de su padre, ni de quien le facilitó el arma para consumar ese crimen cobarde.

La compañera Judith termina de copiar esas últimas palabras y, otra vez, el ligero temblor en la comisura de sus labios parece esconder una sonrisa mientras pone los ojos en Nicodemo como una manera de preguntarle si debe dejarlas o tacharlas, pero Nicodemo, distraído, no le hace ninguna señal, dirigiéndose, en cambio, al reo: ¿quién más vivía con ustedes dos en la pieza de estudiantes que has mencionado? Jacinto Palacios. ¿Es todo lo que podés informar sobre Jacinto Palacios? Que no está aquí para ocultar nada, responde el reo, Jacinto Palacios era hijo de Macario Palacios, quien ocupó diversos cargos de importancia en vida de Anastasio Somoza García, como por ejemplo tesorero del Partido Liberal y gerente de la Lotería Nacional de Beneficencia, y ya por último presidente de la Cámara de Diputados, cuando asumieron el poder los dos hermanos herederos. Quién era el mejor estudiante entre los tres, quiere saber de repente Nicodemo. El menos aventajado era Jacinto Palacios, pues solía dejar clases, pero le valían las influencias de su padre para aprobarlas en los exámenes de reparación, mientras tanto Ignacio Corral obtenía siempre muy buenas notas. ¿Y vos? Fui condecorado con la Medalla de Oro al Mérito como el mejor alumno de la carrera, y de inmediato recibí una beca del Instituto de Cultura Hispánica para emprender estudios de postgrado en derecho administrativo en la Universidad Complutense de Madrid, pero ese viaje al fin no se realizó. Entonces, eras mejor alumno que Ignacio Corral. Tal vez era sólo el método de estudio, comandante. Nos estamos desviando, dice Nicodemo, mientras guarda el pañuelo ya demasiado usado en la mochila que mantiene a sus pies, saca otro de allí mismo y lo desdobla meticulosamente: hay que suprimir toda esa bazofia de buen estudiante y medalla de oro al mérito, y la compañera Judith tacha lo escrito usando repetidamente una sola tecla xxxxxxxxxx. El reo interviene en este punto para decir que sobre sus calificaciones se puede recurrir a los certificados del caso que conserva en Managua, pero no obtiene ninguna respuesta.

Nicodemo se sopla ahora con cierto pudor, agachando la cabeza como si quisiera esconderse, y tarda en hablar, mientras tanto el eco de las bolas de billar va volviéndose cada vez más remoto hasta que se impone el silencio. Ya volveremos sobre Jacinto Palacios en particular, ahora hablame de ustedes tres en León. ¿Dónde vivíamos, por ejemplo, quiere saber? Todo lo que sepás y recordés. Una abeja entra volando por una de las ventanas del aula a la que faltan varias de las paletas de madera. Desde el pupitre, con sólo oír el rumor de la vibración de sus alas, sabe que no se trata de ningún moscardón, sino de una obrera extraviada que vendrá de libar de algún vergel cultivado dentro de la casa cural, va a reconocer su aguijón de hembra cuando la busquen sus ojos mientras vuela asustada, los estambres de las patas delanteras dorados de polen, una *Apis melifica* de la especie de los himenópteros aculeados que consta, a saber, de glándula cerosa, glándula mandibular, glándula del aguijón, el nombre de cada glándula repetido en coro tras el golpe del puntero que en las tardes indolentes del Colegio Salesiano de Masaya, en un aula como ésta, daba el padre Castaño contra la pizarra donde figuraba el pobre dibujo a tiza de la estructura de la abeja, bajaba la voz el anciano de sotana deshilachada en el borde al hablar del vuelo nupcial del zángano en busca de su cópula mortal con la reina, como si se tratara de un secreto bochornoso, un vuelo final ascendente en línea recta para encontrarse de una sola vez con el placer y con la muerte, una ilusión suya a lo mejor esa abeja que no encuentra la manera de regresar a su colmena, y las voces, su propia voz, quién quita una ilusión también, una vibración de alas en el silencio. Te hice una pregunta, dice Nicodemo en alarde de paciencia, no sé si querés que te la repita.

Sí, comandante, mis dos compañeros. Ocupábamos una misma pieza cercana a la iglesia de la Recolección, alquilada a una niña vieja de nombre Rosa Amelia Baca, propietaria de la tienda La Milagrosa donde se vendían asuntos de primera comunión importados de España, misales de concha nácar, candelas labradas y rosarios, se le habían quemado los pies a muy tierna edad, cuando cogió fuego el mosquitero de su cuna, y nunca más en la vida pudo ponerse zapatos, creían muchos que se trataba de una promesa a la Virgen de Mercedes, por ser ella tan beata, pero no, es que no soportaba ni siquiera algún zapato suave de lona, y en la parte vecina a la tienda tenía aquella pieza con puerta a la calle en que los tres vivíamos, sucia toda la vida porque por desidia poco la aseábamos, sacudíamos el catre de campaña con la almohada para acostarnos y se alzaba una nube de polvo, los pantalones de domingo los colgaba uno, en su percha, de un clavo en la pared, defendidos por una hoja de periódico, lo mismo el saco veintiúnico que servía para las fiestas danzantes y para los exámenes, el baño y el inodoro en una esquina dentro de la propia pieza, un cuartito como una bartolina, uno se bañaba con chinelas de hule para no coger hongos, y por dichas tenía altura la pieza pues así se dispersaban los tufos en aquellas latitudes lejanas del cielo raso adornado de rosetones cada vez que se hacía uso del inodoro, salón galante debió haber sido en otros tiempos, donde celebraban bailes, porque en las paredes aún se veían unas canastillas de rosas pintadas en las esquinas, ya apagadas, y las sombras oscuras donde antes estuvieron colgados los cuadros de moldura, la puerta condenada que daba al local de la tienda, seguramente otro salón gemelo para fiestas, era de doble batiente y medía no menos de seis varas, con su respectiva moldura para colgar las cortinas que fueron seguramente de encaje, vivía pendiente de nosotros la niña Rosa Amelia a través de esa puerta, y apenas oía que habíamos vuelto de almorzar, la única hora en que podía hallarnos, salía de su tienda quemándose los pies en el fuego de la acera, decidida a cobrarnos la mensualidad, golpeaba con toques respetuosos, y su pregunta perenne era que cuándo le íbamos a pagar, se asomaba Ignacio y le respondía: ¿acaso somos adivinos?, o abría en pampas la puerta Jacinto y se le presentaba completamente desnudo para espantarla. Nicodemo se recuesta en la silla y se aprieta el ceño con los dedos: Jacinto Palacios, por lo visto un aprendiz de sátiro, hablame más de él, como ya te pedí, hablame de su padre Macario Palacios, el que se robaba los sorteos de la lotería.

Antes de seguir adelante con el curso marcado para el interrogatorio, solicita el reo formular por su cuenta un agregado. Consiente el tribunal, y expresa entonces que de su libre y espontánea voluntad quiere hacer formal entrega de la hacienda de caña y ganado Santa Lorena, con el fin de que sea repartida en beneficio de los campesinos sin tierra, todo conforme los procedimientos legales del caso, una vez que el nuevo gobierno se halle en capacidad jurídica de adquirir. Qué gran generosidad, dice Manco-Cápac, y con la tijera del muñón se rasca la barba. Sí, qué generoso, dice la compañera Judith, y su sonrisa es otra vez tan delicada. Nicodemo se ríe, y su acceso de risa termina en una tos bronca. Estás regalando lo que no es tuyo, dice, y aunque pudieras regalarlo, de todas maneras es malhabido. Perdón, comandante, pero me veo obligado a aclarar que Santa Lorena fue adquirida por mí mediante un acto de compraventa. Con dinero proveniente de la herencia del coronel Catalino López, el mentado guardián del zoológico de Tiscapa, celestino de los hijos del viejo Somoza, agente comprador de tierras de la familia y su cuque mayor, porque también le gustaba cocinar. Cocinaba con las manos llenas de sangre, dice Manco-Cápac, mientras se abanica con el sombrero. También tuvo el negocio redondo de los banquetes, dice la compañera Judith. Yo no escogí al suegro que tuve. Pero escogiste sus reales, dice Nicodemo. Esos reales ya se habían acabado cuando compré esa finca, comandante. Renegás de tu suegro a estas alturas. No reniego, él era quien era, pero ni siquiera lo conocí, cuando yo me casé con su hija ya había muerto en un accidente de aviación, un bimotor de Lanica que se estrelló en los días de Navidad de 1961 volando para los minerales de Siuna. Es cierto, dice la compañera Judith, ya medio ciego todavía le prestaba a los herederos del viejo Somoza el servicio de cobrar la coima que pagaban los gringos de la

Neptune Mine Company por cada kilogramo de oro exportado, en una misión de ésas se mató. Todo eso pónganlo en su cuenta, no en la mía. Pero gozaste de su capital, que provenía del latrocinio, de los juegos de azar, del diezmo cobrado a los prostíbulos, de la trata de blancas, dice Nicodemo. Acuérdese aquello de las cuadrillas de rateros, comandante, dice Manco-Cápac. Sí, dice Nicodemo, tu suegro, entre otras perlas, cuando fue alcaide de la cárcel de La Aviación sacaba de noche a los ladrones a robar en cuadrillas, una cuadrilla por cada barrio de Managua, y en la madrugada él mismo pasaba lista a todo el botín, tenía una bodega de mercancías robadas dentro de la propia cárcel.

¿Y el negocio de los banquetes, cómo era?, pregunta Manco-Cápac, que ahora abandona el sombrero sobre la mesa. La compañera Judith termina de cambiar la hoja en el rodillo y le responde: Catalino López fue, entre otras cosas, gerente del Casino Militar, y cada vez que el viejo Somoza visitaba una población, digamos Masaya, Jinotepe, Diriamba, resultaba obligado que le ofrecieran un banquete, con cuota pagada, pero era requisito infaltable que la comida sólo podía ser servida por el Casino Militar, bajo el pretexto de que se trataba de un asunto de seguridad, así nadie envenenaría a Somoza, que se sentaba, pues, en la mesa de honor, le servían de primero, a él y a sus ministros, y entonces, ya comidos, la banda militar tocaba de pronto el himno nacional, se ponían todos de pie, terminaba el himno, Somoza se iba entre el revuelo de guardaespaldas y los demás comensales se quedaban hambrientos oliendo el dedo, un negocio calculado porque solamente para la mesa de honor llevaban comida preparada, negocio de Catalino López a medias con Somoza, me consta porque mi abuelo, somocista acérrimo, era de los que se quedaba hambriento en esos tristes banquetes.

Igual que sus jueces, que los custodios apostados junto a la pizarra, y que los guerrilleros asomados a la puerta, él también se está riendo, amoscado y un tanto a la fuerza, y Manco-Cápac, sin dejar todavía de reírse, dice: Volviendo a la finca, doctor, usted se la compró, por si fuera poco, nada más ni nada menos que al esbirro Macario Palacios, no nos ha contado todavía eso. Y antes de que pueda responder, la voz de Nicodemo viene a parar en seco lo que queda de las risas: ¿En qué año le compraste a Macario Palacios esa propiedad que nos querés regalar cuando nos hallemos en capacidad jurídica para adquirir? El año de 1975, comandante, responde él, con celeridad desconcertada. ¿Y con qué dinero? Con un préstamo del Banco Nacional. ¿Ya pagaste ese préstamo? Todavía no lo he cancelado por completo. Ya se ve, préstamos del rey. Es que con esta situación de guerra todos los deudores van atrasados, no sólo yo. Una finca, además, muy privilegiada, donde todas las mejoras han corrido siempre por cuenta del estado, caminos, pozos, luz eléctrica. El dueño anterior, no sé, pero todo lo que yo he invertido consta en mis libros de contabilidad, comandante. ¿Pensaste que con esa oferta tramposa de donación te íbamos a dejar ir, felices y contentos, eso fue lo que se te cruzó por la mente? No comandante, de ninguna manera he pensado eso. Y Nicodemo entonces se pone de pronto de pie, empuja la silleta, golpea la mano contra la culata del fusil: ¡Capacidad jurídica para adquirir!, ¡lo que hay ahora es capacidad de quitar lo malhabido, para que vayás quedando claro!

Mientras tanto él tiembla, es extraño, no tiembla todo su cuerpo, es una mano, la mano derecha que apoya en el escritorio del pupitre la que no halla sosiego, como la cola cortada de una lagartija que sigue estremeciéndose por su cuenta después del tajo. Nicodemo se sacude las narices como si acabara de pasar por una crisis de llanto. No me hagás caso, dice, son exabruptos que no deberían ocurrir, vamos a procurar mantenernos en calma, más que como un interrogatorio, tomemos esto como una plática, si la compañera Judith está mecanografiando tus palabras es para que no se nos olviden, ni a vos, ni a nosotros, quién quita, además, y viene alguien después que querrá estudiar lo que ocurrió aquí este día, escribir tal vez un libro, así que vamos a ir despacio, calmados, aunque tu historia es tan larga que quién sabe si habrá tiempo de oírtela contar toda, nosotros tenemos muchas otras cosas que hacer, la guerra no ha terminado, Somoza todavía se cree eterno, piensa que los marines yankis van a venir a salvarlo, y a lo mejor es cierto, ya nos han invadido antes más de una vez, en fin, no quiero cansarte, pero a mí en cualquier momento me llaman, yo debería estar en la toma de Rivas, y no es que me sienta inconforme porque me dejaron aquí cumpliendo esta misión, soy un soldado del pueblo y obedezco. Entiendo perfectamente, dice él. Evitemos, pues, las distracciones. De acuerdo, comandante. Y si nos vamos demasiado atrás en tu vida es porque uno no puede evitar preguntarse de dónde salió este hombre que tenemos sentado aquí frente a nosotros, cómo se transformó en lo que llegó a ser, porque te digo una cosa: acepto que fuiste un revolucionario en tu juventud. Gracias, comandante. Eras pobre, no te consideraban digno de entrar al Club Social de León, algo que más bien habla en bien tuyo. Le agradezco, comandante. Y aun habla en bien tuyo, a pesar de todo, que tu padre se rebeló contra la dictadura y fue asesinado. Se llamaba igual que yo, comandante. Ya ves, con mucho mayor razón. También tenga a bien recordar que yo me había alejado ya del régimen, comandante, por favor, señorita, anote esto que estoy diciendo, que fui víctima de una horrible trama de calumnias, salió en todos los periódicos ese escándalo.

La compañera Judith, sin mover los dedos colocados sobre las teclas, mira a Nicodemo, que con un gesto de la mano donde tiene ovillado ahora el pañuelo le ordena que anote lo solicitado por el reo, sin perjuicio de que pueda a tal respecto ampliar su declaración más adelante, y él respira hondo, su mano deja de temblar, no tengo cómo agradecerle, comandante. Dejemos el asunto de tu padre de un lado, se sonríe Nicodemo, un cargo de conciencia tuyo nada más, no estás sentado aquí por eso, es de tus otras traiciones, denuncias que hiciste, compañeros nuestros que entregaste, que vamos a tratar más adelante. No sé de qué traiciones ni de qué denuncias me habla. Vos sabés muy bien. Jamás entregué a nadie, comandante. Después, ya vamos a ver eso después, ahora, quiero que sigamos por fin con Jacinto Palacios: ¿cómo es que el hijo de un hijo de puta poderoso vivía aguantando polvo en un cuchitril?, ¿me vas a decir que no tenía ni para ir al cine?

Por primera vez advierte que huele mal, la misma ropa desde ayer, el sudor pegado en las axilas, la boca pastosa sin lavar. ¿Jacinto Palacios? De haber querido vivir como rico hubiera tenido que aceptar la soledad por compañía, no abundaban los estudiantes ricos en León, y además, sólo nosotros éramos capaces de congeniar con él porque a los tres nos gustaba la jodarria permanente, podíamos decirle cualquier barbaridad contra su padre, de ladrón arriba, y ni así se enojaba, de manera que pasaba muy a gusto con nosotros en esa pieza calamitosa, aunque debo decir que era dueño de un único lujo, un carro Chevrolet Impala aerodinámico, modelo 1962, verde, de dobles faros, obsequio de su papá cuando cumplió dieciocho años, los tres fuimos en bus a traerlo a Managua el día que se lo entregaron en la Casa Sengelmann, y ya en posesión del carro pasamos saludando a Macario Palacios en su oficina del Congreso, segunda planta del Palacio Nacional, entonces nos invitó a almorzar en el restaurante El Patio, al que fuimos a pie dado que se hallaba muy cerca, los guardaespaldas caminando discretamente detrás de nosotros, nos brindó whisky Old Parr, hombre bromista, dicharachero, con su hijo Jacinto se trataba de igual a igual, Si te vuelven a aplazar en un examen te dejo de barrendero de los corredores del Palacio Nacional, ya vas a ver, pendejito culo cagado, y Jacinto, Vos creés, viejo pedorro, que los estudios de abogacía son cajeta, si no quieren competencia los profesores, no quieren más litigantes para no perder la clientela, y Macario Palacios, agregando cubos de hielo a su vaso: Fijate bien, cabroncito, tu abuelo, un campesino que ni leer sabía, quería que yo fuera boticario, verme preparando pomadas para la roncha caribe detrás de un gabinete de vidrios esmerilados, y aunque del producto de la finca no pudiera darme más que una pequeña mesada, insuficiente para sostenerme en León, yo le cumplí con sacar mi título en medio de dificultades de todo tamaño, así que poneme atención, aunque sepa que otra vez estoy gastando pólvora en zopilote, ni sombra de idea tenés sobre lo que significa buscar el centavo todos los días, pero sí te digo que nunca me presenté delante de tu abuelo con excusas, ni justificando vagancias porque me hubiera rajado el lomo a palos, y en cambio ya ves yo cómo te trato, con whisky, con almuerzo en El Patio, hasta con carro último modelo, no lo vayás a chocar, no te vayás a malmatar manejando borracho, ustedes, bachilleres, cuídenme a Jacinto, los noto personas responsables y serias, salud, esa vez comimos bistec encebollado, el arroz estaba algo crudo, se quejó Macario Palacios con el mesero de que en un lugar como aquel sirvieran el arroz mal cocinado, sobró como un cuarto de la botella de Old Parr, ordenó que se la empacaran en una bolsa, con ella en la mano salió a la calle y en la acera nos despedimos.

Nicodemo tose, desgarra flema, va hasta la ventana, la misma a la que faltan paletas de madera, escupe a través del hueco hacia un pasadizo donde hay bancas quebradas y una peaña de santo yacente con cuatro brazos de cargar, arrimadas al muro de piedra cantera de la iglesia que cierra al otro lado el pasadizo: íbamos en el asunto del carro. Sí, estamos montados en el carro, ya almorzamos, regresamos a León con el radio encendido, el carro tiene un radio de alta fidelidad con botones de marfil, vamos oyendo a Nat King Cole cantar en español, estaba de moda su long-play *Pasaporte* de música latinoamericana, ¿había dicho ya que el carro era convertible?, una delicia el viento tibio soplándonos en la cara, despeinándonos, era como si la vida estuviera en el viento y uno se la bebiera por la boca, por las narices, cruzaba sobre la carretera y volvía a cruzar una avioneta regando insecticida sobre los algodonales, parpadeaban en la distancia las luces de la antena de la Radio Darío, llegábamos ya a León, atardecía y no hubo más remedio esa noche que dejar parqueado el convertible en la calle frente a la pieza, turnándonos los tres para cuidarlo hasta que amaneció, pero ya al día siguiente estaba guardado en un bajareque del molino de aceite de Rosalío Usulután, cubierto por un dosel de tela de mosquitero, y cuando lo sacábamos queríamos invitar a alguna muchacha, pero no cualquiera se montaba en un carro ajeno, una muchacha del copete no iba a hacerlo, era como si sólo con eso se volviera prostituta, y tampoco pudimos pasear a la huérfana porque las monjas nunca jamás la hubieran dejado.

El reo consulta al tribunal si debe ahora referirse a su otro compañero de pieza, Ignacio Corral, tal como se ha referido ya a Jacinto Palacios, y siendo afirmativa la respuesta, expresa que pertenecía a una antigua familia de la calle Atravesada de Granada, aunque venida a menos en cuanto a fortuna, pues todo el haber del padre se reducía a una modesta fábrica de jabón de lavar, de cuyas ganancias había ido sacando adelante a una prole de al menos diez hijos, y aún se manifestaba peor su situación por esos años, pues la industria del jabón vino a sufrir la competencia desigual de los detergentes extranjeros, como por ejemplo el Fab o el Ace, siendo que las compañías productoras gastaban grandes fortunas en patrocinar las radionovelas favoritas de las amas de casa en busca de acaparar el mercado.

Nicodemo alza la mano para que se detenga, y es como si al mismo tiempo quisiera acallar con su gesto la música del altoparlante, el rumor de las voces y los gritos en el patio de la casa cural, que de todos modos parecen llegar ahora desde un territorio remoto. Se pone de pie, empuja la silleta, se aleja hacia la ventana, se asoma al pasadizo donde ahora no sabría decir si lo que ve recostado al muro de la iglesia es una peaña de santo yacente, o unas andas de caridad, regresa sin prisa para colocarse detrás de la compañera Judith en actitud de leer lo que hasta ahora lleva escrito, y luego pone la vista en el reo con fijeza, con cierto ademán de impotencia: Es imposible separarlos a ustedes tres, dice, no se puede hablar de uno sin hablar de los otros. Así es, comandante, los tres fuimos uña y carne. ¿Vos sabés quién soy yo? No, comandante. ¿Sabías que pertenecí a la Compañía de Jesús? Tampoco, comandante. Sí que lo sabés bien, porque te han ido con imprudencias, pero no importa, dice, y su mirada, que quiere ser de reprobación, se cruza con la mirada de Manco-Cápac.

Nicodemo habla pausado, acentuando la dicción como lo haría un profesor que quisiera dejarse oír por los alumnos de la última fila, y el resfriado hace que su voz resuene en ecos gangosos. Era responsable de vocaciones en el Seminario Mayor de la Compañía en San Salvador, cuenta, cuando el Superior Provincial para Centroamérica, el padre Goyzueta, decidió enviarlo a Washington, a la Universidad de Georgetown, para que sacara un master en sociología aplicada a la investigación de campo, y en julio de 1971, estando allá, ocurrió el hecho que trastocó su vida, porque recibió la noticia de que su hermano que le seguía en edad, ya para entonces clandestino, había sido asesinado por los sicarios de la dictadura y su cuerpo lanzado al cráter de un volcán. Obtuvo entonces licencia para viajar a Nicaragua, y durante las semanas en que se quedó cerca de sus padres, dedicado a consolarlos, pudo ir conociendo a los compañeros de lucha de su hermano, unos muchachos extraños, salidos de la nada, o de las sombras, que llegaban en visitas furtivas a la casa cerrada por el duelo y por el miedo, siempre en parejas, atraídos por su presencia y deseosos de discutir con él, el jesuita hermano de Igor, como ellos lo llamaban, un nombre que no le decía nada y más bien le chocaba, y que sólo servía para poner un muro de alejamiento entre los dos, como si el muro que la muerte había levantado no fuera suficiente. Se sentaba a hablar con ellos en la sala en penumbras, convencido de que pertenecían a otro mundo, un mundo cerrado y hostil, erizado de intransigencias y cercado por el desdén, pero también por los sentimientos más puros, una pureza casi pueril que lo desconcertaba, como lo desconcertó uno de ellos cuando le confió, acercándose como para revelarle un secreto del que se avergonzaba, que lo más triste para un clandestino era pasar a medianoche frente a las puertas cerradas de su casa, donde sabía durmiendo a sus padres y a sus hermanos, y no poder entrar a abrazarlos, algo que desde entonces no olvidó, y que luego llegó a sentir en carne propia.

No fueron fáciles esas primeras conversaciones, porque si ellos eran intransigentes y desdeñosos, y tras cualquier palabra veían esconderse una concepción burguesa, por su parte los creía culpables de haber metido a su hermano en aquel callejón ciego que lo había llevado a la muerte. Pero cuando le propusieron una entrevista con otro de ellos de mayor rango, Damián, responsable de la estructura clandestina de Managua, aceptó, y se dijo que lo hacía por razones intelectuales, algo así como una curiosidad científica que quería satisfacer antes de regresar a Washington.

Rodearon de no pocos misterios los preparativos de la entrevista, y cerca de las diez de la mañana del día señalado lo recogieron en las gradas del Palacio Nacional en Managua, en un vehículo que por más de una hora dio vueltas por distintas calles, y al fin lo llevaron, para su sorpresa, a la heladería El Eskimo de la calle Momotombo, muy cerca del punto de partida, donde lo esperaba Damián desde hacía ratos, solo, en una mesa, fueron los dos muchachos que lo acompañaban a sentarse a una mesa vecina, y Damián, sin haberlo saludado siquiera, llamó a la mesera para pedirle que les sirviera a cada uno un vaso de vaca negra, Coca-Cola con helado de chocolate, la especialidad de El Eskimo. Se molestó de que ni siquiera le hubiera preguntado qué quería tomar y lo decidiera por sí mismo, pero hasta entonces empezaba a conocerlo, Damián estaba más allá de los buenos modales porque estaba más allá de la muerte, y todo lo hacía con seguridad y despreocupación, con arrogancia, con rudeza, porque ya nada importaba, más que los minutos que quedaran disponibles para dedicarlos a la lucha, todos los clandestinos eran provisionales, cuando los mataran otros iban necesariamente a sustituirlos, y la audacia de sentarse a plena luz del día en un lugar tan céntrico, de gente popof, con aquella su cara de obrero de la construcción picada de viruelas que era imposible de ocultar a nadie y la pistola Magnum oculta bajo un periódico al alcance de la mano, le venía de esa misma inmunidad que le daba el saberse un desahuciado.

Y mientras chupaba su vaca negra a sorbos ruidosos con la pajilla, le hizo sin más una revelación, que el cadáver de su hermano no había sido lanzado al cráter del volcán Masaya, tal como Moralitos, el jefe de los sicarios, había declarado en el Consejo de Guerra al que Somoza se vio obligado a someterlo, se les había muerto en la sala de torturas y Moralitos decidió enterrarlo en secreto en un patio del cuartel Mokorón, en las afueras de Managua, todo eso lo sabían ellos por sus fuentes, y sabían también que alguien de las alturas, muy cercano a Somoza, había aconsejado la invención de aquel cuento del volcán, bajo la conclusión simple de que sin cadáver no había cuerpo del delito, una estupidez que les rebotó en la cara porque aquella atrocidad confesada creó un escándalo descomunal y Somoza se vio obligado a usar a Moralitos como chivo expiatorio.

Le pidió, además, que no revelara a sus padres la confidencia, aunque así los privara de recuperar el cadáver, porque a la organización le convenía mantener viva la historia del volcán, que se había convertido ya en un símbolo, y eso le molestó al principio, lo sintió como una manipulación, le costaba entender esa idea obsesiva acerca de la muerte, mientras más atroz una muerte más valioso el símbolo, pero cuando logró entenderlo supo que ya lo había entendido todo, entendió que predicaban con el ejemplo, y tanto predicaban con el ejemplo que ninguno de quienes lo visitaban en aquellos días de duelo en la casa de sus padres sobrevivió mucho tiempo, y tampoco sobrevivió Damián, lo mataron comiendo chop-suey en un restaurante chino del barrio Ciudad Jardín en 1975, solo, en una mesa del rincón, mientras esperaba un contacto, entraron los agentes de la OSN por la cocina y cuando se vio rodeado alcanzó a disparar de primero con la Magnum, que tenía como siempre debajo del periódico, hirió a uno de ellos y lo ametrallaron.

Ya ves, le dice, si ellos no hubieran dado su vida en la forma que la dieron, no estaríamos donde ahora estamos, yo de este lado y vos de ese otro. Él va a responder algo, pero Nicodemo lo detiene de nuevo con un lento gesto de la mano mientras su rostro se contrae al abortar un estornudo, el pañuelo colorado sobre la nariz enrojecida que parece haberle crecido: mi madre me mostró un día la carta de despedida que mi hermano le había dejado al irse a la clandestinidad, le pedía entender su decisión y le explicaba sus idas y venidas misteriosas, el hecho de que se hubiera pasado a dormir al suelo, algo que ella había descubierto porque la cama amanecía siempre intacta, y así, una medianoche se asomó al cuarto y lo vio acostado en los puros ladrillos, «yo la sentí entrar, mamá, pero me hice el dormido, lo único que estaba probándome a mí mismo era que podía ser capaz de vivir en las mismas condiciones de los más pobres, sentir lo que sentían los que no tenían ni cama en que acostarse», y ya para entonces había dejado de ser creyente, ya no iba a misa, no comulgaba, se había vuelto ateo por marxista, pero citaba una frase del evangelio al final de esa carta, «si lo das todo, menos la vida, has de saber que no has dado nada».

Entonces comprendí lo que sus compañeros de lucha no habían sido capaces de explicarme, que si dormía en el suelo era por amor, que si se había ido de la casa de mis padres, abandonando las comodidades, modestas, pero comodidades al fin, era por amor, y que había entregado su vida por amor, un marxista ateo que sabía citar a Jesucristo y se había vuelto mejor cristiano que yo, pero en fin de cuentas su ejemplo me sirvió para entender mi religión, yo no necesitaba hacerme ateo, iba a vivir mi propio cristianismo a fondo, luchando por los pobres, decidido a morir por ellos, y fue entonces cuando le escribí al Superior Provincial explicándole que renunciaba a la orden para tomar el puesto de mi hermano caído, me había hecho jesuita entendiendo la profesión de fe en abstracto, y ahora podía ver a Nicaragua, al fin, tal como mi hermano la veía, llena de miseria y también de falsedades, de corrupción, de mierdería. Palabra ante la que vacila la compañera Judith, y Nicodemo, poniéndole la mano en el hombro, le aclara: mierdería, que viene de la palabra mierda. Y la máquina vuelve a teclear veloz.

Ahora que Nicodemo se había callado, y no era posible saber si iba a continuar, él sudaba con un sudor frío que iba bajándole por la espalda y se le empozaba entre las nalgas, y la mano derecha, otra vez suelta en temblores, dejaba una huella húmeda sobre el escritorio del pupitre. Comandante, se oyó a sí mismo, ¿quiere decir que Ignacio era su hermano?, y aún creyó que de tan delgado el hilo de su voz nadie lo había escuchado, pero Nicodemo dijo: ¿Ya te diste cuenta?, con lo que se separó de la compañera Judith para volver a su asiento, se quitó los anteojos, los limpió a trasluz, sopló sobre ellos y agregó: la única manera que tengo de ser imparcial es olvidándome de los sentimientos, porque si no acabaría anteponiendo el sentimiento de venganza a la justicia. Y él, la saliva deslizándose por la comisura de los labios: tiene razón, comandante. Si mi hermano murió por amor, no puedo juzgarte a vos con odio. Así es, comandante. Por eso, cuando llegue el momento de examinar el caso de su muerte y tu participación en esa muerte, quiero sentirme libre de odio.

La compañera Judith había dejado de teclear, y mientras examinaba al reo con curiosidad minuciosa, mantenía las manos entrelazadas puestas sobre la máquina, largos y cabezones los dedos, y en las uñas viejos restos de pintura ciclamen. En tanto, él pugnaba por levantar la mano, hasta que la levantó, pidiendo permiso para hablar, como en clase, y el tecleo de la máquina empezó, alocado, otra vez: Comandante, esas acusaciones de haber entregado a alguien que antes me achacó, me da miedo de que tengan que ver con lo que ahora le estoy oyendo, de una culpa mía en la muerte de su hermano Ignacio. Eso es precisamente lo que estoy diciendo, que entregaste a mi hermano. Pues yo le digo que jamás hice ninguna denuncia contra él. ¿No, verdad? No, comandante, se lo juro por lo más sagrado. ¿Te queda algo que sea sagrado? La memoria de Ignacio, comandante, déjeme hablar. Te estoy escuchando. Me buscó en los días cercanos a la semana santa de 1971, hallándose ya clandestino desde hacía varios años, fue entonces cuando supe que le decían Igor, ése era su seudónimo, no lo había vuelto a ver desde que lo visité en casa de sus padres, en Granada, allá por 1963, recién salidos de la universidad, ¿Qué más? Lo ayudé en lo que pude, lo escondí en mi casa por varios meses, y si insistió en irse fue porque estaba consciente de los riesgos que corríamos todos con su presencia, de modo que busqué cómo alquilarle una casa por interpósita persona, nunca se pasó a esa casa y un día desapareció, dejó un papel, que se iba, que muchas gracias, y un libro para mí con una dedicatoria, entonces, como cosa de un mes después, viendo una noche el noticiero *Extravisión* del canal 2, mi esposa y yo nos enteramos de la denuncia de sus padres de que había sido capturado en un escondite del barrio Santa Rosa.

Metido en la misma cueva de Somoza, y tenía que sentarse a ver la televisión para darse cuenta de los asesinatos que se cometían, dice Manco-Cápac, calzándose el sombrero. Es la verdad, y pueden tomarle declaración a la reo Yadira Marenco, a ella le encargué alquilar la casa bajo el pretexto de que la necesitaba para un pariente. Yadira Marenco es su amante, la capturamos en la casa de un pastor Pentecostal, dice Manco-Cápac. Ya lo sé, dice Nicodemo.

Y él ahora sólo quería decir: permiso otra vez para ir a orinar, comandante, pero demasiado tarde porque los orines le chorreaban ya por la manga del pantalón y se aposentaban debajo de sus zapatillas Florsheim, tan sucias, en un ridículo charquito amarillo.

El chacal en su guarida
[Capítulo del folleto *Los héroes de abril*, de Coronado Salvatierra, 1962]

Alirio Martinica, maestro mecánico eficiente e ingenioso, llegó a escalar sin dificultades el puesto de jefe de mantenimiento de la desmotadora Los Manguitos, localizada en las vecindades de Tipitapa. El dueño de la mencionada desmotadora, Prudencio Chamorro Brown, miembro de una acaudalada familia granadina, pero afincado en Managua, figuraba entre los dirigentes del complot urdido para poner fin a la dictadura de Anastasio Somoza García, e invitó a Martinica a participar, propuesta que éste aceptó sin vacilaciones porque se contaba entre los enemigos a muerte de la dinastía reinante.

Los conjurados pretendían tomar por asalto el Palacio Presidencial que se alza en la Loma de Tiscapa, al borde de la laguna volcánica del mismo nombre, rodeado por instalaciones militares clave, como las del Batallón Somoza de Infantería y el Batallón Blindado. Los planes fueron fijados para ejecutarse el domingo 4 de abril de 1954, pues debido al asueto la mitad de los soldados gozaba usualmente de pase y no pocos de los que quedaban en servicio recibían a sus familiares en los patios de las cuadras, con lo que se rebajaban los controles de ingreso. El propósito era capturar al dictador, obligarlo a renunciar y subirlo a un avión para que abandonara Nicaragua.

El plan fue urdido en su exilio de Guatemala por el coronel Alberto Larios, apodado El Indio, un antiguo oficial que se contaba entre los propios fundadores de la Guardia Nacional, alzado años antes contra el dictador. En las filas de los conjurados figuraban otros militares que se habían rebelado también a raíz del golpe de estado que Somoza García dio en 1947 contra el presidente Leonardo Argüello, impuesto por él mismo a través del fraude electoral, pero que muy pronto se resistió a cumplir el papel de títere. En la lista de estos valientes militares en retiro forzoso se hallaban Adolfo Báez Bone, Luis Gabuardi, Pablo Leal y José María Tercero, como los principales; y entre los militares activos el capitán Santiago «Turco» Taleno, edecán de Somoza García, que a la hora concertada debía presentarse a la casamata de vigilancia llamada Cantagallo para transmitir a los centinelas la falsa orden de dar paso franco a los camiones pintados de verde donde irían los asaltantes disfrazados de soldados, como si se tratara de tropas provenientes de otros cuarteles. De los civiles comprometidos cabe mencionar al hondureño Jorge Ribas Montes, a los hermanos Carlos y Mauricio Rosales, a Julián Salaverry, a Luis Scott y a Alirio Martinica.

El número de hombres necesarios para consumar el asalto nunca llegó a ser suficiente y los reclutados resultaron ser campesinos demasiado viejos que no sabían manejar armas de guerra, en su mayoría mozos de las haciendas de ganado de algunos oligarcas del Partido Conservador, entre ellos el propio caudillo de ese partido, general Emiliano Chamorro. Ante esta evidencia, los jefes de la conjura, Báez Bone por los militares y Carlos Rosales por los civiles, resueltos a todo, cambiaron el plan. Supieron, gracias al Turco Taleno que de todos modos Somoza no estaría ese domingo en el Palacio de Tiscapa, pues viajaría a su hacienda El Tamarindo, en la costa del Pacífico, donde él mismo supervisaba las obras para la construcción de un puerto al que llamaría Puerto Somoza, necesario para despachar hacia el Perú sus embarques de ganado en pie, por medio de los cargueros de la Mamenic Line, empresa naviera de su propiedad, ejemplo suficiente todo lo anterior de su ambición desenfrenada.

Con base en esa información clave decidieron tenderle una emboscada sobre la carretera, decididos a darle muerte de una vez, ya que para ello era suficiente el número reducido de conjurados con que ya se contaba. Pero surgió una nueva variante, de la cual nadie podía haberles informado, porque ese domingo el dictador relevó desde temprano al Turco Taleno para que fuera a pasar el día al lado de su papá, que cumplía años, y no hubo excusa que valiera, pues así era Somoza García, un canalla de vena sentimental.

A las nueve de la mañana, ya a bordo de su limosina, un Cadillac negro, modelo 1953, instruyó al chofer para que se dirigiera a los hangares de la Fuerza Aérea en el aeropuerto Las Mercedes, porque antes de viajar a El Tamarindo quería recibir personalmente una partida de tres yeguas de carrera pura sangre llamadas Betsy, Sheila y Katia, que le enviaba de regalo desde Buenos Aires el general Juan Domingo Perón en un bimotor DC-3 equipado como establo, y que se hallaba por aterrizar. Un fotógrafo de *Novedades* al que llamaban Chaleco fue enviado de urgencia al aeropuerto y tomó las vistas del recibimiento, donde aparece Somoza García muy contento junto a las yeguas luciendo una gorra de jockey, fotos que de todos modos se publicaron en el periódico en lugar destacado, pese a los acontecimientos que no tardarían en desatarse y que ocuparon la atención del país.

La entretención le resultó providencial al dictador. A eso de las diez y media, cuando las yeguas eran subidas a los tráilers que debían llevarlas a las cuadras del Hipódromo Xolotlán, apareció al volante de un Studebacker color marrón su hijo, el coronel Anastasio Somoza Debayle, sumamente agitado. Con él llegaba un trío de temibles secuaces a bordo de otros vehículos: el coronel Catalino López, un carnicero despiadado, compañero del Indio Larios entre los fundadores de la GN; el mayor Secundino Mongalo, Manitos de Seda, llamado así porque se preciaba de no dejar huella al torturar a los prisioneros, quien llegaría a ser el primer jefe de la OSN; y el subteniente Anastasio Morales, Moralitos, ahijado del dictador y aventajado ya en las artes de la maldad cuartelaria a sus veinte años.

Somoza García, que había decidido acompañar a las yeguas hasta las cuadras del hipódromo, escuchó atentamente el informe de su hijo mientras permanecía apoyado de brazos en la puerta de la limosina: a las siete de la mañana, Prudencio Chamorro Brown había sido abordado por un patrullero de la policía de tráfico cerca del parque de Las Piedrecitas, en la carretera sur, para una simple revisión de su licencia de conducir, y antes de que el agente pudiera siquiera pedirle el documento, hecho un manojo de nervios dijo que estaba dispuesto a confesar todo lo que sabía del plan para asesinar al presidente, y que solicitaba hablar con el mayor Mongalo, a quien conocía, pues Manitos de Seda sembraba algodón en Tipitapa y lo entregaba en la desmotadora Los Manguitos.

Desde la caseta de tráfico de Las Piedrecitas el agente se comunicó con sus superiores. Creyeron al principio que aquél era el cuento de algún borracho o algún bromista, pero cuando el mayor Manzano, el jefe de Tráfico, oyó el nombre de Chamorro Brown, una persona bien conocida en los círculos sociales, decidió recogerlo personalmente en su vehículo y llevárselo a Manitos de Seda a la Loma de Tiscapa.

Estos y otros datos que adelante se mencionarán, los he tomado de una cinta magnetofónica donde constan declaraciones del alistado de la Guardia Nacional XXX, quien perteneció a la escolta personal de Somoza Debayle y se encontraba en el aeropuerto acompañando a su entonces jefe. Posteriormente XXX desertó de la GN, temeroso de represalias por los amores que tuvo con la esposa YYY de otro militar ZZZ, de rango superior, y se trasladó por veredas a Costa Rica; el que escribe habitaba para entonces en San José, en la pensión Brisas del Cocibolca, de las vecindades del Paso de la Vaca, donde XXX trabajaba de mandadero. La estimable dama nicaragüense propietaria de la pensión, muy devota amiga mía, me puso en antecedentes del historial de su empleado, quien tras muchas rogativas consintió en dejarse entrevistar bajo condición de anonimato. Oigamos, en su parte conducente, lo que confió a la grabadora:

«"Aquí está todo lo que el cabrón de Chamorro vomitó, Jefe", dijo el hijo, que le decía "Jefe" a su papá, y que no se había quitado los anteojos oscuros que siempre usaba, fuera de día o fuera de noche, "parece mentira, estos comemierda qué están creyendo, que es así nomás que van a matarlo a usted", y dicho esto, la voz se le quebró en un sollozo como de niño. Entonces el papá, muy sereno, dijo: "Los quiero a todos vivos, no se les vaya a ir la mano antes de que yo sepa quiénes son los cómplices que tienen dentro de la guardia, eso es lo más importante". Y el hijo vino y contestó: "Está bien Jefe, se hará como manda, pero ahora, mejor vuélvase para la casa presidencial y no se mueva de allí mientras yo me encargo de todo"; y muy cariñosamente puso su mano sobre la mano pecosa del papá. "Sí, hijo, perdé cuidado, ya me voy directo para allá", dijo el papá, y ordenó que condujeran las yeguas al hipódromo».

El punto de reunión para partir hacia el lugar de la emboscada era la quinta La California, situada en el kilómetro 11 de la carretera sur, propiedad de Natalia Tercero, hermana de José María Tercero, uno de los conjurados ya dichos, y la hora del encuentro las siete de la mañana. Chamorro Brown había pasado la noche con diarrea y se tomó una Ecuanil buscando controlar sus nervios, según declaró después ante la Corte Militar de Investigación. Debido a su nerviosismo, olvidó por completo recoger a Alirio Martinica en el punto acordado, el servicentro Esso al lado de la estatua de Montoya, y de todos modos iba ya con retraso cuando lo detuvo el policía de tráfico.

Otro de los sobrevivientes, Dámaso Betanco, agente aduanero, capturado más tarde en la propia quinta, donde se quedó rezagado debido a un insoportable dolor de muelas que le había causado una hinchazón del carrillo izquierdo, repitió ante la Corte Militar el relato que le hizo el propio Martinica. Según este relato, había dejado su hogar en Masaya desde tres días atrás, bajo pretexto de que el exceso de trabajo, por tratarse de la temporada de zafra, lo obligaba a dormir en la desmotadora, pero más bien había buscado hospedaje en una pensión de la calle del Triunfo en Managua, a fin de no descuidar su parte en los preparativos; se levantó al alba de ese domingo y media hora antes se hallaba en el sitio donde Chamorro debía recogerlo. Cuando vio que no aparecía, cogió un bus de la ruta a Jinotepe y se bajó en el kilómetro 11, subiendo a pie la cuesta que lleva a la quinta. Se había puesto la mejor mudada que tenía para asistir a aquella cita con el destino, como si se tratara de una fiesta de cumpleaños.

Martinica tenía treinta y cuatro años, recién los había cumplido en marzo. De mediana estatura, algo gordo, ojos verdosos, de pestañas crespas y largas, le decían por apodo El Muñeco. Bromista consumado, no había que engañarse con su carácter, porque también se sulfuraba rápido. Y sumamente valiente, hasta decir temerario. Cuando al verlo aparecer a eso de las ocho le preguntaron por su patrón, Betanco recuerda que respondió, disgustado, que de seguro se había ensuciado en los calzones y que ya no esperaran más para ponerse en movimiento, no fuera a ser el diablo, pues los cobardes son siempre peligrosos.

Eran un total de diecisiete. A las ocho y un cuarto se acomodaron de manera muy apretada en tres automóviles y se dirigieron al punto escogido de la carretera a León, que entonces estaba empezando a ser asfaltada, a unos tres kilómetros al oeste de la laguna de Nejapa, no lejos del empalme con la carretera sur. Iban provistos de una parte del abundante armamento que dos semanas atrás había ingresado en secreto desde Costa Rica, embalado en barriles de leche en polvo del programa de ayuda alimenticia Food for Freedom de la administración Eisenhower, conocido como «las tres efes». Contando con la protección del presidente José Figueres, uno de los fundadores de la Legión del Caribe, las armas habían salido de territorio costarricense por el puerto selvático de Los Chiles, en una barcaza que remontó el río Frío y luego el Gran Lago de Nicaragua hacia el puerto de Granada. De ese punto fueron transportadas a Managua en un camión cargado aparentemente de plátanos, porque los barriles no podían viajar por carretera de manera visible, ya que el coronel Catalino López tenía establecida una red de asaltantes dedicada a robar la leche en polvo de las tres efes, que luego vendía en el mercado San Miguel. El armamento consistía en ametralladoras Browning y Mazda, carabinas M-1 y M-2, pistolas Colt 45, granadas de mano, mechas y fulminantes para cargas de demolición, y las correspondientes dotaciones de parque, del que había en abundancia.

Llegaron al sitio escogido faltando diez para las nueve. Los diecisiete hombres se repartieron en dos grupos, uno al mando de Báez Bone, el otro al mando de Carlos Rosales, y se situaron a ambos lados de la carretera, arriba de unos paredones de barro rojo cubiertos apenas de un montarascal de escobilla, reseco por el verano. Esperaron cerca de dos horas, y como en un descampado cercano se jugaba un partido de beisbol entre equipos de comarcas vecinas, decidieron regresar a La California ante el peligro de una delación, ya perdida, además, la esperanza de que Somoza fuera a pasar por allí ese día.

Los automóviles habían quedado escondidos en un camino lateral, y cuando iban en su busca vieron acercarse un jeep militar. Se trataba de una patrulla de rutina, porque en ese momento padre e hijo terminaban de despedirse en el hangar. Creyéndose descubiertos, abrieron fuego contra la patrulla, matando al cabo (GN) Bartolo Mejía. Dejaron abandonados los automóviles y se dispersaron por los cafetales de la Sierra de Managua, ya sin ningún plan. La Guardia Nacional no tardaría en empezar la intensa cacería, dirigida por Somoza Debayle, en la que participaron más de trescientos efectivos, y a la que prácticamente ninguno sobrevivió.

Fueron cerrados los puntos posibles de escape y una avioneta regaba volantes por toda la zona con las fotos de los buscados, ofreciéndose diez mil córdobas por la cabeza de cada uno. Carlos Rosales fue hecho prisionero en Las Pilas y ejecutado en la hacienda Brasil Grande, cerca de El Crucero, al borde de la sepultura que lo obligaron a excavar, y después de ser sometido a inútiles interrogatorios de parte del coronel Catalino López, pues se negó a decir una sola palabra que implicara a nadie, mucho menos al Turco Taleno, contra quien recaían ya sospechas.

Adolfo Báez Bone y Alirio Martinica, a quienes el azar dejó juntos en la huida, habían logrado alejarse del cerco y fueron capturados cuando vadeaban el río Gil González, adelante de La Virgen, en el departamento de Rivas, camino ya de la frontera con Costa Rica. Los trasladaron a las instalaciones de la Loma de Tiscapa y fueron torturados por tres días con sus noches en «el cuarto de costura», una pieza ubicada en la culata del Palacio Presidencial, llamada de ese modo pues en un tiempo trabajaron allí las costureras domésticas de la familia. Anastasio Somoza Debayle los asesinó en ese cuarto, de acuerdo con el testimonio grabado a XXX:

«Llegó una noche al "cuarto de costura", vestido con una guayabera de lino, manga larga y de cuatro bolsillos, porque iba para una fiesta que daba el embajador del Perú, general Manfredo Enrique Terry, muy amigo de él, había noches en que nos mandaban a traer putas bailarinas al Copacabana, propiedad del coronel Catalino López, y se encerraban con ellas en la embajada, en grandes tremolinas. Entró insultando a los prisioneros, como siempre, y se situó frente a Báez Bone, que tenía las manos esposadas tras el espaldar de la silla, para mofarse del estado de su cara, monstruosa de tantos golpes, pero entonces Báez Bone lo escupió con la boca ensangrentada, manchándole la camisa. Eso lo enfureció. Pidió a gritos una pistola. Se la pasó en el acto Manitos de Seda, ya montada, una Colt 45. Mató al prisionero disparándole en la cabeza, con lo que se llenó todavía más de sangre la camisa. Alirio Martinica, esposado también al espaldar, se lanzó entonces contra él, con todo y silla. Mató a Martinica con la misma pistola».

Fue internado por un tiempo en un manicomio de Estados Unidos, que el reputado médico dirigente del exilio, doctor Enrique Lacayo Farfán, identifica según sus pesquisas como el Barnum Psychiatric Hospital de Topeka, Kansas. Había adquirido la manía de cambiarse todo el tiempo de camisa. No pasaba un minuto con una camisa limpia puesta y ya estaba pidiendo otra.

3.

Esposado a uno de los barrotes del espaldar de la cama miraba parpadear su figura multiplicada a la luz del quinqué mientras oía abajo el fragor de la crecida rompiendo al otro lado del espejo frontal como si el oleaje fuera a hacerlo saltar en pedazos, la mano colgando del barrote, la esposa apretándole la muñeca, la cabeza contra la almohada embebida de sudor de la que no se disipaba la fragancia de Chanel que la Yadira se ponía cada noche con toques del tapón de vidrio esmerilado en los nidos de las axilas sin rasurar, en el nacimiento de las nalgas, entre los pechos rellenos de silicón, en el matorral de la entrepierna, y la extraña sensación de hallarse acostado en su propia cama con todo y ropa, con todo y zapatillas pegajosas de arena, sofocado por el bochorno que las bocanadas de brisa filtradas a través de la pequeña puerta del balcón apenas aliviaban, inútil el aparato de aire acondicionado porque no había electricidad en la casa desde el comienzo del ataque, cuando los guerrilleros volaron los transformadores, y de todos modos jamás le hubieran dispensado el lujo de encenderlo.

Lo subieron al aposento, y apenas había tenido tiempo de repasar los dedos sobre la huella ardorosa del cordón eléctrico que el muchacho picudo y de barba rala acababa de quitarle, cuando Manco-Cápac, que ahora comparecía sin el sombrero de fieltro, lo estaba ya esposando, y luego, juguetón, como si estuviera a punto de iniciar un pase de baile, vino a sentarse a los pies de la cama, ¿sabe dónde hallamos este par de chachas?, en la casa del mandador, donde va a dormir su Yadira, ¿y sabe qué dijeron los mozos en el mitin que tuve con ellos hoy en la tarde, en uno de los galpones?, que por órdenes suyas recibían el castigo de pasar esposados dos horas, un día, a veces hasta el día siguiente, a un poste sembrado a la orilla de los excusados, de manera que parte del castigo era tragarse la pestilencia, el mandador subía con la lista de los candidatos y usted decidía una por una las penas. Mentira, dijo, eso es una calumnia, y vio su boca moverse en el espejo frontal. Están dispuestos a declararlo formalmente, tengo anotados los nombres de los testigos, se sonrió Manco-Cápac empurrando un poquito la boca con satisfacción cordial, de manera que, de ser así la cosa, se vuelve un cuento de camino todo eso del trato justo para sus trabajadores, doctor, el aparato de televisión, por ejemplo, a cada rato se descomponía de tan viejo y ellos mismos tenían que hacer una recolecta para pagar la reparación, además, sólo podían ver el canal 6 de Somoza, ¿y las viviendas dúplex para los casados?, birladas, por palanca suya, de un proyecto de la AID para desarrollo rural, los gringos se hicieron los chanchos y dejaron que fueran levantadas dentro de la hacienda, pero no para allí el asunto, encima les escalfaba del jornal una cuota de abono, y ante el menor atraso eran sacados a la fuerza por los caporales del mandador, todo eso mientras usted dormía en su cama de agua rodeado de espejos, primera vez que estoy yo probando lo que es una cama de agua, sentado aquí, sensación más rara, doctor. Entonces, según mis trabajadores yo no soy más que un malvado, dijo él. Es lo que sostienen ellos, pero de todos modos usted va a tener el derecho de llamar a sus propios testigos cuando empiece sus sesiones el tribunal, y dejó la cama para ir a acuclillarse a plan en un rincón.

¿Tribunal? Se incorporó sobresaltado, pero como la cadena era muy corta se lastimó la muñeca todavía más y volvió a reposar la cabeza en la almohada. El comandante Ezequiel ha decidido formar un tribunal para que se encargue de su caso, lo oyó decir. ¿Y qué clase de tribunal va a ser ése? Un tribunal de investigación, qué otra cosa, Manco-Cápac se despojó de su fusil y lo puso en el suelo de tambo. ¿Va a funcionar ese tribunal aquí mismo? Empezaba a dolerle el cuello por el esfuerzo de mirar hacia el rincón. No, aquí no, doctor, en Tola, en la casa cural. Un oscuro enjambre de papalotes revoloteó en su estómago y el rumor seco y sordo de alas diminutas subió hasta sus tímpanos. No tenía caso seguir esforzándose en buscar a Manco-Cápac en su rincón y miró al techo, donde la luz del quinqué brillaba lejana en la niebla del espejo. ¿Un tribunal así dicta sentencias de muerte?, preguntó al rato, su oído distrayéndose en el viento que ahora estremecía las láminas de zinc como si fuera a despegarlas, y también muy al rato oyó a Manco-Cápac: ¿Paredón quiere decir, doctor? Sí, dijo él, paredón, como en Cuba. Ese tribunal, lo que es ahora mismo, ni siquiera existe, se va a formar hasta mañana, y además, como las mismas palabras lo dicen, va a ser un tribunal de averiguaciones, no para sentenciar. Un tribunal que no existe, qué consuelo el que me está brindando. Entonces tome en cuenta otra cosa, y es que el comandante Ezequiel no es ningún ser sanguinario, nada menos que maestro graduado en la Escuela Normal de Jinotepe y catequista preferido del padre Gaspar, toda una lumbrera. Volteó la cabeza del lado contrario al rincón de Manco-Cápac y sólo vio el clóset con las puertas abiertas, la funda transparente de poliéster colgando solitaria en la percha de donde había arrancado su pantalón y su guayabera para vestirse antes de huir, y más perchas regadas en el piso, huellas aún de la fuga de la Yadira que a lo mejor estaría despierta también a esa hora en la casa del mandador. ¿Qué edad tiene el comandante Ezequiel?, preguntó. Debe rondar los diecinueve años, yo soy más viejo que él, tengo veinte, se rió Manco-Cápac desde su rincón, aquí muchos de los que andamos alzados todavía estamos celeques, allí llegaron ya los muchachos, los muchachos van, los muchachos vienen, dice el pueblo muy alegre al vernos triunfantes, y más bien deberían decir: allí van esas tiernas criaturas de pecho, allí llegaron ya esos bebés robados de su cuna. Sí, dijo, se ve que son muy jóvenes todos. Pero los huevos que nos cuelgan no son de niño, doctor, volvió a reírse Manco-Cápac, y además de huevos galanes, también tenemos cerebro pensante, unos más que otros, ya ve, el comandante Ezequiel, menor que yo y resulta mi jefe, pero la jerarquía tiene que ver con el mejor entendimiento, yo, en la célula urbana en que andaba metido en León, nada notable era, guerrillero de medio tiempo solamente, trabajando en el taller de ebanistería del maestro Balladares en el día, y en la noche emboscando a las patrullas de los perros, un cazaperros, a mucho honor, pero me mandaron después para acá porque en León estaba ya quemado y un combatiente quemado no sirve, es como un rastro de tufo que denuncia al resto de los compañeros, claro que ahora es distinto, porque ya podemos andar campantes a la luz del día.

Entró un repentino soplo de brisa y la funda colgada de la percha en el clóset se movió como una llama transparente para volver luego a su quietud. ¿Y no le convenía mejor trabajar por su cuenta, aprovechando el taller de ebanistería de su papá? Dígame de dónde iba a sacar capital, hay que acopiar madera, comprar barniz, lijas de distinto grueso, tener un buen juego de herramientas, y por mucho que uno agarre adelantos de los clientes nunca alcanza, además de que yo no soy ningún maestro ebanista como mi papá, apenas un oficial, ya no alcanzó el señor a enseñarme los primores del oficio, esculpir en la madera de cedro una corona regia, una guirnalda de mirtos, una rosa en su tallo erizado de espinas, un centurión romano con su casco en penacho, un ángel centinela empuñando su espada de fuego, entonces, bueno, me remitieron acá para Rivas, y el comandante Ezequiel me dio la responsabilidad de mandar sobre estos milicianos, tan faltos de experiencia militar que en el mismo pijeo los he ido entrenando, figúrese, un oficial ebanista que apenas ha pasado un cursillo de marxismo, elevado a comandante. ¿Un cursillo adónde? En Cuba, doctor. Se acomodó en la cama y el ruido metálico de la esposa engarzada al barrote del espaldar vino a repercutir en su cabeza. En Cuba son ateos, dijo. No le pongo mucha mente al asunto de creer o no creer, se rió otra vez Manco-Cápac. ¿Y ese rosario que lleva colgado del cuello? Me lo mandó mi mamá para que ande protegido, está bendito por la mano de sor María Romero. ¿La santa nicaragüense que vive en Costa Rica? Exacto, fue la patrona de mi mamá a San José a consultar con la santa monja sobre una enfermedad del vientre que no la deja tener hijos, y a la vuelta le llevó de regalo este rosario, así pues, cada vez que toca combate, antes de montar el fusil, primero beso sus sagradas cuentas. Entonces, es usted creyente. Si me fuerza un poquito le contesto que tal vez sí, pero si me fuerza todavía más, entonces le digo que creo mejor en la lucha de clases, que se quedan los ricos con la ganancia que le toca a los trabajadores, creo, y eso antes de que me lo enseñaran en la escuela de cuadros Ñico López de La Habana, el único viaje que he hecho al extranjero en toda mi puta vida, a sacar un curso intensivo de materialismo histórico. Religión y lucha de clases son cosas muy distintas, dijo él. No veo en qué puede oponerse la religión cristiana a la causa proletaria, si San José era un ebanista tan derrotado como mi papá, sólo que San José subió a los altares y mi papá se cayó reparando uno.

Otra vez el ebanista. Alza la mirada hacia el espejo detrás del que estalla la marea, como si lo llamaran, y en la luz azogada de las siete de la mañana aparece la estiba de ataúdes todavía sin barniz, el suelo lleno de virutas, el aserrín regado en la calle crecida de monte, y el taxi pasa rodando muy despacio, tan despacio que puede contar los pasos del ebanista que sale al patio en camisola desmangada cargando una tabla de cedro, puede ver el largo bitoque de ceniza del cigarrillo que pende de su boca a punto de caer, y aun alcanza a divisar por el vidrio trasero a un niño desnudo y panzoncito, de quizás tres años, que sentado en la acera se come un mango maduro, camina ella al fin hacia el fondo del espejo simulando que empieza su pregón con la canasta en la cabeza, y sube al taxi que la aguarda con la puerta abierta, dos cuadras adelante, en la culata de la iglesia de San Sebastián, pero asustada ahora no deja de secarse las lágrimas con el delantal almidonado a lo largo de todo el viaje por la carretera, y después, ya estacionados frente al hotel se negaba a bajarse, eran las diez de la mañana y ni un alma a la vista en el balneario, la administradora tras el mostrador de las llaves al fondo del salón de fiestas, recelosa, los veía discutir en voz baja, y al fin los pretextos de la muchacha se derrumbaban, ¿qué harían con la canasta de frutas?, ¿llevarla al cuarto?, no había otro remedio, aunque iban a perderse, al caer la tarde estarían ya inservibles de pasadas, y el chofer, los ojos cómplices llenos de gozo mirándolos por el espejo retrovisor, las compraba siempre que el precio fuera barato, así salía de una promesa hecha a San Benito de Palermo de llevar algo de comida a los ancianos del asilo de Subtiava, por la canasta que no se preocuparan, iba a mantenerla guardada en la valijera mientras volvía a recogerlos a las cinco, y ahora es el balcón de aquel cuarto del segundo piso del hotel el que se enciende como la boca de un horno a la luz flagrante del mediodía en el espejo oscuro tras el que bate incesante la marea.

De repente, la cabeza hundida en la almohada que olía al perfume escandaloso de la Yadira le empezaba a pesar como una piedra, se iba dando por vencida, revoloteaban todavía los papalotes de alas diminutas dentro de su estómago pero ya muy lejanos, ustedes, pues, son todos marxistas, oyó decir, pero era él mismo quien hablaba. No sabría contestarle por cada quién, respondió al rato Manco-Cápac, pero allí tiene al comandante Ezequiel, campeón de la catequesis, y al comandante Nicodemo, jesuita. ¿Y quién era ese comandante Nicodemo? El comisario político de la columna, el que va a venir a traerlo a usted mañana muy de mañana, el que se va a sentar en la presidencia del tribunal investigador de su vida y milagros, doctor. Y entonces otra vez un rudo empellón en su cuerpo, un envión de su cabeza, los papalotes sueltos, volando como unos locos, y Manco-Cápac, que desde su rincón lo veía apoyarse sobre el codo en el esfuerzo de alzarse, lo calmaba: no hay de qué afligirse, más bien siéntase dichoso. ¿Dichoso? Dichoso, sí, de que su juez vaya a ser un eminente doctor de la iglesia.

En eso entró la compañera Judith, delante un guerrillero que le alumbraba el paso. Traía en una bandeja de latón, con emblema de Cerveza Victoria en el esmalte, la cena del reo, que consistía en una tortilla fría, frijoles en bala, un pedazo de queso duro y un vaso plástico con limonada. Puso el vaso en la mesa de noche y se acercó con la cuchara y el plato dispuesta a alimentarlo, si es que él no podía arreglárselas con una sola mano, pero él apartó la cara en señal de que no quería comer. Es la misma cena de la tropa, doctor, lo reprendió cordialmente Manco-Cápac, aquí no hay privilegios. No, no es por nada, es que no tengo apetito, se excusó. Apetito siempre me ha sonado como una palabra melindrosa, dijo Manco-Cápac, hambre es la palabra verdadera que dice lo que quiere decir, y le hizo una señal a la compañera Judith para que se retirara, con lo que ella, sonriendo, se fue entonces de regreso con los trastos a encontrarse con el guerrillero del foco, que la aguardaba en la puerta. ¿Y qué más se sabía de ese doctor de la iglesia?, preguntó, ya solos otra vez los dos. Mucho podría contarle si yo quisiera, Manco-Cápac dejaba su rincón, recogía su fusil del piso de tambo y se acercaba sigiloso: abandonó la sotana después de hacer los votos perpetuos, y como ya libre de sus amarres de cura puede tener esposa, ahora está casado con la compañera Judith en matrimonio bajo ley de las armas celebrado por el propio padre Gaspar en los campamentos de Costa Rica, tienen un hijito tierno de cuatro meses que se quedó en Liberia mientras llega el triunfo. ¿Y qué edad tiene el comandante Nicodemo? Allí está la excepción, quizás ande por la misma edad suya, si no fuera persona madura no sería doctor de la iglesia. ¿Y ella? Ya la estaba mirando, no llegaba a los treinta años, abogada estrella del Banco Nicaragüense antes de entrar en las filas del FSLN, si entonces pasaba a cuchillo a los deudores con las hipotecas de fincas y casas, ahora era combatiente del pueblo, su bautizo fue ponerle aquella celada a Manitos de Seda, se enculó como un loquito el viejo libidinoso de su fina estampa desde una vez que trataron asuntos de escrituras de propiedades, ya dedicado a gozar sus millones mal habidos, y lo que sucedió, las intenciones eran nada más secuestrarlo pero se puso violento y no hubo otro remedio que echárselo al pico, ya ve de dónde le viene a ella su seudónimo, Judith fue en la Biblia la que sedujo a Holofernes para volarle la cabeza.

Era ella entonces, pero estaba tan cambiada, el pelo sobre todo, y además las fotos engañan tanto. Y ahora era Somoza en el azogue que iba iluminándose, de pie detrás del escritorio en su despacho del búnker, el uniforme tirante en su cuerpo inflado de gordura, las cinco estrellas de general de división en línea en las solapas del cuello, el puro habano entre los dientes, mirando uno a uno a los oficiales de la OSN, que se mantenían en posición de firmes mientras la foto de pasaporte ampliada en papel brillante, húmeda todavía, bailaba entre sus manos temblorosas de furia, ¿esta muchachita?, preguntaba, ¿esta muchachita les tocó las nalgas a todos ustedes? Había atraído al pendejo de Manitos de Seda a una quinta de la carretera sur, por la cuesta de Ticomo, que ella fingió le habían prestado para el encuentro sentimental, lo convenció de llegar sin escolta, acompañado nada más del chofer, bajo el engaño de que deseaba absoluta discreción, y después hizo que el chofer volviera a Managua a comprar una botella de Chivas Regal. Ya en el dormitorio, desnudo Manitos de Seda y desnuda ella, salieron de pronto del clóset, donde se habían ocultado desde temprano, los tres guerrilleros del comando sandinista, y lo encañonaron, decididos a dominarlo para ponerle una inyección somnífera y llevárselo secuestrado en la valijera de un vehículo, pero se resistió, viejo y todo se trabó en lucha con ellos, le dieron un par de pomazos con la cacha de una pistola, ni así lo doblegaron, y en el forcejeo resultó muerto de un balazo en la cabeza. Volvió al rato el chofer con la botella de whisky metida en una bolsa de papel, en la que también había una lata de maní, tocó a la puerta, y como nadie le abriera, se sentó a esperarlo dentro del carro creyéndolo en su ocupación, hasta que amaneció, cuando volvió a tocar, y entonces, otra vez sin respuesta, entró en alarma y fue a dar el aviso. Y las otras fotos del mazo, también recién reveladas, que Somoza deja caer con desaliento sobre el escritorio antes de dejarse caer él mismo en la silla de resortes que cruje bajo su peso, el cadáver desnudo visto desde distintos ángulos entre las sábanas ensangrentadas, las piernas flacas como bolillos, la combita peluda del vientre, el sexo fláccido, los testículos hinchados, la cabeza destrozada por el balazo.

No me diga que no la había visto nunca retratada, dijo Manco-Cápac, su hazaña mantuvo alborotados a los periódicos. Es difícil fijar una cara después de tanto tiempo, contestó. Diga tanto tiempo para mí, ese asunto fue por 1973 y yo apenas andaba en los catorce años, pero aun así tengo bien presente el magno alboroto, los de la OSN no querían mover el cadáver de la cama, temerosos de que debajo hubiera explosivos, metieron primero a los perros lobos a oler, qué duelo chambón para la dictadura, lo enterraron con altos honores militares, mas lo que es ella, ya clandestina, salió escogida al año siguiente para formar parte del operativo de asalto a la quinta de Jacinto Palacios en Las Nubes, y vea si no es cierto que el destino nos depara nuestro camino, en los entrenamientos del grupo conoció al comandante Nicodemo, de ese hecho famoso sí que se acuerda de seguro, aquella fiesta donde fue agarrada de sorpresa una gran pandilla de pofis de Somoza, su cuñado Sevilla Sacasa, embajador eterno en Washington, casado con su hermana la Liliam Somoza, la del retrato en el billete de un córdoba, su embajador en las Naciones Unidas, el Chato Lang, rey de los serviles, su primo hermano Noel Pallais Debayle, hijo de Margarita está linda la mar... la alegre vez que la esposa de uno de los convidados se tragó su anillo de diamantes para que no se lo robaran, haga de cuenta que se las veía con rateros, y después, ya libre en su casa, tras muchos purgantes, fue de vigilar la bacinilla hasta que echara la muy preciada joya. Los miembros de ese comando se llamaban por números, según creo acordarme, dijo él, esforzándose en aparentar desinterés. Justamente, el número Cero era el jefe, pero ya lo mataron, respondió Manco-Cápac, y después quedó la tradición, para el asalto al Palacio Nacional también el comandante Edén Pastora se llamó Cero, y así se sigue llamando. ¿Qué número tenía el comandante Nicodemo?, se atrevió a preguntar ahora, desde lo más hondo de aquel miedo que vivía ya dentro de su estómago como una solitaria con dientes y garras. Sinceramente no lo sé, pero se lo puede contestar él mismo mañana, dijo Manco-Cápac, a punto de soltar la risa, o la compañera Judith, que no sólo es su esposa, sino también, se lo comunico, la secretaria del tribunal investigador, de manera que vamos a estar, como quien dice, en familia, porque además este servidor suyo es el tercer miembro escogido, ¿no era para sentirse tranquilo y contento con todas esas noticias? Ni tranquilo ni contento, para qué mentir, dijo con sonrisa afligida. Y Manco-Cápac, camino ya de la puerta, que no se comportara tan decaído y buscara mejor el sueño, lo dejaba con la luz del quinqué hasta donde aguantara el kerosín, así un rato podía acompañarse de su propia figura repetida en los espejos, y a propósito, ¿cómo había sido la ocurrencia de forrar de espejos el aposento? No fue idea mía, dijo, los espejos ya estaban desde antes. No le luce la mentira, doctor, en otras cosas sería Macario Palacios un leperino de marca primera, pero no en semejante clase de galanterías atrevidas, no hay mozo en esta finca que no se acuerde de la llegada de los espejos, metidos en unas jabas rellenas de aserrín para que no se trizaran con los golpes del mal camino, su Yadira misma dirigió a los operarios que vinieron de Managua en el mismo camión a instalarlos, me imagino su ansia loca de verse reflejada de nalgas, y por todos los demás lados pudendos, en la grata compañía de usted, y no la culpo, hay mujeres que son tormentosas en sus fantasías, aunque los mozos de la finca opinan todo lo contrario, opinan que eso de mirarse desnudo de cuerpo entero en tantos espejos es aberración carnal, y más si se trata de jolgorios en una cama de agua donde uno se sentirá como cabalgando sobre las olas del mar, pero aquí no estamos, les dije, para entretenernos en gustos y preferencias, sino para sacar en claro los asuntos de la vida política suya, que lo entendieran, les pedí en el mitin, y lo entendieron, que pase buenas noches.

Entonces fue que por fin se quedó solo. Los garrobos arañaban las láminas del techo cimbrado por el viento, y el silencio húmedo y pegajoso que llenaba el cuarto era roto a pausas lejanas por el estallido del oleaje detrás del espejo. Un sabor de esponja marina en la boca, un olor a sal llegando de lejos, pero sobre todo el perfume en la almohada, un perfume con sudor. ¿Serían respetuosos de la mujer ajena estos muchachos?, ¿no estaría la Yadira en peligro allá abajo, en la casa abandonada del mandador, entre tantos varones armados que la creerían una pervertida debido al cuento de los espejos? Él, y nadie más, era culpable de su situación. La había despachado para Managua queriendo ponerla a salvo, la camioneta con el tanque lleno de gasolina, un chofer de confianza, viejo de trabajar en la hacienda, si salían temprano era posible coger el camino que llevaba directamente al puente de Ochomogo, alcanzar la carretera panamericana, en menos de dos horas ya estaban en Managua, y una vez puesta en Managua quedaba en manos de la pérfida Mesalina, que tenía todavía todo el poder del mundo para sacarla sana y salva hacia Miami, ya ve, doctor, le había ido contando Manco-Cápac mientras lo devolvía a su silla episcopal después de mostrarle a la Yadira prisionera, ese chofer, según declara ella, la bajó a la fuerza frente a la casa del pastor pentecostal, pero antes de huir con la camioneta se tomó el trabajo de apear toda la colección de valijas, asunto que puede parecer de buen corazón, pero lo más probable es que acató el riesgo de que en uno de los retenes los perros lo mataran para robarle ese equipaje de tanto valor, ¿un viejo amor que ni se olvida ni se deja, verdad?, y no es que quiera ofenderla, pero ya se le pintan los añitos encima, ya ha echado carnes, sobre todo en la cintura, se tiñe el pelo, yo, que soy curioso, me fijé que en el arranque de su hermosa melena rubia se ven los troncos blancos de las canas, ese par de chichas no me va a decir que son de verdad, y él se había reído, servil, ante el atrevimiento.

En febrero de 1969, cuando la conoció, todavía quedaban los adornos eléctricos de la Navidad en la plaza de la República. Meses antes, la recomendación de Macario Palacios le había traído una lotería inesperada, porque sus aspiraciones no llegaban a tanto como para verse de pronto brazo derecho del general Secundino Mongalo, alias Manitos de Seda, que ya en retiro había sido nombrado por Somoza ministro de Hacienda. Ese mediodía le llevaba a firmar un legajo de documentos, en su mayor parte «libres», dispensas de impuestos de importación de vehículos, y al entrar a su despacho por la puerta privada lo halló inclinado hacia adelante en su sillón, muy pensativo, las manos extendidas hacia la manicurista vestida con el uniforme de diolén celeste del salón de belleza Wella, que del otro lado del escritorio ocupaba la silleta de los peticionarios, el neceser de varios depósitos abierto sobre el vidrio que había sido limpiado de carpetas y papeles, y puestos al lado los potes de crema, las limas, las lijas, las pinzas, el frasquito de acetona, y el de esmalte de uñas rosa pálido con que la muchacha estaba terminando su obra, un ritual al que Manitos de Seda se sometía semana a semana, y cuando entornó ella la cabeza al oír sus pasos, una fracción de segundo nada más, descubrió que no se trataba de la misma de las demás veces. Le presento a mi nueva manicurista, doctor, dijo al momento Manitos de Seda, pero ella ya no quitó los ojos de su trabajo y apenas la oyó decir: Mucho gusto. Recogió luego sus frascos y sus instrumentos, y se fue, balanceando al paso el neceser, mientras Manitos de Seda, las manos siempre extendidas sobre el vidrio del escritorio para que el esmalte terminara de secarse, le pedía que se aproximara porque iba a contarle la última, doctor, pero cuidado se la va a repetir a nadie, y él, como siempre ante aquella sabida advertencia, alzó la mano en señal de juramento. Ya no vuelve más la paloma marrullera, por eso vino ahora esta muchacha, ¿y sabe por qué? Él negó, obsequioso. Porque me la quitó el Jefe, ahora es la querida del Jefe, y se quedó mirándolo, a ver qué decía, y él sólo dijo: No entiendo, general. Pues muy sencillo, y una mueca dolida apareció en su cara mientras se mordía el bigotito teñido de negro, le gustó, la agarró, se acabó. ¿Desde cuándo se acabó? Llegó el Jefe invitado de honor a la fiesta danzante de los Chicos de la Prensa en el Club Internacional, con la función de coronarla reina, la corona, bailan la pieza de rigor, conversan amenamente, una risita de ella, una carcajada de él, se retira al dar las diez seguido de su nube de escoltas al mando de Pirañita, regresa al dar las once Pirañita, la busca en la mesa de honor, le habla al oído, recoge ella su cetro y su estola, y lo sigue como un manso cordero. ¿Y? Y adiós mis flores, ya le puso casa en la Colonia Militar, ya le compró el salón de belleza Wella, todo en un suspiro, la dueña anterior, la turca Zoraida Manfut, no quería vender, la obligó Pirañita bajo amenaza de ejecución hipotecaria por un préstamo con el Banco Nacional a pesar de que iba al día en las cuotas, vino a verme la mujer, partida en llanto, en la creencia de que era yo el autor de toda la trama para favorecer a una querida mía a la que apenas se atrevía a llamar ingrata en mi presencia, le estaban ofreciendo una miseria por la venta forzada, veinticinco mil córdobas, sólo las secadoras de pelo Sunbeam valían más que eso, ya no se diga las palanganas de loza para el enjuague, los sillones reclinables de cuerina, los espejos tipo camerino, me trajo la lista escrita, sin contar con la casa donde está instalado el salón. ¿Y usted qué hizo, general? Cargar con el muerto, qué más iba a hacer, me le tuve que poner hasta violento, que vendía su caramanchel o se atuviera a las consecuencias, y más lloró todavía, vea qué papel el mío.

Y otra vez pensativo se había soplado las uñas: Aunque si quiere que le diga una cosa, ya me estaba fastidiando esa mujer, me convenía hacerme de una menos ordinaria, ¿usted no la notaba demasiado vulgar? Se le estaban aguando los ojos a Manitos de Seda sin que pareciera darse cuenta, un celoso tan fúrico como no existía otro teniendo que aguantar el puñal clavado entre las costillas y no poder decir ni pío, bastaba recordar su cabanga de apenas un mes atrás, cuando había obtenido noticias de que andaba la paloma libertina en amores con Marino «Fat» Zambrano, el presidente de los Chicos de la Prensa, un cronista deportivo de la Radio Mundial que precisamente la había hecho elegir reina para gozarla gratis entre fiestas danzantes, paseos al mar y agasajos previos a la coronación, autor de la hazaña de que una manicurista calzón alegre recibiera aquel cetro que antes sólo había ido a parar a las manos de hijas de ministros, empresarios adictos al gobierno y altos militares. Acongojado por la traición se encerró entonces Manitos de Seda en su despacho, sin recibir a nadie ni contestar los teléfonos, bebiendo de la dotación de Stolichnaya que guardaba en un gabinete, fiel a la marca de vodka impuesta por el gusto de Somoza, hasta que decidió subir a la Loma de Tiscapa, se fue a sus antiguos dominios a contarle sus penas a Moralitos, que lo había sustituido como jefe de la OSN, y esa misma noche, cuando el Fat Zambrano salía del restaurante Almendares de la calle Colón, donde se juntaban los cronistas deportivos a comentar los juegos nocturnos de beisbol, porque el restaurante quedaba cercano al Estadio Somoza, cuatro hombres se bajaron de un taxi sin placas, le dieron una soberana apaleada, y al día siguiente estaba la paloma fugada de nuevo en los brazos de Manitos de Seda, llorando y temblando.

Había sacado ahora del bolsillo del saco, colgado en el espaldar del sillón, el pañuelo de lino con su monograma, y alzaba los lentes para enjugarse cuidadosamente los ojos mientras intentaba reírse, los suspiros de llanto y de risa confundidos en su pecho huesudo: Ya ve, nadie sabe para quién trabaja, le compré, de muy bruto, el vestido de tafetán con cola de vuelos en abanico para la fiesta de coronación, los zapatos y la cartera forrados de la misma tela porque debían hacer juego, la estola y los mitones, un chiflón de reales sin contar los cheques que le entregué al propio Fat Zambrano para los gastos de protocolo y atenciones sociales, y créame, doctor, que de haber sabido que me iba a pasar todo esto, no sigo su consejo. ¿Cuál consejo, general? El de mandar a leñatear al locutor desgraciado ese, ¿no lo vio en una de las fotos de la fiesta que aparecieron en *Novedades* bailando con ella a prudente distancia, más por miedo que por la dificultad del brazo enyesado en cabestrillo?, y peor ahora de por medio el Jefe, debe huirle a su reina de fantasía si la ve venir por la misma acera, y volvía a reírse y volvía a secarse las lágrimas. Tal vez fue un consejo mal interpretado, general. Y Manitos de Seda se había balanceado en su sillón, la cabeza recostada en el espaldar: No se atribule ante esa bagatela, no es el primer desgraciado que sufre quebranto de huesos por andar comiendo del plato ajeno.

Sorbiéndose todavía los mocos había ido firmándole las libres introducciones de vehículos, hasta llegar al Mercedes Benz 250SE del arzobispo de Managua, monseñor González y Robleto, cuando se detuvo, que le dejara ésa allí por aparte, iba a hablar con el Jefe, al arzobispo no era sólo una libre la que había que darle, sino el carro mismo envuelto en celofán y amarrado con un lazo de organdí. Y vuelto de nuevo a las firmas, sin quitar la vista de los documentos, había dicho: Ya me fijé que la nueva manicurista le echó una mirada maliciosa. Son imaginaciones suyas, general. No, nada de imaginaciones mías, y lo que es por mí no tenga el menor cuidado, con manicuristas yo no quiero tener nada que ver en el resto de mi vida, pero eso sí, no se le ocurra prestarla nunca para reina de ni mierda.

Pasarían dos meses, seguía llegando la morena teñida de rubio al Palacio Nacional, siempre vestida con su uniforme de diolén celeste, siempre cargando su valijín de manicurista, siempre sonriéndole de la misma manera apaciguada, hasta que una tarde se resolvió a probar, marcó el número del salón de belleza desde su oficina, pensando decirle, medio jugando, que si quería hacerle las manos la invitaba después a una cerveza al Drive Inn El Madroño, vecino al parque de Las Piedrecitas, y entonces había ocurrido que le salió al teléfono la pérfida Mesalina en persona, una voz pastosa de cantante de boleros a media luz que ya había oído antes en el despacho de Manitos de Seda y que no se esperaba porque ahora hasta telefonista había en el salón de belleza, era necesario solicitar turno de antemano, un mesero de corbatín llevado del Casino Militar ofrecía cocteles y bandejas de canapés a las clientas, y se desconcertó, quiso colgar, empezaba a ser ella poderosa, firmaba cartas de recomendación y esas cartas eran obedecidas sin dilaciones en los hospitales para lograr una cama, en la policía para sacar libre a algún reo común, en la aduana por una mercancía, en la oficina de migración por un pasaporte. Lo reconoció. ¿Qué se le ofrece, doctor?, le había preguntado de una forma que no se sabía si era cordial o severa. Yadira Marenco, por favor, había dicho él nada más, con voz de idiota. Entonces ella se había reído con la risa corrompida por la que tanto penaba Manitos de Seda: Se la paso, pero la próxima vez llámela a su casa, no quiero que me la distraiga en el trabajo, ya tiene teléfono, yo se lo puse.

Las dos venían del mismo arrabal de León, los linderos del barrio San Felipe con el cementerio, juntas se habían trasladado a Managua y habían compartido la misma pieza en las vecindades del mercado Boer, juntas habían ingresado como aprendices de manicuristas al salón de belleza Wella de la turca Zoraida Manfut, calle 15 de septiembre, contiguo a la zapatería Los Patitos, y juntas habían hecho sus primeras excursiones, que comenzaban en salones cerveceros y terminaban en los moteles, más por el interés de ir conociendo hombres capaces de abrirles puertas que por dinero contante y sonante, y bajo el requisito mínimo de que los candidatos tuvieran carro propio y fueran casados, porque las bodas de velo y corona no eran de su cometido, tan íntimas que la una había corrido a confesarle a la otra que estaba perdida por el oficial mayor de Manitos de Seda, cómo es eso si sólo lo has visto una vez, me fascinó a primera vista, ya se está quedando calvo sin ser viejo, es que esa cabeza en lo oscuro debe ser igual de tersa y sensual que una nalga, no le lucen anteojos de marco tan grosero, yo le pongo unos de contacto, se viste demasiado fúnebre, yo lo quiero mejor desnudo, pero si lo tuviera en mis manos lo transformaría en un figurín: Ahora sí, por fin voy a transformarte a mi antojo, ya estás en mis manos desnudo, le había dicho la primera vez que les dio la noche juntos en el Motel Nejapa de la carretera vieja a León.

Sepa cortar a tiempo, doctor, le habla la voz de la experiencia, le había dicho Manitos de Seda un día de tantos, atrayéndolo de la manga para que se acercara aún más a su boca llena de calzaduras que olía a pasta dentífrica, el agua de colonia Tres Coronas con que se refrescaba la cabeza ya disipada en un rancio olor a alcohol, no le venga después un grave desengaño, esas dos mujeres han sido putas desde que se orinaban en los pañales, aunque reconozco que lleva usted ventaja porque es peor la otra, ya la llaman «La Dama» por afrentar a doña Hope, la Primera Dama legítima, no creo que tenga remedio esa mujer por mucho mando que ahora enseñe y ande cuidada por guardaespaldas, la que es puta hasta en la sepultura se revuelca, dígame a ver, todo un presidente de la República amante de una meretriz de profesión, la sacó ya de la Colonia Militar y le ha instalado una mansión rodeada de un gran muro en la carretera sur, si doña Hope se deja fotografiar a su lado en las ceremonias es por las apariencias, pero la última de sus humillaciones, y la más grave, es que haya él asistido a la fiesta rumbosa que la muy descarada dio para estrenar la mansión, se da cuenta, doctor, los dos recibiendo en la puerta el besamanos de los invitados, menos mal que no salieron las fotos en *Novedades*, sólo eso faltó, imagínese lo que informarán a sus cancillerías los embajadores, el nuncio apostólico de Su Santidad, monseñor Santi Portalupi, hace comentarios mordaces en las recepciones diplomáticas y no es para menos, enseñaba la mitad de los pechos alzados por un corsé de alambre, como mameyes en una canasta, y sus discípulas del salón de belleza le hicieron entre todas un peinado de tres pisos, como un queque de bodas, copiado igualito de uno con que aparecía la Imelda Marcos en *Vanidades*, medio Managua fue a rendirle pleitesía, muchos que le deben favores a doña Hope, los aduladores de siempre, los cobardes, allí estaban, trajeron las viandas del buffet en un avión de Lanica desde Miami, hasta las lechugas y los tomates vinieron en termos refrigerados con hielo seco, como si aquí no hubiera, no me diga que no sabía usted de esa fiesta. Estuve presente, general. A ver, cuénteme cómo es la cosa, había respingado Manitos de Seda en su sillón.

Con toda calma había rodeado el escritorio, y con toda calma había ido a sentarse a la silleta de los peticionarios: Ya sabe que con usted no tengo secretos, general. Ni yo con usted. Y siempre he oído sus consejos. Y yo, los suyos. Entonces, si me lo permite, ahora quiero darle uno. Y Manitos de Seda, muy circunspecto, se había ajustado el nudo de la corbata, que le abultaba en demasiadas vueltas, y después había puesto las manos sobre el vidrio del escritorio, como si fueran a hacerle el manicure: Dígame. Usted ya sabe que la Yadira y ella son íntimas. Claro, íntimas desde hace tiempo. Entonces, no es raro que la Dama, gracias a mi amistad con la Yadira, me invite a sus fiestas, no sólo a ésa del estreno de su mansión, donde hubo hasta embajadores de esos que después andan murmurando, sino a otras más en familia. Lo felicito, se sonrió, con algo de amargura, Manitos de Seda. Pero antes de mi consejo, una pregunta. Las que quiera. ¿Por qué no asistió usted a esa fiesta, si fue invitado? ¡Era lo último que faltaba, que yo hiciera fila para felicitar a esa mujer! El Jefe preguntó por usted. ¿Por mí?, dijo, guardándose de mostrar sobresalto, pero no pudo evitar que la palidez empezara a ganarle el bozo y la nariz. Cuando se habían ido todos los invitados, y nos quedamos nada más nosotros cuatro en la terraza de la piscina. ¿Y cómo fue que preguntó por mí? «Qué raro que no vi en toda la noche al general Mongalo», comentó, así, como de pasada. «Fue invitado», contestó ella, secamente. ¿Eso fue todo? Eso fue todo, y ahora, póngase a pensar: si ambos consideran que usted despreció esa invitación por rencor, es pésimo, pero todavía es peor si creen que el pasquín que anda circulando contra ella por todo Managua es obra de su mano, general.

Se había incorporado Manitos de Seda, empujando hacia atrás el sillón, y ahora, lejos de toda palidez, tenía en el cuello y en las orejas el color de las brasas atizadas al rojo vivo. ¿Quién puede creerme capaz de ser el autor de un pasquín? ¿Me quiere seguir oyendo? Lo oigo, dijo, y se sentó otra vez. ¿No se figura que si ella tiene ahora el poder que tiene, eso la hace amiga de Moralitos? No entiendo. Agarre ahora mismo el teléfono, llame a Moralitos y pregúntele si no es cierto que ella le ha pedido investigar de dónde salió ese pasquín con la lista de sus amantes: el turco Yamil Farach, aquel tendero tahúr, dueño de Los Mil Retazos del mercado San Miguel, el doctor Sofonías Ross, regente de la farmacia Minerva, el Fat Zambrano... hay más de una docena. ¿Y qué tengo que ver yo? Salvo lo del Fat Zambrano, ella sostiene que todos los demás nombres se los confió a usted al calor de la intimidad. Déjeme que me ría, los amores de esa mujer han sido siempre públicos en todo Managua. Ella acepta eso, hay habladurías que corren solas, pero se pregunta por qué es usted el único que no aparece en esa lista. Nunca he visto ese pasquín, menos que yo lo haya escrito, y sus manos revoloteaban con alarma. Yo, por supuesto, le creo, pero con eso no ganamos nada. ¿Cuál es, entonces, su consejo? Pídale una entrevista, vaya a verla, discúlpese por lo de la fiesta, júrele que en lo del pasquín usted es inocente, y de esa forma se suspende la investigación que está ya en manos de Moralitos. Por mí que investiguen lo que quieran, así vamos a saber la verdad, había dicho, otra vez con aire de enojo, mientras rodeaba el sillón para agarrarse del espaldar. Está bien, general, no he dicho nada. Además, dudo que Moralitos ande averiguando sobre pasquines, sería una falta de seriedad. Llámelo, pues, pregúntele. No, para qué, sería rebajarme. ¿Y también sería rebajarse si va a verla? Tras un buen rato en que se entretuvo alisándose el bigotito teñido, había dicho, ya más sosegado: Es que el Jefe se podría imaginar cosas. No va a ser una entrevista en ningún motel, ni siquiera en su residencia, lo va a recibir en su oficina. ¿Tiene ella oficina? Se la puso el Jefe, es mucho el público que la busca pidiendo cartas de recomendación, así que ahora despacha en el edificio El Águila, aquí cerca, al frente del Hotel Lido Palace. Qué raro que yo no sepa de esa oficina, había dicho Manitos de Seda con cierta tristeza, mientras el abanico del aparato de aire acondicionado, puesto al máximo, le hacía volar la corbata. Si quiere le consigo yo la audiencia. No, no, gracias, si me resuelvo, yo mismo arreglo eso.

Le había hecho caso, pidió la audiencia, habló con ella, se arreglaron, volvió rebosante de contento, y de inmediato mandó a llamarlo a su despacho para contarle: un ratito nada más de antesala, sale ella misma a recibirlo, lo lleva abrazado, pero todo muy de respeto, como una hija con su padre que la visita, se sientan en un diván de cuero blanco que crujía bajo las nalgas, viera su seguridad de ademanes, su modo imperioso para ordenar café a su mesero particular y para ahuyentar a las secretarias que la acosan con asuntos, su plática de estado, la economía, la moneda, los litigios de frontera, los enemigos del gobierno, agarra el teléfono al final, marca el número privado del Jefe, empieza a calentarlo al solo comienzo, pegada al aparato, la purrunguita insolente, cosita linda cómo estaba, pichoncita caramelosa tan angurrienta, que se la cuidara porque en la noche quería verla berrear, cabecear y patalear, no vaya a creer que no me daba pena, porque mientras le iba susurrando todas esas lubricidades me miraba a mí, y yo no podía sino bajar los ojos, por recato, y al fin: Te tengo una sorpresa, tu general Mongalo está aquí, hemos tenido una conversación muy linda, y tapando el auricular: manda a decirte que qué bueno que viniste, que estaba ya pensando qué mosca te había picado.

No cabía de alborozo. ¿No quiere tomarse un vodka conmigo, doctor? Se lo habían tomado, se tomaron varios, platicaron largo: Teniendo la cercanía diaria que ahora tiene con usted el Jefe, seguramente le presta oídos a sus consejos. No es tampoco que yo lo vea todos los días, general, se había reído mientras removía con el dedo los cubitos de hielo en su vaso. Bueno, pero cuando se ven allá, en la mansión de ella, ¿no hablan de política? Siempre estamos los cuatro, está la Yadira. Eso de que me contesta tan parco, es prueba de que está usted dentro de muchas confidencias, como un día estuve yo, que como ya voy de salida, mejor me he ido preparando para no perecer de necesidad. A usted no lo ahorcan por diez millones de córdobas, se había reído otra vez, sin quitar el vaso de los labios. ¿Por qué voy a salir en bicicleta si puedo salir en Mercedes Benz? Tiene mucha razón, general. Y usted, por el camino que va, pronto va a estar ocupando este sillón. Que el Jefe me haya escogido como amigo de su confianza nunca lo soñé siquiera, pero yo no nací para figurar.

No me diga que no aspira a una posición alta como la mía, todo mundo en la vida quiere subir. Subir, claro, y había dado un largo sorbo a su vaso. ¿Entonces? Le he aceptado el ofrecimiento de llevarme a su lado. Manitos de Seda entretenía el hielo en la boca, mascando despacio, como si lo moliera. ¿Va entonces para la Loma de Tiscapa? Como su secretario privado voy, había dicho él, y había depositado el vaso sobre el vidrio del escritorio, con un golpe seco, dispuesto ya a marcharse. Y yo tan ignorante de su suerte, doctor, le había dicho Manitos de Seda, contemplándolo con melancolía, qué pronto se nos fue para arriba. Pero mi lugar es en las sombras, general, en una oficina pequeña. A mí lo que me gustan son las sombras.

Entre copa y copa
[Declaración de Alirio Martinica, julio de 1971]

Guardia Nacional de Nicaragua
Corte Militar de Investigación (CMI)
Cuartel de la 5ª Compañía de Reemplazos
Campo de Marte, Managua, Distrito Nacional

A las 3 P.M. del día miércoles 28 de julio de 1971 la Corte Militar de Investigación, constituida por mandato de la Comandancia General de la Guardia Nacional, reanuda la sesión. A las 3:03 P.M. el Capitán Preboste procede a llamar a un testigo por solicitud del Fiscal. El testigo es debidamente juramentado. La Corte concede al Fiscal la venia para examinar al testigo.

FISCAL: Diga su nombre, edad, estado civil, oficio, cargo que desempeña y domicilio.

TESTIGO: Me llamo Alirio Martinica Salamanca, de 32 años de edad, casado en primeras y únicas nupcias en 1963, abogado y notario; soy Secretario Privado del señor Presidente de la República, y tengo mi domicilio en el Reparto Residencial Bolonia de esta ciudad de Managua, de la Casa del Obrero tres cuadras a la montaña, dos cuadras arriba.

FISCAL: Diga el testigo si conoce la naturaleza de los hechos que al presente investiga esta corte.

TESTIGO: Sí, señor, los conozco a través de las informaciones servidas por la prensa y la radio.

FISCAL: La defensa lo ha citado a usted como testigo de descargo del Coronel de Infantería Anastasio Morales Somarriba, Jefe de la Oficina de Seguridad Nacional (OSN), adscrita a la Comandancia General de la Guardia Nacional, quien se halla sujeto a los procedimientos indagatorios de esta Corte debido a los hechos que son ya de su conocimiento, según ha respondido a mi pregunta anterior. Por tanto, diga si es cierto que el día martes 13 de julio del año en curso estuvo usted en compañía del indiciado, y de ser así, a qué hora y en qué circunstancia y lugar.

TESTIGO: Efectivamente, el día martes 13 de julio del presente año, como a las once de la mañana, encontrándome en mi despacho de la Casa Presidencial, recibí una llamada telefónica de parte del Coronel Morales, por medio de la cual me extendía invitación para que almorzáramos juntos ese mismo día, y a tal efecto convinimos en encontrarnos a la una de la tarde en el bar y restaurante Munich, situado en el costado sur del Palacio Nacional; pero la verdad es que ambos nos presentamos con anterioridad, según mis cálculos a las doce y cuarenta, de tal manera que coincidimos en las afueras del local, y juntos nos dirigimos a uno de los salones privados.

FISCAL: Diga el testigo si hubo personas que los vieran entrar al mencionado local a la hora que usted indica, y luego permanecer en el mismo.

TESTIGO: Numerosas personas, porque el «Munich» se encuentra habitualmente lleno de clientes a la hora de almuerzo, y recuerdo haber saludado a algunos conocidos, entre otros Octavio Masías, Rafael Pineda y Sofonías Laguna; pero además la propietaria, doña Susana Malespín de Müller, que nos atendió personalmente, y estuvo pendiente de nuestros deseos y gustos durante las largas horas que pasamos allí; así mismo los meseros Nicolás Reyes Artola, llamado cariñosamente «Corbatín», Melico Avellán, apodado «Pena Negra», y otro de apellido Cabezas, al que le dicen «Suspiro».

FISCAL: Diga a qué hora se retiraron del lugar.

TESTIGO: Debe haber sido cerca de las siete y treinta de la noche, pues aunque no era nuestra intención quedarnos por tan largo tiempo, empezamos pidiendo una botella de vodka que ligamos con jugo de naranja, llevaron varios platos de bocas, que en ese sitio son suculentas, y ya cerca de las tres habíamos ordenado la segunda botella de vodka, fruto del entusiasmo de poder disfrutar de aquel encuentro, porque son pocas las ocasiones en que el trabajo de ambos nos deja para departir; y ya cuando pasaban las seis de la tarde, habíamos consumido la tercera botella de vodka, sin que nos hubiéramos acordado todavía del almuerzo.

FISCAL: Diga usted si el Coronel Morales abandonó el local en algún momento, entre la hora en que llegaron al restaurante Munich y la hora en que se retiraron.

TESTIGO: En ningún momento; si se levantó de la mesa que ocupábamos en el reservado fue para dirigirse a los baños a miccionar, tal como hube de hacerlo yo mismo en varias ocasiones. Su ayudante, el cabo G.N. Silverio Mercado, entró repetidas veces para recordarle que tenía compromisos pendientes, uno de ellos con su dentista, pero él, con ese modo llano que le es proverbial, le respondía «que no estuviera jodiendo».

FISCAL: Diga el testigo si recuerda el nombre de ese dentista.

TESTIGO: Se trata del doctor Indalecio Baca Silva, que tiene su consultorio en el barrio Sajonia de esta capital, siendo el mismo dentista que me atiende a mí.

FISCAL: Diga el testigo si cuando se retiraron el estado del Coronel Morales era normal.

TESTIGO: Ambos habíamos ingerido licor muy fuertemente, pero el estado del coronel Morales era peor que el mío, así que lo convencí de que pusiéramos fin al encuentro y nos dirigiéramos a nuestras respectivas casas de habitación, cosa que él, no sin reticencias, aceptó.

FISCAL: ¿Quiere usted decir que el coronel Morales se encontraba en estado de ebriedad?

TESTIGO: Eso es lo que quiero decir.

FISCAL: Diga el testigo si se despidieron en el mismo restaurante.

TESTIGO: Resolví que era mejor acompañar al coronel Morales hasta su casa de habitación, y así lo hice; lo llevé en mi propio vehículo, conducido por mi chofer, mientras el suyo nos seguía a corta distancia, junto con su escolta. Nos recibió en la puerta su señora esposa, doña Aurorita Leytón de Morales. Él pasó de inmediato a acostarse y yo me dirigí entonces a mi domicilio, adonde debo haber llegado a las ocho de la noche.

FISCAL: La defensa puede proceder a interrogar al testigo.

DEFENSA: La defensa no tiene preguntas que hacer al testigo.

Al ser las 3:45 P.M. la Corte ordena al Capitán Preboste conducir al testigo fuera de la sala. Se acuerda un nuevo receso.

4.

Lo llamaba Ignacio desde la baranda del salón de fiestas del Hotel Lacayo, la casona de tablas encaladas sumida en sombras detrás del follaje de los almendros, los cuartos del segundo piso clausurados porque no había huéspedes en los meses de lluvia, la arena que se alzaba en ráfagas azotando los toriles de los balcones, todo muerto en el balneario salvo aquella turbia luz de las candelas fluorescentes nubladas de jejenes en el salón de fiestas abierto al mar, y encima de los gritos con que Ignacio seguía llamándolo la voz de Javier Solís que cantaba a deshoras en la roconola *quisiera abrir lentamente mis venas, mi sangre toda verterla a tus pies*, mientras Jacinto se había puesto a bailar solo bajo las ristras de banderillas de papel de la China, una mano extendida y la otra sobre el estómago como si llevara una pareja, y el único mesero, después de haber barrido con aserrín el piso, acomodaba a desgano las silletas sobre las mesas.

De nada le había servido tenderse en la duna que era como una cama tibia, porque apenas había recostado la cabeza lo dominó la basca, y de rodillas primero, en cuatro pies después, empezó a devolver sobre la arena los restos, echando las tripas en aquel vómito abundante y ácido que olía a aguardiente de estanco, y ahora que podía sostenerse en pie, tambaleándose, los ojos anegados en lágrimas por el esfuerzo, respiraba hondo frente al cielo limpio de constelaciones. Habían aprobado el examen de derecho internacional público, la última clase del último año, y tras una larga celebración, de cantina en cantina, La Reina Mab, la camioneta de asientos transversales que transportara a los Churumbeles de España por las calles de León cuando debieron tocar una célebre serenata, los había traído a Poneloya en viaje expreso.

Ignacio volvió a llamarlo, las manos ahora en bocina como si se hubiera perdido en un desierto, y al fin llegó a su lado. Había bebido tanto como él, pero tenía ganada la fama de aguantador, y la única señal visible de que no estaba sobrio era su insistencia en peinarse con el peine de carey que llevaba siempre en el bolsillo de la camisa, al que también sacaba melodías con la boca envolviéndolo en el celofán de los paquetes de cigarrillos, según le había enseñado el cochero de su familia en Granada. La roconola tocaba ahora el mambo *Patricia* de Pérez Prado y Jacinto llevaba en vueltas alocadas a su pareja invisible por el salón vacío. El chofer de La Reina Mab, recostado en la cabina, amagaba con aplaudirlo.

—Los tres doctos tribunos nos abandonaron como unos expósitos en la tercera estación, y encima se hicieron los pendejos a la hora de pagar la cuenta —dijo Ignacio.

—Vieja maña de Lombroso y Calamandrei, uno cegatón, el otro renco, más fácil se hacen los damnificados para no aflojar ni un real —se sacó el faldón de la camisa y con el faldón suelto se limpió las lágrimas.

—Peor Ulpiano, que se levantó de la mesa como si fuera a mear y nunca volvió, nos dejaron en la quiebra —dijo Ignacio.

—Ya sabíamos a lo que nos exponíamos, lo que no me explico es cómo pudimos seguir adelante —se bajó el zíper y se puso a orinar de espaldas a las olas, pero antes se quitó la corbata para no mojar la lengüeta, que le colgaba muy larga.

—Jacinto tuvo que recurrir a las reservas estratégicas, de allí vamos a pagar también el viaje de La Reina Mab, insistencia tuya venir a parar a Poneloya —dijo Ignacio.

—El peculio mal habido de su papá —seguía orinando largamente mientras se balanceaba con las piernas muy abiertas.

—No, la huérfana le dio prestados trescientos córdobas —dijo Ignacio.

—Qué vergüenza, andar bebiendo en las cantinas a costillas de la huérfana mientras ella sufre en su triste cautiverio —en la arena quedaba ahora un charco espumoso que brillaba tenue a la luz de la luna lejana, y buscó rellenarlo con el pie.

—Lástima mayor que se pierda toda esa fortuna cuando cumpla los treinta años, porque si no se casa, quienes heredan son las monjas —dijo Ignacio.

—Y ya tiene veintisiete pasaditos, ya se acerca el plazo —había un bote de pescadores varado de lomo junto a los brotes de un manglar, y hacia allá se encaminó mientras Ignacio lo seguía.

—¿Vos sabés que el coronel Catalino López se la sacó en una rifa de beneficencia? Las monjitas del orfanato de Ticuantepe hacían kermesses, y en esas kermesses rifaban niñas —dijo Ignacio.

—Qué destino tan fatal, unas monjas la rifan y otras monjas se la sacan en otra rifa —aturdido, pero acuciado a la vez por las puntadas de un insistente contento, recostó la cabeza contra la amura del bote que asomaba entre el verdor esmaltado del mangle y cerró los ojos.

—Seguirá paseándose sola por esos corredores del colegio, divagando, hasta que se convierta en momia antigua dentro del hábito morado —dijo Ignacio.

—Macario Palacios debería presentarla en sociedad, hacerle una fiesta, invitarnos, así entramos en la rifa —con los ojos cerrados el mareo volvía a su cabeza, pero era un lento vaivén que bien podía soportar.

—Nunca viene a verla, cobra su comisión por administrarle los bienes, y punto —dijo Ignacio.

—¿No creés que le roba? —era todo de pronto tan insólito al abrir los ojos, el bote recalado entre el follaje del manglar, la luna que sacaba lustre al entrevero de las hojas y el cielo remoto en el que fulguraban ahora unas pocas estrellas.

—Las pelonas, que no son pendejas, tienen potestad de ver los libros de contabilidad cada año —dijo Jacinto.

—¿Y no se persignan antes de revisar cuentas de casinos de juego, bailongos y casas de lenocinio? —tantas ganas sentía de alzarse en vuelo descarriado hacia el firmamento desnudo, y sólo acertaba a sacarse los mocasines y golpearlos una y otra vez contra la amura para sacudirles la arena.

—Todo lo convirtió en fincas, casas de alquiler, dinero al interés, antes de matarse en el accidente aéreo, ya decidido a dejarle a la huérfana una herencia decente —dijo Ignacio.

—Se le estará llenando de comején el panal, y uno aquí penando —a la luz de la luna sus pies desnudos, tan macilentos, le parecieron como si fueran ajenos.

—Entrá vos entonces en la rifa —dijo Ignacio.

—Mejor vos, te casás con ella y hasta podemos compartirla —las punzadas de contento se detuvieron bajo sus costillas y se abrazó las piernas, como si con eso pudiera detener el amago de llanto que amenazaba con sacudirlo.

—Yo no me caso, tengo que sacar primero mi postgrado —dijo Ignacio.

—Ni mentir podés —cuando apoyó el mentón en las rodillas abrazadas supo que ya no iba a llorar, le repugnaba el llanto sin gracia de los borrachos.

—Me van a dar una beca los gringos de la Alianza para el Progreso —dijo Ignacio.

—Qué beca de mis pesares, si sólo te veo que andás en vueltas secretas —respiró hondo, como si antes de alzar los ojos quisiera vencer el miedo que ahora sentía de asomarse al infinito por el que antes quería volar.

—Igual que vos en otros tiempos —dijo Ignacio.

—A mí nunca me convencieron de coger el rifle —tanteando a ciegas en la arena encontró una laja pulida, quiso lanzarla lejos, por encima de los penachos de las olas, y se sintió derrotado al ver que caía cercana.

—Ya se te olvidó cuando querías vengar a tu papá, asesinado por Tachito el Malo, según el folleto del periodista aquel que nunca me prestaste —dijo Ignacio.

—Qué gano a estas alturas con folletos, sólo sé que se metió en un alzamiento de ricos y que dejó una viuda costurera muerta de hambre, y un huérfano ídem —el agua, en veloz retirada, formaba un remolino alrededor de la laja, y en sus sienes empezaba una lenta pulsación de dolor que luego le apretaría como una cincha toda la cabeza.

—Se cambiaron los papeles —dijo Ignacio.

—Quién iba a pensarlo, vos de noble cuna y yo humilde plebeyo —intentó reírse, pero más bien se protegió el pecho porque le dolía por el esfuerzo del vómito, una viuda costurera y un huérfano que saltaba urgido los charcos de aguas malolientes en las calles de Masaya, para entregar los vestidos recién cosidos que flameaban en su mano en alto con los golpes de viento, colgados de las perchas.

—En qué olvido fueron a quedar las enseñanzas que recibiste de Carlos Fonseca —dijo Ignacio.

—Una vez nada más en la vida lo vi, y me aburrió con su fanática letanía —intentó bostezar pero ni eso pudo tampoco, tan quebrantado por las arcadas del vómito se sentía CARLOTA SALAMANCA, MODISTA DE PERFECCIÓN, el viento que alzaba nubes de polvo hacía restallar el rótulo de lata negra colgado del alero en la casa de alto pretil de las Siete Esquinas y el pedal de la máquina de coser que no cesaba de traquetear hasta la media noche en el corredor del fondo.

—Por lo menos agradecele que te autorizó a aceptar el puesto de juez local —dijo Ignacio.

—El hambre que me consumía fue la que me dio esa autorización —parches porosos para el dolor en la espalda por tantas horas agachada, pero de cada costura que le pagaban una porción de los billetes iba a dar a la lata de avena Quaker en el ropero bajo llave, para su toga y birrete de la ceremonia de bachillerato en el Colegio Salesiano, para su anillo de graduación.

—Bueno, dicha la tuya de todos modos, que lo has visto en persona aunque sea una vez —dijo Ignacio.

—Que me habían seleccionado gracias a mis virtudes revolucionarias para pasar a la clandestinidad, me anunció muy solemne, te regalo esa dicha —se había cosido su propio vestido de tul azul, sacado del figurín, para aquella noche de la ceremonia en que lo llevó del brazo hasta el escenario del salón de actos del colegio.

—A nadie se le obliga a militar contra su gusto —dijo Ignacio.

—A tu entierro, si es que entregan tu cadáver, sabelo que no voy a ir —la orquesta del maestro Carlos Ramírez Velázquez repetía los compases de la Gran Marcha de Aída mientras no terminaran de desfilar los bachilleres, un sacrificio, es por vos que me he sacrificado, nunca me vayás a fallar.

—Mejor hablemos de la huérfana, ¿adónde estábamos con la huérfana? —dijo Ignacio.

—En que ya le empiezan a salir canas en la taleguita —de dónde le venía, si no de la misma borrachera que de pronto regresaba, aquel apuro repentino por levantarse, tan atolondrados sus movimientos que no acababa de sacudirse la arena de las nalgas, doctor, yo lo que quiero ahora es tener un abogado doctor, si te viera tu papá.

—No, estábamos en que te metás vos en la rifa para sacarse a la motita —dijo Ignacio.

—Cuando hayas bajado en triunfo de tu sierra maestra, barbudo y hediondo a cabro, te resuelvo —vaciló, ya de nuevo sobre sus pies, se metió los mocasines y el cielo dio un último giro remoroso, las penas que pasa una madre por ver a su hijo resuelto en hombre de provecho, el marco con el diploma de abogado y notario, aquí mismo, en el corredor donde coso, lo voy a poner.

—Fue Miss Nicaragua a los diecisiete, así que fea no debe ser —dijo Ignacio.

—Porque el coronel se robó esa elección sentimental mandando a meter papeletas falsas en las urnas —echó a andar en dirección al hotel, como si probara a caminar después de una larga convalecencia, y se detuvo en espera de Ignacio para echarle el brazo al hombro.

—Pues entonces, a lo mejor te interese saber que es mujer muy leída —dijo Ignacio.

—¿Habrá leído libros de marxismo? —se acercaban ya al hotel donde la música de la roconola había cesado hacía rato, siempre Ignacio bajo el cobijo de su brazo.

—No, de marxismo sí que no creo —dijo Ignacio.

—Un punto entonces a favor de la huerfanita, no quiero acabar mis días platicando con mi esposa en la cama sobre el programa de Gotha —lo estrecho de la pasarela de madera que moría en la acera del hotel, por la que iban ahora, los había obligado a separarse y él caminaba por delante.

—Pero te advierto que le gusta la baraja, le gustan las vueltas de la ruleta, aprendió viendo ensayar sus trampas a los tahúres del coronel —dijo Ignacio.

—Algún vicio habrá de tener, no iba a ser tan perfecta —se había vuelto para que Ignacio lo viera reírse y todavía caminó de espaldas unos pasos antes de que las ganas de vomitar lo doblegaran de nuevo.

Eso de que los profesores se iban a tomar licor en las cantinas con los estudiantes después de los exámenes habla muy mal de la educación que se impartía en esa universidad, Nicodemo está de vena, lo está diciendo a manera de chanza ahora que poco después de las dos de la tarde se ha suspendido el interrogatorio para el almuerzo. No todos, responde él, relajado, el maestro Ortega Aguilar, por ejemplo, que nos daba Procedimiento Civil, jamás se entretenía en la calle, jamás visitaba a nadie, jamás salía de noche salvo cuando presentaban en el Teatro González alguna película de Marilyn Monroe, entonces, al apenas empezar su clase, anunciaba el gran acontecimiento: «Hoy voy a ver a la rubia platinada», la única vez que decía algo que no infundía temor, porque todos le temblábamos, Ignacio el que más, comandante, por gusto nos llamaba a cada rato mentecatos, mequetrefes, lo está viendo de blanco impoluto cabecear como una tortuga en el afán de librarse de la molestia del cuello almidonado del que cuelga en apretado nudo la corbata a rayas, el sombrero de pita recién salido de la horma reposando sobre la cátedra, golpeaba con dos dedos en la palma de la mano y los dejaba señalando en el aire, los ojos encapotados, uno de ellos bizco, tras los lentes bifocales, lo está oyendo: Hay inteligencias en bruto que se desperdician en zanganadas, como el agua que mana de un tubo roto y se va por la cuneta, y el ojo bizco se dirigía milagrosamente hacia ellos tres en la última fila mientras el otro ojo permanecía fijo mirando a la nada, mentecatos, del latín *mente captus*, mente cautiva, personas fatuas, y mequetrefes, del árabe *mugatraf*, personas petulantes, entremetidas, bulliciosas y de poco provecho, dígame si alguien así iba a andar en las cantinas.

Más bien parece el receso de un examen escolar, las madres enlutadas de los caídos en la toma de Tola han llevado cecina asada, arroz, plátanos cocidos, tortillas, queso seco, refresco de tamarindo en un pichel en el que nadan astillas de hielo, almuerzan los tres jueces en su mesa, en platos de una vajilla que pertenece al menaje de la casa cural, con molinos de viento pintados en azul, y el reo, con hambre verdadera, almuerza en un plato de campaña de tres compartimentos, mientras, sin abandonar su guardia, comen también los dos guerrilleros de turno que custodian la bandera rojinegra prendida con tachuelas a la pizarra, y asimismo los otros combatientes populares que se apiñan en la puerta, a esos y a los demás de afuera, el refresco de tamarindo se los han llevado en un balde de plástico y la carne en una pana enlozada que sobrevuelan las moscas, hubo un amago de fila pero luego se amotinaron alrededor de las madres enlutadas para arrebatar cada uno su pedazo de carne gorda, no alcanzaban los platos de plástico y se servían los tasajos de una vez en las tortillas, de manera que cualquiera imaginaría más bien una fiesta patronal porque afuera siguen estallando las bombas de mecate y en los parlantes, en lugar de las canciones revolucionarias *hermano, dame tu mano y unidos marchemos ya hacia el sol de la victoria, trayectoria de la libertad*, es Javier Solís el que canta ahora *sombras nada más entre tu vida y mi vida*, y él, con la boca llena, a medio tragar, hubiera querido comentarle a Nicodemo: nos gustaba ese bolero roconolero en aquellos tiempos, comandante, oiga allí *mi sangre toda verterla a tus pies*, pobre esa mujer idolatrada chapaleando sangre, decía Ignacio, pobres zapatos, y que después de pasar por un amor como ése se necesitaba una transfusión de por lo menos dos pintas de plasma.

Nicodemo trincha cuidadosamente la carne, mastica a conciencia y después de cada bocado deposita en el borde del plato los pesados cubiertos de mango historiado que también son propiedad de la casa cural, mientras la compañera Judith apenas prueba la comida, revuelve el tenedor y mira a los otros como pidiendo excusas por su desgano, al contrario de Manco-Cápac, que come goloso, la barba embadurnada de grasa, lo mismo que la mano sana, que pronto, frente a sus ojos, como si no hallara qué hacer con ella: Le damos las gracias de nuevo por esta comida, doctor, otro novillo de Santa Lorena, lástima que el cuero se perdió porque los milicianos agarraron el animal a balazos, y no me vaya a razonar que se trata de un hato fino, que eso ya lo sé, ganado Brahman, estamos tomando las medidas para que cada vez haya más control, pero no pocas reses se han perdido porque los campesinos de la comarca se las estuvieron llevando arreadas, y por lo demás, un saqueo de la gran madre en la que fue su casa, apenas nos venimos llegaron en romería desde Tola y hasta de Belén, alzaron con todos los muebles, y si no aparecemos a tiempo, arrancan las láminas de zinc, apean las vigas, desclavan las tablas, y allí no permanecen ni los ladrillos del piso, como quien dice, para que no quedara memoria de nada, llevaban intenciones de cargar con los espejos y acuchillar la cama de agua de su aposento para derramarla pero al final se entretuvieron abajo, ¿sabe qué opinó un campisto viejo?, que sería de justicia echar sal en los cimientos de esa casa una vez arrasada, años lleva de vivir acostado en una tijera leyendo el Antiguo Testamento, tullido desde que se cayó de un caballo cuando andaba una madrugada arreando una tropilla en tiempos de Macario Palacios, se encabritó el caballo a la vista de una culebra cascabel, ya no pudo sofrenarlo y fue a caer, feo, sobre las lajas de un pedregal, en la lona de la tijera hace sus necesidades desde entonces, menos afortunado en atenciones que mi papá, aunque tiene una guitarra y con ella se acompaña en su cautiverio cantándose él mismo, bueno, exigió que quería ir a ver la casa, donde jamás había entrado, y le dieron gusto sus familiares, le amarraron unos parales a la tijera, y ya cuando era vuelta la calma lo llevaron a darle un paseo por los cuartos, por el comedor, por los corredores, todo lo fue admirando mientras daba gracias a Dios por haberle permitido llegar con vida para ver ese día de justicia, y por último quiso admirar, cuándo no, el mentado aposento, lo subieron cargado en brazos para salvar la dificultad, y ya arriba no se dio por contento hasta que escupió los espejos, uno por uno, salvo el del techo, claro está, pero vuelvo al saqueo, en el camino encontramos la procesión de regreso, cargaba cada cual lo que podía, mesas, camas, su sillón episcopal del comedor allí venía, una jaula grande donde usted mantenía cautivo a su famoso mono Blackjack, la cosa es que dejamos bajo vigilancia el hato, pero si quieren terminar de arrearlo, ¿de qué manera oponerse?, no vamos a dispararles, para ellos el ganado de Alirio Martinica es ahora del pueblo, mas no atienden que por eso mismo la revolución tiene que protegerlo y administrarlo, no podemos hacer de todo fiesta, y ya saben los milicianos que en caso de necesidad de algún destace usen el cuchillo, que no me desperdicien las municiones.

Nicodemo, que ya ha terminado de comer y no parece haber prestado mucha atención al relato del saqueo, con la misma parsimonia que antes masticaba, pregunta: ¿Quién era ese Ulpiano con el que se fueron a beber el día del último examen? A punto de dar un sorbo a su refresco, el reo detiene el vaso en el aire, lo repone sobre el pupitre, y responde: Era el profesor de derecho romano, comandante, se paseaba con aire de majestad como si se acomodara al hombro a cada momento la toga de pretor. ¿Y Lombroso, Calamandrei? Lombroso fue un italiano que creó la teoría del criminal nato. Eso ya lo sé, te pregunto por tu profesor, al que le decían así. Le decíamos así al doctor Sabás Medrano, profesor de Criminología, y Calamandrei, ése era el doctor Venancio Madriz, profesor de Derecho Penal, renco desde niño por la polio, usaba una bota con férula, los dos cayeron presos cuando sucedió el atentado mortal contra el viejo Somoza el 21 de septiembre de 1956, desnudos y amarrados los llevaron a Managua, allá los torturaron, los metieron en la jaula de las panteras y los leones en el jardín zoológico de la casa presidencial, y uno de ellos, Lombroso, quedó medio ciego por la intensidad de los focos de los interrogatorios de medianoche, al fin el Consejo de Guerra les dio sentencias menores, pues no pudieron probarles ninguna complicidad, un tiempo tuvieron la casa por cárcel, y cuando volvió cada uno a su cátedra, flacos y enclenques, les costaba subir las gradas para llegar al segundo piso del Palacio Municipal donde funcionaba la Facultad de Derecho, el mismo lugar en que se había hospedado Somoza la vez del atentado, Calamandrei renco sostenía ahora a Lombroso ciego que llevaba la mano alzada por delante porque lo hería la luz, pero se negaba a ponerse anteojos oscuros pues no quería, decía, dar aspecto de mendigo callejero, juntos igual que antes, los brazos trenzados, comunicándose sus diabluras en el oído, se sabía que venían subiendo porque el chillido de sus risas resonaba en el cubo de la escalera, tal vez habían pasado ya por alguna cantina, echándose el primer trago del día, el que ellos llamaban el «válgame Dios», ocurrentes igual que antes y dispuestos igual que antes a compartir una mesa de cantina con sus discípulos, siempre, eso sí, que fueran ellos los invitados, un asunto de honor no gastar un centavo en bebiatas con estudiantes, y la misma regla la aplicaba Ulpiano, el más divertido de los tres, sin duda alguna, jornadas esas que despuntaban al mediodía con la gruesa sopa de frijoles espolvoreada de queso seco para acompañar la primera tanda de aguardiente Santa Cecilia donde La Mujer de Cucaracha, en las vecindades de la Maison de Santé del Sabio Debayle, ahora en ruinas, y de allí la procesión silenciosa de profesores y estudiantes bordeaba el Colegio La Asunción para descender hacia San Sebastián por el medio de la calle empedrada, bajo los fulgores de viasacra de las dos de la tarde, en busca de la segunda de sus estaciones, El Dulce Encanto de Higinio, que no aceptaba nunca bebedores morosos, rumbo luego a la plaza del Laborío al caer las sombras para recalar en La

Estrella de Belén del abstemio Miguelito Mateime, abstemio por evangélico converso, un patio barrido con esmero y sembrado de jocotes y marañones, sus ramajes adornados con ristras de ampolletas de luz intermitente, y ya cerrándose la noche, el peligro de romperse la crisma al subir las gradas empinadas que conducían ante las puertas del abrevadero de José Santos Catín, alias Colmena, establecido en otra de las esquinas de la misma plaza del Laborío, en una pieza la cantina, en la siguiente su consultorio de curandero de maleficios, saliendo de allí a la misma hora en que la gente se dispersaba en la oscuridad, de regreso a sus casas, al terminar la última tanda de cine en el Teatro González, para subir entonces, los que quedaban, a un taxi cualquiera, y apretujados y pendencieros, alguno cantando a capela, otro vomitando tal vez por la ventanilla, iban a parar al 3066 del chino media sangre José Milcíades Wong Marcoleta, en la calle de San Juan, el único burdel con teléfono: 3066, adonde llegaban pasadas ya las once, una reliquia la tarima en que Daniel Santos había cantado *Virgen de medianoche*, canoso el bigote e hinchado de cuello y vientre de no poder anudarse la corbata ni abotonarse el saco, no creería, comandante, si le contara que cayó preso en León por escándalo en la vía pública y que en la cárcel de la 21 compuso su canción *El preso*, y en fin, la cruda madrugada que les daba en la Casa Prío, adonde comparecían a golpear las puertas aviones destartalados y ya sin gasolina que pedían pista para un aterrizaje de emergencia, según el decir del mismo Capitán Prío, que se levantaba de su cama, enojado pero compadecido, bajaba las gradas con alboroto de pasos que ya en el plan de la escalera eran menos hostiles, iba a encender las luces, habilitaba una de las mesas con sobre de mármol, se sentaba él mismo entre ellos, y ya el sol colándose por el calado de los tragaluces de las puertas clausuradas dejaba que le firmaran vales que luego archivaba meticulosamente en su carpeta de fuelle con la esperanza cierta de que más de alguno de aquellos muchachos sedientos llegaría a figurar un día en los anales de la historia patria.

Qué nombre más extraño el de esa cantina que ha mencionado de primera, La Mujer de Cucaracha, dice la compañera Judith mientras devuelve al plato unos pocos granos de arroz que han quedado sobre la mesa. Sucede que Cucaracha era el apodo del marido, dueño de la cantina original, pero como la tildaban a ella de casquivana, encendido el hombre en celos la hizo correr una vez por la calle, persiguiéndola con un tizón encendido, carrera que ya no tuvo vuelta atrás porque no regresó, puso negocio aparte, y como nadie más sabía la receta de la sopa, se quedó con la mejor clientela y dejó en la ruina a Cucaracha, que terminó implorándole perdón. ¿Lo perdonó? Lo perdonó, lo empleó de mesero y se volvió muy sumiso, de barrer él mismo el piso de tierra y lavar las pocas mesas antes de que empezara el servicio de mediodía. ¿Y por qué afirma que Ulpiano era el más divertido entre esos tres profesores? Por los cuentos que contaba. Cuente entonces uno, pide ella. Son un poquito picantes, advierte él. Nicodemo se encoge de hombros: estamos en recreo. «Por qué llamarán perdidas a las prostitutas, si tan fácil que es hallarlas», dijo una vez en plena exposición del capítulo de delitos y ofensas contra la moral pública según el código de Justiniano, y otra vez, sin que viniera al caso de nada, que en el territorio de Nicaragua algunas poblaciones se preciaban, con justicia, del gran tamaño del miembro viril de sus habitantes masculinos, pero que entre todas esas poblaciones se llevaba la corona El Sauce, con lo que las alumnas mujeres, que se sentaban siempre juntas en primera fila, recogieron sus cuadernos y sus libros para irse, ofendidas, y él dio entonces unas palmadas muy corteses, llamándolas: «Señoritas, no se apuren, el tren para El Sauce sale hasta dentro de una hora».

La compañera Judith se sonríe de una manera lejana, con dulzura condescendiente, y Nicodemo, que tampoco ahora parece haber prestado mucha atención, permanece en silencio sin hacer el menor gesto. ¿Y ese Ulpiano, era también opositor a la dictadura?, pregunta Manco-Cápac. No, Ulpiano era más bien partidario del somocismo, pero alejado de cualquier beligerancia, muchos años magistrado de la Corte de Apelaciones de León, creo que hasta la fecha sigue siendo magistrado. ¿El doctor Alcides Navas? Ése era su nombre, asiente. Entonces, al tal Ulpiano lo ejecutamos por esbirro, comenta Manco-Cápac, y el tenedor que deja caer sobre el plato resbala y va a dar al suelo, de donde nadie lo recoge, un comando de tres cazaperros entró hasta su oficina en la corte, le preguntaron por su nombre para estar seguros, y cuando se adelantó con la mano extendida, por cuenta para saludarlos, allí mismo lo ajusticiaron a tiros, en escarmiento. Pero si Ulpiano no era ningún esbirro, era un hombre manso, divertido, quiere alegar él, y el ánimo para semejantes palabras alcanza aún a tomarlo de los últimos resplandores de una ilusión que lo ha acompañado a lo largo de este almuerzo y se despide ahora, zumbando burlona, como si fuera la abeja que al fin se escapa de regreso a su colmena por el hueco de la ventana a la que faltan paletas y que le sirvió para entrar. ¿Me va a decir que no era un esbirro? No era. ¿Y todos los compañeros a los que les confirmó las condenas de los jueces, por orden de la OSN? No, insiste él, ya sin bríos, eso no puede ser, siempre fue magistrado de la sala civil, no de la sala penal, nada tenía que ver con juicios de guerrilleros.

Esa acción militar pudo haber sido un error, Nicodemo aparta su plato lo más lejos posible porque las moscas se afanan ya sobre los despojos, no se puede controlar todo en momentos en que la lucha es tan confusa. No, comandante, no fue ningún error, fueron órdenes del comando táctico del Frente Occidental, salta Manco-Cápac. Nicodemo lo mira, parpadea, contrae la frente: también los mandos pueden equivocarse si no disponen de todos los elementos de juicio al emitir una orden, y todavía hay otros casos en que se ven desbordados por las circunstancias, como pasó esta misma mañana con el guardia y su sobrino huérfano, fusilados sin orden de nadie, no fue correcto, hay que reconocerlo, por muy justa que hubiera sido la ira popular, pero nada se pudo hacer, y la mirada de ceño fruncido de Nicodemo pasa de la cara de Manco-Cápac a la cara de la compañera Judith, y finalmente se detiene en la cara del reo que se ha quedado con la mano agarrada fuertemente al vaso, como si del contacto con la superficie áspera del plástico, más que de aquel discurso, pudiera esperar algo: es el todo, no las pequeñas partes, lo que impulsa el salto de la historia, porque las minucias, errores, abusos, injusticias, se entierran en el olvido cuando hay acontecimientos tan variados y vertiginosos como los que ocurren en una revolución, y aun muchos actos heroicos corren la misma suerte, actos que a lo mejor nadie atestiguó y no serán recogidos para ser contados aunque hayan servido de palanca al salto de la historia, tantas veces poco agradecida, y olvidadiza.

Calla afuera la música y entran a raudales las voces del alboroto, llegan las madres enlutadas a recoger los platos y los vasos, le quita una de ellas el suyo, con una mirada en la que hay un brillo de burla compasiva, y cuando Nicodemo informa que en ese mismo momento se reanuda la sesión, corre la compañera Judith a meter una hoja en la máquina. Nicodemo desea que el reo vuelva un tanto atrás, a la parte referente al final de sus estudios universitarios en 1963, cuando afirma que le ofrecieron una beca de estudios en España, pero en lugar de aceptar esa beca, más bien resultó casado; en este punto del interrogatorio el reo solicita la venia para formular una aclaración, le es concedida, y entonces expresa que en aras de comportarse con la más absoluta sinceridad en sus respuestas, debe mejor confesar que esos planes de continuar estudios en Madrid nunca existieron, y es más, nunca fue un estudiante brillante, quizás no por falta de capacidad, sino de dedicación, «una inteligencia que no se cultiva es una inteligencia bruta», como bien decía el maestro Ortega Aguilar, y no era apto, por tanto, para solicitar una beca a un gobierno extranjero, como en efecto no lo hizo, de allí que encuentre justo que se haya llamado «bazofia» a ese pasaje anterior de su testimonio. Eso significa que la decisión de casarte con Lorena López ya la tenías tomada de antemano, dice Nicodemo. Responde que no el reo, pues ni siquiera la conocía de cara, mas para llegar al momento en que se entrevistó con ella la primera vez, debe relatar los antecedentes de ese encuentro. Autorizado de conformidad, procede, y dice así:

Que al finalizar las clases del quinto año regresó a la casa de su madre en la ciudad de Masatepe, adonde había fijado ella su domicilio después de su nuevo matrimonio con Hipólito Garay, un viudo dueño de un bus de pasajeros que hacía la ruta a Managua, y un día lunes del mes de abril de 1963, aburrido después de varias semanas de hallarse dedicado al repaso de materias para su examen privado, decidió visitar a Ignacio en Granada, y puesto en aquella ciudad se dirigió a la Calle

Atravesada en busca de su casa, que reconoció por las descripciones que de ella le había hecho repetidas veces el mismo Ignacio, una antigua construcción con un pórtico de tres columnas griegas cerrado por una verja de lanzas tras de la cual podía apreciarse en la pared una placa de mármol bastante gastada con la leyenda EN ESTE SOLAR SE ALZÓ LA CASA EN QUE VIVIÓ EL GENERAL PONCIANO CORRAL, FUSILADO EN LA PLAZA DE ARMAS DE GRANADA EL 18 DE NOVIEMBRE DE 1856 POR ORDEN DEL FILIBUSTERO ESCLAVISTA WILLIAM WALKER, cuántas veces no repetía Ignacio ese texto de memoria. Vino a abrirle una empleada vestida de uniforme negro y delantal blanco almidonado, muy entrada en años y medio ciega porque tenía un ojo cubierto por una nube, y le dijo que diera la vuelta por la calle trasera, donde iba a encontrar un portón con el rótulo «Jabonería La Esperanza» escrito en arco arriba en letras caladas, que allí estaba Ignacio, y allí lo halló, en un cobertizo al fondo del patio donde se guardaban los toneles de sebo y los barriles de lejía, dedicado a experimentar con unos moldes metálicos la fabricación de un nuevo tipo de jabón, ya no en panes ni en barras, sino en forma de bola, bajo la tesis de que las amas de casa iban a preferir un jabón que se gastara menos al hacerlo rodar sobre la ropa, a lo cual un hojalatero le había fabricado los moldes esféricos capaces de abrirse por la mitad para vaciar dentro la sustancia que hervía en un perol y que ahora no era azul, como es común, sino blanca, pues quería llamar a aquel nuevo jabón «Doña Blanca», así se iba tranquilo a la clandestinidad dejando a su papá asegurado de prosperar y defenderse frente al embate de los detergentes extranjeros, entonces, alegre por la visita imprevista lo había invitado a almorzar a su casa y entraron en ella por el mismo patio de la fábrica donde los obreros trabajaban a pleno sol en armar las cajas de pino para embalar el jabón, atravesaron una puerta que daba a la cocina y allí se encontraron a la misma empleada anciana que Ignacio le presentó como si fuera parte de la familia, y ya luego a su papá don Adrián y a su mamá doña Amanda, a sus tres hermanas todavía solteras, muy bonitas, muy cordiales, comandante, ¿Lourdes, Carmen, Auxiliadora? Nicodemo asiente, lejano, mientras rellena con el lapicero las pancitas de unas letras de molde, la empleada doméstica vieja se llamaba Petrona, dice casi para sí mismo, Petrona Potosme, treinta años en la casa desde el mismo día del matrimonio de sus padres y antes otros muchos al servicio de sus abuelos maternos, la abuela Filomena necesitaba una niña fuerte y sana que la ayudara en sus quehaceres, y el abuelo Pío, don Pío Cabistán, la trajo por delante en el caballo desde su hacienda Palmira en las faldas del Mombacho, con el tiempo una propiedad muy desmembrada, sólo una parcela de cafetales había quedado en poder de su madre.

Llamaron a la empleada Petrona para que descorriera las cortinas de la sala, donde había un algo de olor a cagadas de murciélago como en las iglesias encerradas, y aparecieron entonces los sillones de mimbre inmóviles sobre sus balancines, y cuando fue quitándole ella las fundas de manta las orlas de sus espaldares se desbordaron como espuma, todo era pasado de moda, las paredes de la sala estaban empapeladas, pero el papel de liras y góndolas enseñaba rasgaduras y manchas de humedad, una modesta araña con tres coronas de lágrimas de cristal colgaba del techo de machimbre, en un rincón un árbol artificial de Navidad con sus bolas escarchadas y su enjambre de ampolletas luminosas aunque se acercaba ya la Semana Santa, una consola de marmolina bajo un inmenso espejo con marco de intrincadas volutas de yeso dorado, y la consola llena de retrateras de pewter, la foto en tonos rosa y azul de doña Amanda, tocada con peineta y mantilla española, de cuando fue novia del Club Social de Granada, y perdone, comandante, si me atrevo a decir que abrumaba el candor de su belleza, las fotos de bachillerato de los hijos, los varones de smoking tropical y las mujeres de toga y birrete, pero los primogénitos gemelos, que eran mongolitos, también estaban fotografiados de smoking porque quiero a todos mis hijos con el mismo cariño, le había dicho don Adrián, la cabeza rasurada a ras en la que despuntaban los tronquitos de cabello cano, las orejas prominentes como tumefactas, en el cuello un escapulario de María Auxiliadora, tesoro sagrado de la familia pues había sido bendecido por la santa Cabrini a su paso por Granada, y una foto más grande que había retirado de la consola para enseñársela, aquí estamos todos en esta fiesta de disfraces del Club Social en diciembre de 1958, fuimos en comparsa para representar la película *El rey y yo*, tuve que afeitarme completamente la cabeza como Yul Brynner y ya me quedó esa costumbre, Amanda mi esposa era Deborah Kerr, la institutriz, y todos mis hijos y mis hijas la prole del rey de Siam, los dos mongolitos presentes también en la foto como parte de la comparsa, con sus trajes orientales bordados, sus babuchas y sus gorros de tafetán, tan orgulloso de sus hijos que ya aburría, uno de los mayores, Francisco Javier, que estudiaba agronomía en el Tecnológico de Monterrey, se había ganado una beca de la OEA y era el mejor estudiante de su carrera, con notas superiores a las de cualquier mexicano, estaba ahora de vacaciones en Granada, no tardaría, desde antes del amanecer se iba a Palmira a vigilar los almácigos de la nueva variedad de café que quería sembrar en lo que les quedaba de la hacienda, un apasionado de la caficultura, se quejaba amablemente don Adrián agitando su vaso, porque había preparado unos whiskys con mucha agua y unas uñas de hielo como aperitivo, y en eso entró Francisco Javier, quiso sentarse a la mesa así con las botas embarradas y sin lavarse las manos, pero doña Amanda lo llevó ella misma, como un niño chiquito, a que se aseara y se cambiara la camisa y las botas, y el muchacho, dócil, se había dejado, tan amable su plática, divertido su acento mexicano, quería saber sobre la vida de los estudiantes en León, sobre los noviazgos, si todos eran comunistas subversivos como Ignacio, palabras dichas muy en broma y entre risas. Muy en broma y muy en serio, dice Nicodemo, alzando apenas los ojos, regresó graduado con honores, ahora es Presidente de UPANIC, la cámara de empresarios agropecuarios, tarde o temprano va a tener que vérselas con ellos la revolución porque todos, incluido por supuesto Francisco Javier, son unos perfectos reaccionarios, aunque ahora no tengan más remedio que apoyar a la Junta de Gobierno proclamada en territorio de Costa Rica, donde hay burgueses como ellos, a los que hubo que poner allí por razones tácticas.

Pero en la mesa hablaba don Adrián sobre todo del hijo que había decidido hacerse jesuita, mayor un año que Ignacio, honor y alegría entregar a un hijo al servicio del Señor, y Nicodemo, sin dejar el lapicero que ahora traza guirnaldas de misal florido alrededor de las letras, está mirando por lo bajo a los otros dos miembros del tribunal, Pedro Fabro, así me llamo, dice, Pedro Fabro Corral, el seudónimo Nicodemo me lo puso Damián, seguí. Un almuerzo entonces en toda la regla, primero una sopa de carne con verduras, después un pollo en caldillo, guiso de papas con nata, maduros horneados, queso de crema, icacos en miel, vino de la marca Leche de la Mujer Amada, no vaya a creer que comemos así todos los días, le advertía don Adrián, tanto nos ha hablado siempre de usted Ignacio, bachiller, ¿o debo llamarlo ya doctor?, doctor inficri, había concedido él, y doña Amanda viendo que los azafates circularan por la mesa cada vez que llegaban desde la cocina lejana, tan lejana que cuando hacía sonar la campanilla de plata que conservaba a mano, al lado de su cubierto, la empleada Petrona se demoraba un mundo porque además tenía los pies llenos de várices, pendiente doña Amanda de que comieran los mongolitos Luis Gonzaga y Juan Bosco, rasurados a ras igual que don Adrián y que ya pasaban los treinta años, mirando cada vez a su madre como si le pidieran permiso para reírse mientras iba ella instruyéndolos de no botar la comida fuera de los platos, masticar despacio, no llenarse los carrillos, no resoplar con la boca llena de vino, y tampoco olvida el reo al menor, de quizás siete años, Domingo Sabio, muy serio y circunspecto, que comía sin haberse aflojado siquiera el nudo de la corbata de colegial, el pelo peinado hacia atrás bajo una coraza de brillantina, y porque debía regresar a sus clases de primer grado en el colegio Centroamérica, que empezaban a las dos en punto, se despidió besándolos a todos en la mejilla, a sus padres, a sus hermanos varones y mujeres, y aun al visitante, para recoger su bulto y correr hacia el coche de caballos de la familia, que lo esperaba en la puerta.

El enjambre florido que dibuja Nicodemo se trenza cada vez más y las letras capitulares van quedando atrapadas en la maraña, los mongolitos contentos y nalgones que caminaban como montados en balancines, Juan Bosco envejece junto a su padre viudo en Granada, y más bien ahora parecen hermanos, Luis Gonzaga murió de un ataque de meningitis, no olvida que volvía del campo de fútbol aquella tarde de octubre de 1967, andando sobre los tacos de los zapatos llenos de lodo porque recién había llovido, cuando el prefecto disciplinario del Seminario Mayor de Coto de Collado en las vecindades de Quito lo alcanzó para entregarle el telegrama de la All American Cables suscrito por su padre, el sobre ya abierto pues toda correspondencia debía ser revisada antes, FALLECIÓ LUIS GONZAGA PENSIONADO HOSPITAL GRANADA ENTIERRO MAÑANA NO INTENTES VENIR: ¿quiere que recemos juntos? le había preguntado el prefecto recogiéndose ya la sotana para arrodillarse y por toda respuesta se había arrodillado también sobre las baldosas tan frías, el sudor de su camiseta secándose con el viento que soplaba desde las cumbres y entraba en el claustro como en una tronera, pero Domingo Sabio, aquel niño serio y callado que vino a nacer ya cuando su madre, de edad de más de cuarenta años, no esperaba más hijos, peleaba ahora bajo el seudónimo de Farabundo, por admiración al revolucionario salvadoreño Farabundo Martí, en una columna en los barrios orientales de Managua como artillero de una ametralladora calibre treinta con la que ya había derribado una avioneta push-and-pull, pero nos estamos distrayendo sin motivo, dice, y voltea al revés la hoja de los arabescos, el propósito que nos ocupa en esta parte del interrogatorio es tu casamiento con Lorena López.

Se excusa entonces el reo por la divagación, pues ante tantos recuerdos que se agolpan en su mente es difícil ir por un solo camino recto, y así, pues, terminado el almuerzo, ya tarde, lo invitó

Ignacio a tomar unas cervezas en la Terraza Cocibolca, en la costa del lago, adonde fueron conducidos por el cochero que esperaba sentado al pescante, ya de vuelta Domingo Sabio del colegio, Miguelito Sandoval se llamaba ese cochero si mal no se acuerda, muy cetrino de piel y canoso el pelo ensortijado, tan viejo tal vez como la empleada doméstica Petrona Potosme pero más consumido, y fue en esa ocasión que le preguntó Ignacio si había pensado bien en el caso pendiente de la pobre huerfanita solita y sin consuelo encerrada en el colegio de las pelonas, a lo cual contestó que no mucho, por hallarse dedicado día y noche a la preparación de su examen privado, ya sabían los dos cómo era eso de vérselas en pleno Paraninfo con los cinco réplicas vestidos de casimir fúnebre, hasta Ulpiano, Lombroso y Calamandrei se olvidaban de cualquier cara por mucho que se hubieran sentado a beber con el sustentante en las cantinas, pero que le prometía ponerle mente en serio al asunto, y ya no abundaron mucho en la huérfana porque Ignacio volvía constante al tema de las guerrillas que otra vez, a pesar de los fracasos, estaban siendo organizadas en las selvas del río Bocay, hacia donde no tardaría en partir por vía de Tegucigalpa, con el pretexto de que iba a Honduras en busca de un sebo de res de mejor calidad y precio para la fabricación del nuevo jabón de bola blanqueador, y entonces, cuando ya anochecía y la brisa que venía del lago les llevaba el olor a guapote frito, y a tripas y desperdicios que botaban al agua desde las cocinas de los restaurantes costaneros, emprendieron el camino de regreso a la ciudad en el coche desvencijado que avanzaba a paso indolente por la Calzada.

Y tras dormir esa noche en una tijera de lona en el mismo cuarto de Luis Gonzaga y Juan Bosco, que ocupaban camas de hombres grandes adornadas en los espaldares con calcomanías de Pluto y Tribilín y que olían a berrinche, salió antes del amanecer por el traspatio de la jabonería cuidando no perturbar a nadie en la casa, tomó el primer bus de la empresa Cóndor que salía hacia Managua, cambió a otro de la empresa Vargas en el mercado Boer y al mediodía se estaba bajando en León frente a la catedral, cercano ya a sus oídos el vocinglerío de las alumnas que se dirigían al refectorio porque era la hora del almuerzo, y tras atravesar la plaza Jerez, cegado por el solazo inclemente, tomó el aldabón en forma de mano de niño y llamó a la puerta del colegio con premura provocadora, necesito ver a la señorita Lorena López, le informó a la monja lega que asomaba asustada tras la reja, traigo para ella un recado muy urgente del doctor Macario Palacios, y durante el tiempo que debió esperar en la acera fue haciéndose cargo de la debilidad de su cometido, por lo que sintió un miedo repentino ante el fracaso y el ridículo, aunque era tarde ya para echarse atrás, la monja lega abría la puerta con gran aparato de llaves, le pedía seguirla al locutorio, en el locutorio encontró a la huérfana sentada con toda formalidad en una silleta vienesa frente a una mesa cubierta por un mantel de crochet en el que lucía solitario un florerito de azucenas, y madre Melaine, la monja superiora, de pie detrás de ella, las manos metidas bajo el mandil del hábito morado, que se sentara por favor, le ordenaba, mostrándole con un gesto de la cabeza la otra silleta vienesa al lado opuesto de la mesa, de qué se trataba el asunto urgente, las erres francesas como si tuviera ronquera de catarro, y él entonces no pudo dejar de reírse a pesar de su inseguridad y su miedo, ningún asunto urgente, madre, sólo traía un saludo de parte del doctor Palacios para la señorita, pero ya que había llegado hasta allí siendo la empresa tan difícil, tal vez le podía permitir con ella unos momentos en privado, y la monja respingó como si la hubiera picado un animal ponzoñoso, sepa, joven, que yo no admito burlas, dijo, pero no le dio ninguna orden de desalojar el locutorio y más bien los dejó solos.

Él se permitió entonces tomar de la mesa el florerito de las azucenas y lo retuvo entre sus manos, no traigo ni siquiera un saludo del doctor Palacios para usted, nada más quería verla y conocerla, y se calló, olió las azucenas sin quitarle la mirada, ya se daba cuenta que no era una belleza tipo Miss Nicaragua pero tampoco ninguna fealdad, lo mejor en su cara eran sus ojos amarillos como de gato siamés, ni rastro de pintura en los labios ni trazo de lápiz en las cejas despobladas, las cicatrices trenzadas del acné en las mejillas como huellas de pasos leves y presurosos en una alfombra, además, inclinada en el asiento como si se apenara de ser demasiado alta, perdía gracia, y se fijó sobre todo en el cabello recortado a filo de navaja a la altura de la nuca, como si una mano grosera fuera preparándolo para la toca, borrándola del mundo, secándola como una planta sin sol, me perdona por favor el atrevimiento y si quiere en este mismo momento me retiro, había dicho, haciendo el ademán de ponerse de pie, tanto me han hablado de usted y ahora saco cuenta de que las referencias eran sombras nada más, y entonces ella se había llevado la mano al lóbulo de una oreja como para acariciarse un zarcillo que no tenía, lo primero que debo regalarle son unas chapitas de filigrana, pensó, voy a encargárselas al orfebre Segismundo, y después se había llevado la mano al cuello, acariciando una soguilla que tampoco tenía, también voy a regalarle esa soguilla, ya halló trabajo de sobra el orfebre Segismundo, de dónde iba a sacar para semejantes encargos, era ya otro cantar, y todavía ni media palabra de sus labios sin rastro de pintura, hasta que de pronto, la mano aún en el cuello, le había preguntado: ¿se quedó a estudiar su examen privado aquí en León? No, no supe en qué momento tomé la decisión de coger un bus y presentarme a golpear a las puertas de este colegio, señorita, sólo para expresarle cuánto la admiro y la respeto, ¿podría visitarla de nuevo? Cuando guste, fue la respuesta que le dio, elevándose del asiento para extenderle la mano, que él buscó cómo retener el mayor tiempo posible pero que ella no tardó en retirar.

Y una vez de nuevo en la calle se dirigió a la oficina de teléfonos públicos que quedaba en uno de los costados de la plaza Jerez, junto a la Casa Prío, pidió una llamada con la casa de Jacinto en Managua, no paraba aquél de reírse cuando le contó lo sucedido, ahora sí, al fin hiciste caso, vamos a pasar todos a mejor vida, no, insistía él, obligado a gritar dentro de la cabina porque Jacinto casi no lo oía debido a lo pésimo de la comunicación, no es asunto de interés, esa huérfana es una gran mujer. Gran mujer por lo alta, seguía riéndose Jacinto, y él, sinceramente ofendido: ¿qué no puede uno enamorarse de una mujer rica? Sí, *el amor siendo humano tiene algo de divino, y amar no es un delito porque hasta Dios amó...*, *El plebeyo*, letra y música de Francisco Piglio en la voz de Pedro Infante. ¿Qué crees que va a decir tu papá? Qué va a decir, que al fin vino alguno y se sacó la lotería, y cuánto mejor que quede en familia, porque a pesar de tu culpabilidad en inducirme a la disipación y la vagancia, a vos te considera como de la familia.

La visitaba todos los días por las tardes, según acuerdo mutuo al que pronto llegaron en cuanto a la hora, aunque las monjas trinaban viendo aquellos encuentros como el final de sus esperanzas en la herencia, y durante todo ese tiempo pudo sostenerse trabajando como corrector de pruebas del diario *El Centroamericano*, pues conocía al jefe de redacción, Armando Zelaya Castro, quien, dicho sea de paso, había sido detenido y llevado prisionero a Managua a raíz del atentado contra Somoza García, junto con Lombroso y Calamandrei, ocasión en que también sufrió las más crueles torturas por causa de su amistad con uno de los supuestos implicados en el complot, el periodista Rafael (Rafa) Parrales.

Pasado quizás un mes ya eran novios en regla, y entonces se dispuso a hacer la petición formal de mano al doctor Macario Palacios, habiendo tenido lugar la ceremonia eclesiástica de matrimonio en diciembre de ese mismo año de 1973. Al esbirro Macario Palacios, lo corrige Manco-Cápac. Al esbirro Macario Palacios, rectifica el reo.

Fuego que devora
[Despachos de la Associated Press]

1. VOLCÁN NICARAGUA/PRISIONERO DESAPARECE FONDO CRÁTER/AGOSTO 2, 1971.

POR ONOFRE GUTIÉRREZ

Managua (AP).- El coronel Anastasio Morales, jefe de la Oficina de Seguridad Nacional (OSN), reveló hoy de manera sorpresiva ante una corte militar que el cadáver de un prisionero fue lanzado al cráter del volcán Santiago, a unos veinte kilómetros al sur de esta capital. El prisionero, identificado como Ignacio Corral, figuraba entre los escasos miembros del clandestino Frente Sandinista de Liberación Nacional, una organización subversiva de extrema izquierda en la que militaba bajo el seudónimo «Igor».

Corral habría fallecido por efecto de un paro cardíaco mientras era interrogado, sin tiempo de prestarle asistencia médica. Los militares subalternos que practicaban el interrogatorio habrían decidido por su propia cuenta deshacerse del cadáver llevándolo de noche a bordo de un vehículo militar hasta el cráter del volcán, donde lo arrojaron.

Morales se declaró ajeno a los hechos y aseguró que desde la hora de la captura, que no le fue reportada, hasta el desenlace fatal, se mantuvo en el restaurante Munich, en la zona céntrica de la capital, en compañía de Alirio Martinica, Secretario Privado del Presidente Anastasio Somoza. Martinica ya lo había confirmado así ante la corte a través de su propia declaración como testigo, cuando aún no se conocía el paradero del detenido.

Corral, de treinta y un años de edad, habría sido capturado el pasado 13 de julio en una casa de seguridad del barrio Santa Rosa, al oriente de esta capital, aunque las autoridades negaron siempre el hecho. Corral, según testigos presenciales, habría gritado su nombre al momento de ser hecho prisionero. Su familia, una de las más tradicionales del país, había introducido un recurso de Hábeas Corpus ante los tribunales civiles sin ningún resultado. Tras la revelación de Morales, la Corte Militar presidida por el coronel Aparicio Artola, Jefe de Policía de Managua, decidió practicar una inspección en el volcán.

El Santiago, vecino a la ciudad de Masaya, forma parte de la cadena volcánica de la costa del Pacífico de Nicaragua y permanece activo, lanzando de manera permanente grandes fumarolas azufrosas. En el fondo de su cráter puede observarse un pequeño lago de lava al rojo vivo que constituye una atracción para los turistas.

2. VOLCÁN NICARAGUA/REVELACIÓN SORPRESIVA MÉDICO/AGOSTO 5, 1971.

POR ONOFRE GUTIÉRREZ

Managua (AP).- Un médico militar implicó hoy de manera sorpresiva al Jefe de la Oficina de Seguridad Nacional (OSN), el coronel Anastasio

Morales, en la muerte del prisionero Ignacio Corral.

Hablando en el noticiero *Radio Informaciones* de Radio Mundial de esta capital, el mayor Gregorio Carranza, miembro del cuerpo sanitario de la Guardia Nacional, dijo que la noche del martes 13 de julio de este año fue llamado telefónicamente a su casa por Morales para que practicara auxilios a un prisionero. El médico pudo identificar a Corral gracias a las fotografías publicadas por la prensa.

La captura de Corral había sido negada por las autoridades hasta que el propio Morales involucró en el hecho a subalternos suyos, a quienes responsabilizó de haber dispuesto por su cuenta del cadáver lanzándolo al cráter del volcán Santiago.

De acuerdo a las revelaciones del médico, tras practicar un reconocimiento al prisionero en una de las celdas de detención de la OSN en la Loma de Tiscapa, pudo darse cuenta de que se encontraba en estado de coma. Presentaba fracturas en el tórax, así como en un pómulo y un brazo, y hematomas, contusiones y quemaduras en la cara y varias partes del cuerpo, incluidos los testículos.

Morales habría desoído la advertencia de trasladar de inmediato al prisionero a un hospital. El médico sólo alcanzó a inyectarle al prisionero una ampolleta de Demerol.

Carranza permanece restricto en la covacha de oficiales del Campo de Marte por orden del General José R. Somoza, Inspector General de la Guardia Nacional, mientras comparece a prestar declaración ante la corte que investiga los hechos.

3. VOLCÁN NICARAGUA/JEFE POLICÍA SECRETA PRISIONERO/AGOSTO 7, 1971.

POR ONOFRE GUTIÉRREZ

Managua (AP).- Un tribunal castrense decretó este mediodía la prisión preventiva del coronel Anastasio Morales, Jefe de la Oficina de Seguridad Nacional (OSN), como consecuencia del testimonio rendido por el médico militar, coronel Gregorio Carranza, en el que lo implica como responsable de la muerte del prisionero Ignacio Corral. Carranza, al confirmar ante la Corte Militar las revelaciones hechas en un programa de radio, expresó que «había seguido la voz de su conciencia».

Morales, tras lanzar amenazas de muerte contra el testigo en el propio recinto donde sesiona la corte, quiso agredirlo a golpes pero fue impedido por los ordenanzas.

El abogado de la defensa, teniente Sócrates Paladino, pidió la exculpación de Morales en base a la ausencia del cuerpo del delito por faltar el cadáver, que habría desaparecido en las profundidades del cráter del volcán Santiago. El abogado de la acusación, doctor Juan Manuel Gutiérrez, admitido a última hora por la corte en nombre de la familia Corral, demandó en cambio la instrucción de cargos por el delito de asesinato atroz. Ambos alegatos fueron remitidos al Consejo de Guerra que deberá formarse en los próximos días para juzgar a Morales.

Tanto la Corte Militar de Investigación, como el Consejo de Guerra, son instancias previstas en el Código de Enjuiciamiento Militar de la Guardia Nacional, heredado de la legislación de los Cuerpos de Marina de los Estados Unidos que ocuparon el país hasta el año de 1933.

5.

Despertó, de pronto, cuando la claridad difusa empezaba a poner reflejos en el espejo de la pared frente a la cama. Otra vez se había retirado la marea porque los ruidos del oleaje eran apenas perceptibles, y se dio cuenta de que salía del sopor del sueño por un pasaje equivocado cuando quiso incorporarse para buscar en el piso sus sandalias de playa y el dolor en la muñeca esposada le avisó del error.

Era la hora solitaria en que siempre bajaban a la explanada de rocas, la Yadira detrás a pasos lerdos, el balde de plástico en vaivén en su mano enjoyada y la cara, aún con restos de maquillaje, henchida de sueño, una camisa de varón, suya, encima del bikini tornasolado, se afanaba él con el cuchillo de cocina en despegar de la superficie de la roca las conchas que iban cayendo en el balde, pesadas y rugosas como pedruscos, y si alzara la cabeza hacia el espumarajo de las olas revueltas de sargazos vería un jinete de botas de hule alejándose por la costa, los cascos de la bestia enclenque rompiendo el espejo del agua, una carreta de bueyes que no parece avanzar nunca, fija frente al oleaje que tampoco parece disolverse, sube ahora las gradas con el balde, pesado de tan lleno, que deja en una de las piletas enlozadas de la cocina, va a cortar él mismo los limones, la mano pinchándose entre las espinas, y la fragancia del zumo que aspira cuando parte el limón en dos mitades, la carne babosa de los ostiones que se retuerce por un instante, el hondo gusto a sal pegándose al paladar y el trago de vodka puro apurado en ayunas, la ración mañanera de Stolichnaya aprendida en sus juergas al lado de Somoza y la pérfida Mesalina.

Se replegó, asustado, al entrar en su verdadero despertar, como si un animal de pelambre oscura hubiera amanecido con él en la misma cama, y en eso oyó los pasos retumbando en la escalera, Manco-Cápac que subía a darle los buenos días, otra vez el sombrero de fieltro en su cabeza, la cara y la barba húmedas de recién lavadas, ya estaba el comandante Nicodemo abajo, esperando, había llegado antes de los gallos pero la verdad es que aquí al lado del mar no cantaban gallos en la alborada, un asunto extraño si había tantos en las fincas de los contornos, le rogaba apurarse, el comandante Nicodemo era hombre urgido, y como todo cura, no sólo urgido sino regañón, y además predicaba con el ejemplo, quebrantado de huesos y con alta fiebre como andaba, no le había importado madrugar, ya los muchachos estaban desayunando ostiones que bajaron a despegar, todavía oscuro, en la plancha de roca, lo que es a mí los ostiones me dan asco, pero ellos, ostiones con tortilla amanecida y frijoles en bala, banquete de príncipes y comida de pobres, dos en una. Y enseguida venía entrando la compañera Judith con el plato, lo mismo de la noche anterior, los mismos frijoles fríos, la misma tortilla tiesa, sólo que en lugar del vaso de limonada le traía un pocillo de café muy dulce y casi transparente de tan aguado, y esta vez sí quiso comer cuando se acercó a ofrecerle el primer bocado, terca en alimentarlo ella misma, lo veía masticar y esperaba a que medio tragara para acercarle de nuevo la cuchara a la boca.

Cuando lo llevaban por los corredores hacia el descampado cuesta abajo, las manos siempre esposadas a la espalda, todo era apresuramiento porque ya levantaban campo, metían los pertrechos en las mochilas, recogían los fusiles y las cananas, cargaban con la ametralladora calibre 50, y ahora, el operador adelante con el radio a cuestas, se dirigían en desorden hacia los camiones de transportar reses que aguardaban con los motores encendidos, ya estaban subiendo a los prisioneros a la plataforma del más próximo por una sección de la baranda usada como escalera, de primeros el raso y su sobrino huérfano que protegía debajo de la camisa su tesoro de mangos maduros recogidos del suelo, alegre y confiado como si se tratara de un paseo escolar, y entre los últimos la Yadira recién maquillada que se balanceaba sobre los tacones de sus sandalias plateadas mientras mascaba un chicle, no le habían decomisado la abultada cartera que colgaba de su hombro, favor muy raro, y el guerrillero a cargo de su custodia debió decirle algo lépero en la oreja mientras la ayudaba a subir, porque ella se rió con una corta carcajada que lo alcanzó a él a medio camino hacia el camión y vino a encender más sus aflicciones, si no habrían pasado gozándola toda la santa noche a gusto y antojo, uno tras otro, y ella conforme, pero entonces, por encima de su cabeza bajó desde lo alto del pretil una orden terminante que dejó al muchacho paralizado: ¡Desarmen a ese compañero! No tardaron en rodearlo, entregó el fusil, de pronto había ya otro guerrillero conminando a la Yadira, con el arma en ristre, a subir sola aunque tuviera que agarrarse a la escala, y el hechor fue conducido delante del jefe que había dado la orden. Nicodemo, mi juez, se dijo.

Flaco y desgarbado, la carabina M-1 terciada al hombro, lucía la estrella de comandante pintada con anilina en la gorra de trapo, y su barba, poco tupida en los carrillos, venía a cerrarse en guedejas debajo del mentón, como si más bien fuera postiza, mientras los blue jeans, enrollados en las botamangas, parecían venirle flojos, y el fajón de la pistola recogía la camisa verde olivo, suelta por los faldones. Terminaba de leer un papel que la compañera Judith le había alcanzado, y mientras lo rompía en pedacitos sus ojos enrojecidos fueron alzándose tras los lentes de aro metálico hacia el muchacho: estaban absolutamente prohibidas las intimidades con los prisioneros, la próxima vez iba a meterlo treinta días en un calabozo, que le devolvieran su arma.

Nicodemo es entonces aquel número Tres, se dijo, con extraña tranquilidad, como quien, tras mucho buscar, al fin da con las señas de una casa en una ciudad desconocida cuando va a caer ya la noche. La voz de mando, de cadencia didáctica, que amenazaba y luego perdonaba, atiplada al exasperarse, las eses convertidas en zetas entre borbollones de saliva como si la punta de la lengua taladrara entre los dientes, era la misma que le había respondido las tres veces que llamó desde el búnker de Somoza a la quinta de Jacinto la noche del asalto guerrillero, una voz que hasta entonces nunca había tenido rostro porque los miembros del comando se cubrían con medias de seda y sólo habían podido ir siendo identificados a medida que caían, como ocurrió con el jefe, el número Cero, reconocido por otros sandinistas en prisión, llevados a la morgue para el trámite, y que sin miedo a sus guardianes se habían cuadrado marcialmente frente al cadáver. Tres, Nicodemo. Un número primero, un seudónimo ahora, un jesuita que había dejado los hábitos, un cura rebelde como muchos en esta revolución, no sabía más, pero lo tenía a la vista. Y de pronto Nicodemo puso sus ojos en él, con curiosidad un tanto divertida, se quitó los lentes para enjugarse con un pañuelo campesino, de esos rojos estampados, que sacó de un bolsillo de los blue jeans, y todavía lo siguió con una mirada que ya no era de curiosidad, ni tampoco de burla, ni desprecio, cuando lo empujaban hacia la plataforma del camión. Era una mirada que no era nada.

Manco-Cápac, que venía a su zaga, lo alcanzó, lo tomó por el brazo, no, dijo, usted es un prisionero especial, va en la cabina, y pronto lo estaba ayudando a poner el pie en el estribo, a acomodarse en el asiento al lado del chofer que no se hallaba aún en su sitio aunque el motor permanecía encendido, ya conoció por fin al comandante Nicodemo, tan severo pero al mismo tiempo tan corazón de miel, un cuadro ejemplar, en Costa Rica fue responsable del control de pertrechos que nos mandan en aviones de Panamá, de Cuba, de Venezuela, antes en secreto y ahora a la luz del día, pero se hallaba a disgusto en el puesto, quería acción, le repugna la burocracia y al fin lo complacieron, vino a reforzarnos dando una larga vuelta por Honduras, disfrazado de sotana aterrizó en Managua y entró por el propio aeropuerto Las Mercedes con todas las de ley, claro, no le cuesta nada porque la cara y los modales de cura nunca jamás se pierden, la compañera Judith lo acompañaba vestida de monja carmelita, los dos con pasaportes venezolanos, y ahora anda otra vez contrariado porque en lugar de irse a volar bala al lado del comandante Ezequiel en la toma de Rivas, como bien deseara, lo han dejado aquí de jefe del tribunal investigador, yo, por eso, mejor no me quejo, que venga lo que venga y que no lo sienta venir. Es como si este Manco-Cápac hablara frente a un sepulcro, pensó, es la plática con un enterrado, a un muerto se le pueden contar todos los secretos del mundo.

A las ocho de la mañana se puso en movimiento el convoy, adelante el camión con los prisioneros y sus guardianes, detrás dos camiones más llenos de guerrilleros, en uno la bandera rojinegra del FSLN amarrada a un palo sin descortezar que un miliciano agitaba con ambas manos, y cerrando la marcha una camioneta pick-up, Manco-Cápac al volante, Nicodemo y la compañera Judith apretados en el asiento delantero y más guerrilleros en la tina, hacían sonar los cláxones y desde que arrimaron a Guazacate la gente corría a asomarse a los cercos de espadillo de la orilla del camino, familias enteras en las puertas de los ranchos de paja y de las casas de tablas encaladas al llegar a La Albina, salía un renco acunando un gallo entre los brazos como si fuera un niño, a su zaga una mujer de ancha rabadilla con el cucharón de cocinar en la mano, allá por Salina Quintana alzaba el brazo en saludo tembloroso una anciana enferma, con un lienzo amarrado en banda a la cabeza, cuando subían por Las Pilas jornaleros que enarbolaban los machetes con que fajinaban en las huertas, al pasar por La Tajona, jinetes que saludaban desde los caballos con sus sombreros en alto sin abandonar el trote, allende San Cayetano, alguno que recostado a un horcón mascaba una brizna de hierba y sólo los veía alejarse en silencio, cuando dejaron atrás El Gigante entre la densa polvareda.

Y ya en las goteras de Tola se vio venir de lejos una multitud desbocada, estallaban cohetes y bombas de mecate, música revolucionaria atronaba en los parlantes de una barata que rebasada por el tropel se acercaba cargada de niños en la trompa y en los estribos *la tumba del guerrillero dónde, dónde, dónde está, su madre está preguntando: algún día lo sabrá*, y muy atrás una banda de chicheros que tocaba un son de toros, la música de la banda y la canción de la barata confundiéndose con las detonaciones de la pólvora y los gritos y los clamores, se habían bajado los guerrilleros de los camiones y su bandera se perdía ahora entre las otras banderas, rojo y negro por todas partes, se alzaban los fusiles al ritmo de una consigna que costaba distinguir desde el encierro de la cabina, uno tras otro los rostros se aplastaban contra la ventanilla y había puños que golpeaban la capota, uñas que arañaban en vano, una mujer de luto, seca, cetrina, había lanzado un escupitajo y la saliva resbalaba sobre el vidrio. *¡Paredón! ¡Paredón! ¡Paredón!*, entendió al fin la consigna que cantaba el coro al mismo compás con que los puños pegaban sobre la capota y se alzaban los fusiles, un remolino de caras y de voces, forcejeaban ya por abrir la puerta de la cabina y él no acertó más que a replegarse en el asiento hacia el lado del chofer, que atemorizado a pesar de su uniforme verde olivo no despegaba las manos del claxon en demanda de auxilio, alguien tenía una piedra con restos de ripio y argamasa que machacaba sobre el vidrio y entonces cerró los ojos y su madre estaba arrodillada al anochecer frente al altar enflorado de ramas de sacuanjoche puestas en tarros de pintura al lado de la máquina de coser en el corredor del fondo, los brazos abiertos en súplica, en una mano las cuentas de cristal del rosario que reflejaban la luz de las veladoras *oh María madre mía, firme escudo del mortal, a tu amparo me someto, no desprecies mi congoja y antes bien escucha mi ruego*, y ahora de pronto se acallaba la música de los chicheros, se quedaban en silencio los parlantes y las voces alzadas iban dispersándose, todo porque Nicodemo se había subido al estribo de la barata, soplaba en el micrófono, ¡compañeros!, pero no obstante otra vez sobrevenía en rebeldía el vocerío, ¡compañeros!, ¡tengan confianza en el poder revolucionario!, ¡los esbirros serán sometidos a juicio popular sin excepciones!, lo aplaudían algunos desde atrás aunque la insolencia de la gritazón le arrebataba la voz: *¡paredón, paredón, paredón!*, y él, agazapado en la cabina, apretaba los párpados y lo llamaba su madre, hacía que se arrodillara a su lado, el olor de la esperma derritiéndose en las veladoras aturdía sus narices, lo retenía ella por el brazo y más que la imagen de la Virgen de los Remedios enflorada en el altar sus ojos querían ver el maniquí decapitado de senos desnudos que recogía polvo en el rincón *Madre del redentor crucificado, por los siete puñales que atraviesan tu pecho no desoigas mi súplica*, a los golpes de nuevo empecinados la piedra había logrado reventar el vidrio de la ventanilla *tiende sobre mí la gracia redentora de tu divino manto*, y entonces se oyó una voz frágil y tan cascada: ¡comandante, que me den pasada que quiero hablar!

Una mujer enlutada de pies a cabeza, del tamaño de una niña de doce años, que calzaba zapatos de varón, flojos de tan grandes, el rostro inclinado en sesgo como un pájaro que buscara semillas, se abrió paso hasta el estribo de la barata donde Nicodemo la esperaba extendiéndole desde ya el micrófono y de alguna parte trajeron una silleta, la ayudaron entre muchos a subirse, recibió el micrófono, y antes de empezar se enjugó el sudor con el pañuelito bordado que apretaba en la mano, compañeros y compañeras, buenos días, aquí hemos llegado en comisión dolorosa las madres de Belén a contarles la forma desconsiderada en que nos dejaron huérfanas de los hijos que parimos, criaturas de quince años y menos, mujercitas de su hogar, varoncitos sin vicios que fallecieron hace hoy nueve días cuando entraron a Belén los malditos diciendo: «Aquí venimos los sandinistas, sálganse ya de sus casas los valientes que van a combatir con nosotros a la dictadura», y no eran sino guardias de Somoza disfrazados de guerrilleros, una trampa mentirosa porque llevaban los mismos pañuelos rojo con negro amarrados en el pescuezo y vociferaban sus consignas como si fueran revolucionarios, por ejemplo, «¡Muera Somoza traidor y asesino!, ¡viva la patria de Augusto Sandino!», y de esta forma las criaturas se desbocaron a la calle a recibirlos contentos, y ellos, los acabados felones, enamorándolos con su megáfono, que vinieran, había rifles en bendición, armas nuevas bien engrasadas para todos, «¿Voy, mamá?», me preguntó Juan Erlindo, el menor, todavía masticando el bocado porque estaba comiéndose su cena con Esteban Tadeo, que era el mayorcito, mis dos hijos ya matacanes, quedaron sus platos a medio acabar, uno, el Esteban Tadeo, me había aprobado tercer año de secundaria en el Instituto de Rivas el año pasado, dejó de estudiar por la penuria, pues tenía que ayudarle al papá en la poca siembra de caña, el otro, mi Juan Erlindo, en sexto grado de primaria, lo mismo, tuve que sacarlo de la escuela aunque la maestra me suplicaba que se lo mandara, ya que no era nada desganado en las lecciones, pero el papá necesitándolo en los siembros igual que al otro, y yo no les contesté a mis muchachitos si se iban o no se iban, sabiendo que nadie, ni yo, que era su madre, tendría poder de detenerlos, salieron, ya había bulla de criaturas en la calle, en la tina de una camioneta los Herodes groseros tenían aquellos rifles de estampa poderosa que repartían como si fueran juguetes, botas nuevecitas en sus empaques de plástico, puñadas de pañuelos rojo con negro, iba aturdeciendo ya, y cuando vieron que todos los chavalos lucían armados ordenaron hacer un desfile, agarraron para la plaza marchando, se adelantaron unos a tocar las campanas de la iglesia y todavía más incautos se presentaron al clamoreo de los repiques, entregaron más rifles, y cuando ya los tenían a todos juntos los metieron a la casa del cabildo que está al lado de la plaza diciendo que para asunto de un mitin, para darles instrucción política, que dejaran todas las armas en la entrada, las dejaron, obedientes, pero aun así, esas armas de qué hubieran servido si no tenían municiones, una sola bala no les habían entregado, y así fueron pasando, mansos, por el portón, en la oscurana los llevaron al patio enclaustrado donde hay un pozo en abandono a causa de que se le secó el agua hace tiempo, y entonces ya rodeados de guardias empezó la balacera tenebrosa que se oyó de un confín a otro del pueblo, habrán matado no menos de treinta criaturas, comandante, no hay una lista todavía pero ustedes debían hacer esa lista y poner en ella a Juan Erlindo Morice, de trece años, y Esteban Tadeo Morice, de dieciséis, a todos los lanzaron al pozo que quedó colmado de cadáveres hasta el brocal, y después, no contentos de su iniquidad, con el mismo megáfono anduvieron gritando amenazas y burlas por las calles, «Que nadie salga de sus casas muy hijos de puta, al que se salga le quebramos el culo como a todos esos comunistas que castigó la ley, víboras es lo que han criado estas mujeres putas de Belén, alacranes colorados, pero ya los machacamos, viva Somoza, viva la Guardia Nacional», una insolencia aquel vocabulario, hasta antier abandonaron Belén y corrimos entonces a la casa del cabildo pero ya era un imposible sacar del pozo los cadáveres, y solamente unos sacos de cal se pudieron vaciar en busca de hacer más llevadera la hedentina, gran inflazón y amasijo de pies, codos, manos, rodillas y cabezas es lo que quedó de ellos dentro del pozo seco que mejor ya mandamos a cerrar con ripios y con mezcla y encima pusimos bendición de flores frescas como por caso dalias, jalacates, pensamientos, nomeolvides, azucenas, pero falta que ni una misa se dijo porque el padre cura del pueblo de Belén ha huido a Nandaime.

De mano en mano le llevaron un vaso de agua. Dio un sorbo. Me preguntarán que cuántos eran los perros, les diré que muchos, una pandilla de asesinos de gruesa calaña acantonados en el cuartel de Rivas, de allá mismo llegaron, y me preguntarán por qué traemos noticia tan vieja, si ya se sabía en Tola ese acontecer, les diré que no es para brindarles novedades que aquí hemos venido, sino porque hay unos responsables de esa grosería que ya los tenemos sabidos, son dos los que decimos, muy feroces canallas. Su jadeo se amplificaba en los altoparlantes. Se ajustó el rebozo negro mientras zumbaban las voces. Bebió otra vez. Retiraron el vaso. Se llevó una mano al cuadril. Se supo de esos dos, que de cierto anduvieron en la matanza de inocentes, porque ya cuando los muchachos iban en desfile a buscar su muerte, llegó corriendo mi vecina casa de por medio, la Teresa Cordón, «Filadelfa, acatá que en todo esto hay trampa, entre esos fingidos guerrilleros que reparten armas, Justo mi marido reconoció a Agapito Jácamo, que es guardia, su hermano Dámaso Jácamo, que también era guardia, murió en el asalto al cuartel de Rivas que hizo el padre Gaspar el año pasado, y también va allí entre los farsantes un hijo del finado Dámaso acompañando a su tío, uno que se llama Romualdo, de sobra los conoce Justo porque esos Jácamo son de por el lado de Chacalapa, donde tiene él siembros, gente de pésima levadura, peor el sobrino, que por poca sea su edad, se pinta para las crueldades», que corriera detrás de mis dos muchachitos porque los iban a masacrar, muy seguro, y ya corría yo por media calle, obedeciéndole, cuando en eso atronó la balacera mortal, es lo que fue, y aquí ha venido la Teresa Cordón por si la nueva autoridad popular la necesita de testiga, a ella Dios no le dio hijos pero nos ha acompañado en el sentimiento.

Un zanate voló desde la rama de un guarumo para posarse en los alambres del tendido eléctrico con gran alboroto de sus alas. Alguien iba a tirarle una piedra, pero le detuvieron la mano. La madre enlutada apretó el pañuelito contra sus labios. Ahora, óiganme bien, hemos averiguado la noticia de que en el camión de los prisioneros vienen los dos que digo, Agapito Jácamo, junto con su sobrino Romualdo Jácamo, los mandaron después de cometer su fechoría a defender a Alirio Martinica, el esbirro dueño de Santa Lorena que allí lo traen capturado también, y nosotras estamos aquí todas sin faltar ninguna en petición de justicia, tantas somos las dolientes que no ajustaba la tela en Belén para coser rebozos y vestidos de luto. Extendió la mano, señaló la mancha de rebozos negros, muy juntos, apretados, como un hueco oscuro entre las demás cabezas bajo el sol, y se calló. Nadie dijo nada. Se rascó uno la barbilla lentamente. Se quitó otro el sombrero. Se agachó una mujer de rizos entrecanos a amarrarse las correas de sus cariocas. La madre enlutada bajaba ahora de la silla con un movimiento enérgico, sin permitir que la ayudaran, y le entregaba el micrófono a Nicodemo, que de pronto se quedaba solo al lado de la barata con el micrófono en la mano mientras se hacía un solo rumor cerrado de pasos, rodeaban la cabina del camión como lo hubiera hecho una turbonada de aguas revueltas y seguían hacia la plataforma donde los prisioneros se habían pegado a las barandas para aguantar la remecida, traqueteaba el camión y parecía que iban a voltearlo, pero ya bajaban de arrastradas al guardia Agapito Jácamo, lo estaban amarrando del cuello y de las manos con una soga y detrás bajaban a su sobrino el huérfano Romualdo Jácamo. Gemía. Forcejeaban para ponerle la soga mientras caían sueltos al suelo los mangos que llevaba debajo de la camisa, y todavía se los disputaban abajo en cardumen unos niños cuando ya los arreaban a los dos jalándolos por el cabo de las sogas entre tropezones, cayó de bruces el huérfano y fue arrastrado un trecho, codos y rodillas clavados en el polvo, pero al fin lo levantaron, les abrían brecha y luego la brecha se cerraba tras ellos, maniobraba la barata buscando retroceder para sumarse a la procesión y tronaban otra vez sus parlantes *los asesinos de los campesinos sabrán que algún día les llega a sus pueblos su liberación*, mientras los músicos de la banda de chicheros se ponían a la cola, donde ya el acompañamiento era ralo, tocando una marcha militar. Iban a ser las nueve de la mañana.

Oyó unos golpes apurados contra la lata de la cabina del lado del chofer, siga, siga, ordenaba Manco-Cápac y volvía corriendo a la camioneta, se sentaba de nuevo al volante, la compañera Judith y Nicodemo ya arriba, arrancaba el camión con los prisioneros tras la camioneta y luego los dos camiones de la tropa, sólo que ahora despoblados de guerrilleros porque todos se habían sumado al desfile, una miniatura desde el cielo desierto de nubes la fila de vehículos que desemboca entre las primeras casas del pueblo dejando atrás una espesa tolvanera que tarda en dispersarse, y sigue manzana tras manzana por las calles de tierra que se estrechan entre los aleros, cumbreras de tejas de barro verdecidas de lama y techos de zinc oxidados, en los cuadrados de los patios penachos de palmeras reales, cocoteros, papayos solitarios, matas de chagüite, el oscuro verdor del follaje de los mangos que parece volar en trizas alzado por la tremolina de un viento inesperado, ropa tendida en los alambres, casetas de excusado, chiqueros, gallineros y jaulas de conejos, hasta que llegan a la plaza sembrada de malinches y acacias, rodean la iglesia y se detienen frente a las puertas de la casa cural que un día tuvieron un color verde esmeralda y el sol ha desvanecido y ampollado, bajan a los prisioneros del camión, los meten por el zaguán pavimentado de lajas, y es él quien aparece de primero en el patio donde los viejos chilamates muestran el enjambre de sus gruesas raíces serpenteantes a flor de tierra.

Alguien que en el centro de ese patio, recostado al tronco del más añoso de los chilamates, hiciera girar la vista a su alrededor, él mismo, por ejemplo, que ha sido apartado del resto de los prisioneros mientras les pasan lista, encontraría que la construcción de dos aguas de la casa cural amenaza ruina. Los pilares de los corredores aparecen comidos de comején en los capiteles, y no sólo eso: faltan tejas en algunos trechos del techo, en tanto el repello de las paredes se ha ido desmoronando para dejar ver la entraña de lodo y cascajos del adobe. Pero es una construcción de buenas dimensiones, de todos modos. Del lado de la calle, hacia el norte, una de las alas del amplio corredor da a la oficina del cura, ahora clausurada bajo candado, al dispensario de menesterosos, y a una bodega de alimentos de Cáritas donde los guerrilleros han instalado la estación de radio. Del lado opuesto, hacia el sur, otra ala da a las aulas de la escuela parroquial, destinadas ahora a una finalidad distinta según los trozos de cartulina amarilla fijados con tachuelas en las puertas, que muestran la palabra CELDA: la del primer grado para las mujeres, siendo el caso de que habrá en ella una sola prisionera, la del segundo grado para los hombres, y la del tercero exclusivamente para él, aulas en las que se notan algunos modestos trabajos de remodelación, como es el caso de las ventanas de paletas de madera abiertas en la pared, según las señales no tan recientes del revoque. Y, por fin, en el ala oriental, que une a las otras dos, hay bajo techo una tarima para actos catequistas y escolares, donde descansa en un rincón una imagen tamaño natural de la Virgen Inmaculada, de notoria antigüedad, con una luna menguante a sus pies. Detrás de esa ala que ocupa la tarima del escenario se abre un traspatio frontero con la culata de la iglesia, que ya no es visible desde el centro del patio, como no es visible el aula de kindergarten que allí se ubica, habilitada para sede del tribunal, a menos que el observador tuviera la virtud de ascender por los aires y situarse en alguna de las ramas más altas del chilamate.

Pero más que ascender por los aires, agotado por la celeridad de los sucesos y tragando el miedo como un alimento sólido que pudiera masticarse y deglutirse, el reo va resbalando por el tronco del chilamate hasta quedar en cuclillas, y desde esa posición es que alcanza a ver a la Yadira en el momento en que se separa del grupo de prisioneros a paso apresurado y empieza a vomitar. Vomita y llora. Las perneras de los blue jeans y las sandalias se salpican de aquella rala sustancia amarillenta que retiene a buchadas antes de verterla a sus pies, y el llanto deshace el trazo grueso de sus cejas y corre la sombra de sus párpados en un solo amasijo encontilado, llena de pánico aún porque el huérfano Romualdo Jácamo se había agarrado a su tobillo al momento en que lo bajaban de la plataforma del camión, renuente a dejarse arrastrar mientras ella buscaba zafarse de sus manos y le clavaba con fuerza el tacón de la sandalia en la oreja hasta sacarle un hilo de sangre, y cuando lo arrancaron por fin de su lado se había quedado todavía pateando en el aire, pateando y dando alaridos.

Fue lo último que habría de ver de la Yadira, hasta no saber cuándo, incapaz de adivinar la causa de su vómito y de su llanto, porque ahora era introducido por fin al aula que sería su celda. La luz ardiente, de un blanco de cal, entraba por las paletas de las ventanas abiertas en sesgo y dibujaba barras incandescentes sobre el piso, mientras los pupitres, encaramados unos sobre otros para hacer espacio, se alzaban en un túmulo en el que las patas de hierro de los últimos arañaban el cielo raso. Con paso incierto y la cabeza gacha fue a situarse contra la pizarra desteñida donde podían leerse, en aplicada letra de trazo femenino, las palabras *onza libra arroba quintal fanega*, pero no había corrido mucho tiempo cuando llamaron a la puerta con toquecitos suaves, corteses, como si requirieran de su parte permiso para entrar, ¿se puede? La compañera Judith asomaba la cabeza, otra vez en sus labios la sonrisa discreta, pero antes entró el muchacho picudo experto en nudos trayendo una colchoneta listada, la desenrolló, la tendió en un rincón y volvió a salir.

Lo primero que hizo ella cuando quedaron solos fue buscarse en el bolsillo trasero del pantalón de fatiga el paquete celeste de Belmont, cigarrillos ticos, dijo, y encendió uno. Fumaba con gracia. Daba una bocanada tranquila, dejaba que las volutas de humo se dispersaran por el aula y se quedaba sonriendo de una manera que a cualquiera aturdía, el hondo pozo de seducciones en que se había ido de cabeza Manitos de Seda, aguas tranquilas que a duras penas se agitaban, como ahora, cuando buscaba de nuevo, presurosa, el paquete de cigarrillos, en la actitud de quien se ha olvidado de algo grave, sacaba otro, lo encendía con la brasa del que fumaba, y él, al momento en que iba a ponérselo en la boca, viró la cabeza, no, gracias, le daba vahído el solo olor del humo, en un tiempo sí había fumado, mucho, dos paquetes diarios de Camel, y cuando Somoza impuso el hábito de fumar puros habanos, también fumaba Joyas de Nicaragua calibre largo, las tierras de Teotecacinte, en Nueva Segovia, donde se cultiva la hoja de capa, eran tan buenas como las de Vuelta Abajo, decía el cubano de Miami Elisardo Marrero, socio de Somoza en el negocio de los puros, había abandonado el vicio de fumar gracias a unos chicles suizos de nicotina que le recomendaron, puros habanos y vodka Stolichnaya su dieta diaria, el vodka, por desgracia, le seguía gustando, aunque tampoco pudiera decirse que fuera un caso como para ingresar a los Alcohólicos Anónimos, eso sí, el hábito de beber en ayunas no dejaba de preocuparle, una necesidad imperiosa de hablar que le había venido de pronto como una diarrea, y ella sólo lo oía mientras se agachaba para apagar cuidadosamente el cigarrillo rehusado en un resquicio de los ladrillos del piso y volvía a meterlo en el paquete, el objeto de su presencia era avisarle que la primera sesión del tribunal tendría lugar más o menos en una hora, apenas el comandante Nicodemo se desocupara de unas diligencias urgentes.

Guardó silencio, quizás para que él tuviera la oportunidad de preguntarle qué clase de diligencias urgentes, cosa que no hizo, pero ella de todos modos se lo explicó, el comandante Nicodemo estaba ocupado en escribir un informe dirigido al comandante Ezequiel sobre el incidente imprevisto referido al raso y su sobrino. No le gustaba aquel lenguaje legal que desdecía de su sonrisa inocente, sus frases recitadas a grandes pausas, con voz algo hombruna, como si se hallara delante de un auditorio y no en aquella soledad donde nadie más podía escucharla, y entonces, un torpe sentimiento de cólera vino llenándolo desde lo hondo como hasta poco antes lo había llenado el miedo, una oquedad que se vaciaba de manera repentina para repletarse de una sustancia diferente, no me venga a mí con cuentos de incidentes, lo que hubo fue un linchamiento y ustedes lo permitieron, dígame de una vez, ¿eso es lo mismo que me va a pasar a mí?, ¿yo también voy a morir apaleado en la calle como un perro con rabia? Ella siguió fumando, sentada a medias sobre la mesa de la maestra, el cigarrillo muy cerca de la boca. La situación se puso incontrolable, usted lo vio, dijo. Yo lo que vi es que los guerrilleros que ustedes mandan se revolvieron con la turba para linchar a los prisioneros, dijo él, que no había abandonado su lugar de espaldas a la pizarra. ¿Han bajado acaso de Marte esos guerrilleros?, dijo ella. No me importa de dónde han bajado, dijo él. Es la misma gente común y corriente, gente del pueblo. Sólo que ahora están armados, dijo él. Ésa es la única diferencia, dijo ella, están armados pero son los mismos, iguales a los otros que andan en esa multitud insubordinada. Y ustedes dejan que todos hagan lo que quieren, dijo él. Si usted está creyendo que en esta revolución existe un poder que lo puede todo, se equivoca, si no es con autoridad moral, basada en una trayectoria, no hay poder que valga. Qué es eso de autoridad moral, autoridad es autoridad. Sí, autoridad moral, tendría que venir el comandante Ezequiel a hablarles, a él lo respetan porque lo conocen desde niño. Es uno de ellos, y ustedes no. Sí, es uno de ellos y nosotros somos unos extraños aquí. Y no pueden imponer la disciplina. Si ordenar a los combatientes que disparen contra el pueblo para quitarle de las manos a unos asesinos es la disciplina en que usted piensa, olvídese, nadie va a dar esa orden, y tampoco nadie va a obedecerla. Su marido no puede controlar esta situación, es lo único que queda en claro. ¿Mi marido? El comandante Nicodemo, su marido. Ella sonrió. Dejaría de ser Manco-Cápac, buen combatiente, pero muy boca floja. Usted tiene influencia en su marido. Mi compañero. Bueno, su compañero. ¿Acaso cree que nosotros vemos el poder como ustedes, repartido entre parejas matrimoniales, o entre amantes, como pasa con Somoza y su pérfida Mesalina? Pero usted misma tiene eso que llama autoridad moral, o trayectoria, lo que sea, usted estuvo en la toma de los rehenes en la quinta de Jacinto Palacios.

Ya había aplastado la chiva del cigarrillo con la suela, pero era como si siguiera fumando y el humo se siguiera disolviendo en el aula, buscando el cielo raso. Otra vez Manco-Cápac, dijo, también debe haberle contado que fui yo quien le puso la trampa a Manitos de Seda. Eso fue público, me acuerdo de su foto en los periódicos. De todos modos, ¿de qué me iba a servir aquí en Tola mi participación en esos hechos? Porque precisamente son parte de su trayectoria y la respetan por eso. En la toma de rehenes que menciona también estuvo el comandante Nicodemo, con un papel más importante que el mío, y tampoco le sirve de nada. Ya lo sé, era el Tres. ¿Otro secreto que le contó Manco-Cápac? No, lo averigüé por mi cuenta porque es la misma voz, hablamos por teléfono la noche del asalto. Curiosa coincidencia, dijo ella. Debe acordarse bien de eso el comandante Nicodemo, yo llamé buscando que no hubiera derramamiento de sangre, gracias a mi intervención es que después se pudo negociar todo a través de monseñor Obando y Bravo, la libertad de los prisioneros sandinistas, la difusión del comunicado, el dinero del rescate, todo. Ella no parecía interesada en aquel alegato repentino, y más bien lo soslayó con un leve movimiento de los hombros. ¿Qué quiere, pues, que vaya a decirles?, ¿que atraje a un famoso torturador y asesino a la celada que le costó la vida?, ¿que era la número Siete del comando que hace años secuestró a los invitados a una fiesta de altos somocistas?, ¿y que el comandante Nicodemo era el número Tres? Tienen que hacerle caso, porque si no, también me van a descuartizar a mí. Dio unos pasos y vino a situarse frente a él, que ahora había palidecido, la cólera ya evaporada y el mismo miedo incómodo llenando otra vez la vieja oquedad. Para ellos no somos nada, a lo más unos números que quedaron sueltos porque Cero, el jefe del comando, fue asesinado dos años después del asalto, y no creo que tampoco lo recuerden. ¿Qué me va a pasar entonces? Quieren su cabeza, ya lo vio. ¿Me van a entregar al populacho? Ella ya no sonreía. No, les anunciamos que el comandante Ezequiel viene en persona a resolver su caso, y ellos aceptaron acercarse aquí, pacíficamente, a esperar su llegada, mientras nosotros adelantamos el interrogatorio. ¿A qué horas llega? A ninguna hora, lo que buscamos es entretenerlos, nada puede despegarlo de la operación que empieza esta misma medianoche, la toma de Rivas.

Secretos militares. Seguía escuchando los secretos que se le cuentan con toda confianza a un muerto. Y tenía ganas de preguntarle: y ustedes, ¿por qué se quedan aquí juzgando a un difunto como yo?, ¿no serían más útiles en la toma de Rivas? Pero se asustó de su propio pensamiento, porque si ellos se iban no tardaría en ser linchado en la calle, y fue a sentarse en la colchoneta, lidiando con la dificultad de sus manos esposadas. Ella, mientras tanto, buscaba encender otro cigarrillo. Al guardia y a su sobrino no los lincharon como usted cree, los fueron a fusilar al muro exterior del cementerio, dijo, mientras rayaba el palillo de fósforo en la cajetilla.

Hay allí un solar donde juegan partidos de beisbol, pero por motivo de la guerra tiene tiempos de estar suspendida la liga y ha crecido el monte, de modo que no pocos ofrecieron rozar el sitio a machete, llevaron luego una carretilla de mano, de esas que sirven para rayar el cuadro de juego porque tienen una trampa que riega la cal, y marcaron en el suelo ya desnudo la distancia a la que debía colocarse el pelotón, echaron por fin dentro de la copa de un sombrero unos números recortados de un calendario a fin de escoger por suertes a los que iban a disparar, mas sin embargo no hubo tal necesidad porque sobraron voluntarios y se dio un forcejeo por quedar en la línea de fuego, habían hablado de escoger seis fusileros pero al final fueron once, entre ellos tres mujeres, y aunque la mayor parte provenía de la milicia popular, algunos jamás antes habían cogido un rifle y hubo que explicarles la manera de quitar el seguro y maniobrar el cerrojo para poner la bala en la cámara, mientras tanto los condenados a muerte esperaban con los lazos en el pescuezo, el huérfano Romualdo que seguía llorando y su tío, el guardia Agapito, que lo consolaba y buscaba secarle las lágrimas con un esfuerzo de las manos amarradas por delante, y cuando al fin los pusieron de espaldas al muro, ya libres de los mecates, se abrazaron fuertemente, de manera que habían caído abrazados, el cuerpo del guardia sobre el cuerpo del niño.

Hasta aquí no se oyeron los tiros de ese fusilamiento, dijo él, sin intención ninguna de que ella lo escuchara, y como si hablara de un acontecimiento que no le concernía para nada. Pero ella, que por fin había tirado el palillo inservible al piso, dijo: El viento está soplando hacia el lago. Gracias doy al viento, dijo él. Falta todavía, dijo ella. ¿Qué más puede faltar ya?, dijo él. Abrieron la fosa en el campo de beisbol para no enterrarlos en sagrado. Y ustedes también lo permitieron. Según el alegato popular, no podían ser tratados como cristianos debido a su cuenta de crímenes. ¿Usted estuvo allí? No, pero me dieron el reporte. ¿Por qué me ha contado todo eso? Porque quiero que sepa que lo consideramos algo indebido, y si estamos luchando no es para que triunfe la barbarie, dijo ella. Eso suena como un discurso que ya lo he oído desde hace tiempos en muchas otras bocas, dijo él. Tal vez es una voz vieja que le habla dentro de usted mismo, se sonrió amablemente ella. Tal vez, dijo él. Pero así como yo repudio esa acción, le confieso que no sé qué hubiera hecho si fuera una de esas madres de Belén, a lo mejor hubiera matado a esos asesinos con mis propias manos antes de que llegaran al muro del cementerio. Aunque se tratara de un niño como ese huérfano Romualdo, dijo él. No sé, dijo ella, tendría que ser una madre de ésas para saberlo.

Fumaba otra vez, pensativa, y parecía que sus pensamientos se disolvían en el humo, su rostro mismo, tan amable, se disolvía en humo. ¿El comandante Nicodemo está enterado de que usted ha venido a verme?, preguntó, plegando las rodillas. Él mismo me mandó a informarle de la instalación del tribunal, y que hemos adoptado las medidas adecuadas para protegerlo. Muchas gracias, dijo él, muy gentil de su parte, y la sorna, aunque tímida, envolvió su voz. Antes de irme quiero hacerle unas pocas preguntas, dijo ella. Preguntas son las que van a sobrar de aquí en adelante, trató de sonreír él. Entonces ella abrió dos botones de la camisa del uniforme guerrillero, metió con cuidado la mano para sacar un folleto que salió húmedo de sudor de aquel escondite, y leyó: «Alirio Martinica, maestro mecánico eficiente e ingenioso, llegó a escalar sin dificultades el puesto de jefe de mantenimiento de la desmotadora Los Manguitos, localizada en las vecindades de Tipitapa.

El dueño de la mencionada desmotadora, Prudencio Chamorro Brown, miembro de una acaudalada familia granadina, pero afincado en Managua, figuraba entre los dirigentes del complot urdido para poner fin a la dictadura de Anastasio Somoza García, e invitó a Martinica a participar, propuesta que éste aceptó sin vacilaciones porque se contaba entre los enemigos a muerte de la dinastía reinante...».

¿Este Alirio Martinica era su padre? Sí, me puso su mismo nombre, respondió, mientras despegaba cautelosamente la espalda de la pared. Ella siguió revisando el folleto pero no leyó nada más. En las páginas siguientes está escrito que a su padre lo asesinó Somoza con sus propias manos en la sala de tortura, ¿usted sabía eso? Él se irguió como pudo, y en un momento estaba ya de pie sobre la colchoneta. No puede ser, siempre supe que había muerto en combate. Pero no fue así, lo asesinó Somoza de un balazo en la cabeza, esposado como estaba a una silla. ¿Cuál de los Somoza?, y se tambaleó como si no pudiera mantenerse en equilibrio. El mismo al que estamos derrocando ahora. No puede ser, volvió a decir, y volvió a tambalearse. ¿Y adivine quién le pasó a Somoza la pistola? No tengo idea, y ahora temblaba como si ardiera en fiebre. Manitos de Seda, dijo ella.

Se derrumbó, sin responder palabra, de espaldas a la pared. Yo me llamo Claudia Rosales, dijo ella entonces, soy hija de Carlos Rosales, otro de los conjurados de abril, aquí en este folleto están contados también los momentos de la ejecución de mi padre en un cafetal de la hacienda Brasil Grande en las sierras de Managua, y quiero decirle que muchas veces, cuando me lo represento junto al hoyo que le había obligado a excavar el coronel Catalino López, negándose siempre a hablar, con la cabeza en alto, sereno, deslumbrado por los focos de los vehículos militares, lloro de verlo allí, tan solito, a punto de morir, y lloro de no haberlo podido abrazar nunca porque yo estaba de meses cuando lo mataron. No tenía la más mínima idea de ese folleto, dijo él, y más se oía su respiración que su voz. Lo escribió un periodista exiliado en Costa Rica por muchos años, Coronado Salvatierra, y me lo obsequió su viuda en Liberia, una colaboradora del Frente Sandinista, dijo ella, mientras volvía a meter el folleto debajo de la camisa. Usted me ha hecho hoy horribles revelaciones. Parece una jugada del destino, su padre y el mío muertos por la misma causa, y vea dónde estamos colocados ahora usted y yo. No se burle, por favor. No me burlo, es la verdad. A mi madre la engañaron, y tampoco le entregaron nunca el cadáver, una pobre modista de las Siete Esquinas de Masaya, qué iba a poder reclamar nada, la casa bajo vigilancia día y noche, nadie le encargaba costura, y no dude que ella se fue a la tumba con esa falsa suposición del combate. Caído en combate o asesinado en la sala de torturas, cuál es la diferencia. Mucha, que el propio Somoza, al que yo serví, lo matara con sus manos, y que Manitos de Seda, al que serví también, le pasara la pistola, jamás me hubiera acercado a ninguno de los dos de haberlo sabido, dichosa usted que pudo seguir el ejemplo de su padre, yo también seguí en un tiempo el ejemplo del mío, abandoné ese ejemplo, qué se le va a hacer, además, me pagaron de la peor manera, humillándome, cuando Somoza y su amante quisieron salir de mí, me montaron un teatro, no me diga que no sabe eso.

Cálmese, le pidió, mientras aplastaba la última colilla, lo del folleto nada tiene que ver con su caso, y sobre su vida privada nadie va a hacerle reclamos. No es asunto de mi vida privada, es asunto de calumnias. Como sea, pero nadie va a interrogarlo sobre esa materia. Yo estoy dispuesto a responder. Está bien, pero es asunto aparte. ¿Que me salí del somocismo es asunto aparte? Yo no vine a definir aquí las reglas del tribunal, ésa es responsabilidad del comandante Nicodemo. ¿Va a leer el folleto delante de sus compañeros del tribunal? No tengo por qué, ya le dije, y además, en el tribunal yo no soy hija de Carlos Rosales, en el tribunal no tengo padre ni madre, voy a ser Judith otra vez, así que olvídese de mi nombre verdadero.

Había abatido la cabeza y cuando la alzó de nuevo ella salía ya, cerraba tras de sí la puerta con la misma suavidad que la había abierto al entrar, y el único rastro suyo que quedaba ahora en el aula asoleada eran las colillas en el piso, seis o siete colillas y los palillos de fósforos regados en extraña figura sobre los ladrillos rojos formando quizás una corona.

Las llamas del delirio
[Carta de Lorena López al autor, 24 de julio de 2001]

La vez que fallé a la cita que habíamos concertado en la librería Barnes and Noble de Coconut Grove sospechaba para qué me querías porque Lauree me lo dio a entender, y si había asistido la noche anterior al lanzamiento de tu libro *Margarita*, invitada por la misma Lauree, se debió a la curiosidad que tenía de conocer a un compatriota escritor recién premiado, pero sobre todo a alguien que no vacila en utilizar personas reales en sus libros, según habías hecho conmigo misma en *¿Te dio miedo la sangre?* Y si te digo algo no me lo vas a creer, no había leído ese libro y hasta ahora no lo he leído, precisamente porque aparezco allí, según me lo hicieron saber desde hace tiempo, como quien mete un cuento, ciertas conocidas del exilio que a veces me llaman por teléfono, pues si de algo me precio es de no fijarme en sonseras, siempre me he abanicado lento con las bagatelas de la vida, con los malos decires, a mí qué, y luego, cuando salió *Castigo divino*, también me hablaron de ese otro libro tuyo en mal, que estaba lleno de algo así como calumnias contra ciertas personas de una familia honorable de la ciudad de León, y ése sí lo leí, y te confieso, me gustó, porque su trama es intrigante, y uno al final de cuentas no sabe si Oliverio Castañeda era un envenenador criminal, o un fantasioso enamorado, o qué.

Luego salió tu *Margarita* y otra vez los comentarios de mis conocidas en Miami eran negativos, te estoy hablando de un círculo muy limitado que yo no frecuento, exiliadas aburridas que ya pintan canas y juegan canasta un día en la casa de una, otro día en la casa de otra, y esos comentarios iban a lo mismo, tus burlas y desdenes en contra de las «familias nicaragüenses», aunque ninguna de las que se dan por ofendidas tenga que ver nada con esas familias, te hablo principalmente de esposas de altos militares, muy forrados en dinero pero rechazados en el Club Terraza desde los tiempos del viejo Tacho Somoza, que en desagravio les mandó a construir su propio Casino Militar, y desde entonces se refugiaron en sus salones junto a ministros y diputados del partido liberal, también vistos de menos, una raza de ricos de segunda creada por la familia Somoza que vinieron a pasar la pena negra al exilio porque los sandinistas allá les quitaron todo, y lo que trajeron acá les aguantó poco, salvo contadas excepciones.

Te estaba pues hablando de *Margarita*, la leí también y no me gustó tanto como *Castigo divino*, pero no le vayas a dar importancia a mi opinión que yo no soy ninguna crítica literaria, solamente alguien a quien le ha atraído leer desde que estaba encerrada en el colegio de monjas en León, tal vez por aburrimiento, y si quieres que te diga, lo primero que leí escondida de las monjas fue *Sinué el Egipcio*.

Si no asistí a aquella cita contigo se debió al temor que me infundieron esas conocidas cuando les conté que querías verme, no sé a qué horas se me ocurrió coger el teléfono y hacerles a dos o tres de ellas la confidencia, si son contadas las veces que las llamo, para que me salieran entonces con la necedad de que si ya me habías utilizado para uno de tus libros me ibas a utilizar para otro, que tuviera cuidado, porque en *¿Te dio miedo la sangre?*, pusiste, entre otras cosas raras, según ellas, esa mentira de que alguna vez fui electa Miss Nicaragua por fraude del viejo Tacho Somoza a mi favor, para darle gusto a mi papá adoptivo, el coronel Catalino López, y te lo digo muy sinceramente, no me molesta, como si una no conociera a los novelistas lo inventores que son.

No sé si sirva decir que hasta el último momento vacilé en mi decisión de asistir a la mentada cita, me vestí, me maquillé, jugué un rato con las llaves del carro en la mano, voy o no voy, ya te había mandado a decir con Lauree que no iba porque tenía jaqueca, pero sabía que de todos modos tú estarías en la librería firmando autógrafos, es verdad que me dan jaquecas horribles desde mis tiempos del colegio en León, pero esa vez no era cierto, y por fin me porté cobarde, me aflojé y no fui.

El artículo que te dedicaron hace poco en el *New York Times* mencionaba que ya habías empezado a escribir ese libro que de nuevo me involucra, el libro para el que querías sonsacarme información desde la vez de nuestro encuentro frustrado en la librería, asunto del que ya no me quedan dudas porque tú mismo me lo has venido a confirmar en tu e-mail, y de nuevo me han dado la campanada de alerta mis conocidas, que me prepare a soportar tus ofensas gratuitas. Pero entonces me he dicho que si es cierto que ésas son tus intenciones, es mejor que ponga yo misma la cabeza de manera voluntaria debajo de la guillotina, como ya ves que lo estoy haciendo al escribirte este attachment, para decirte aquí estoy, ésta es mi vida que compartí con Alirio Martinica, éstas fueron mis frustraciones y éstas fueron mis alegrías a su lado, ésta fue mi soledad, éste fue mi orgullo, ésta fue mi ansia de libertad, mi sed de ser yo misma, algo que empiezo por confesarte aunque puedas pensar acaso, «éste no es más que el lenguaje de una que pasa el día viendo telenovelas venezolanas unas tras otra», lo cual sería una equivocación de tu parte porque yo no veo telenovelas, no vayas a empezar por menospreciarme.

No me halaga jugar el papel de heroína, que te quede eso bien claro, menos en las páginas de un libro tuyo, pero tampoco me agradaría que me hicieras aparecer como un personaje secundario o de adorno, ni tampoco como una culpable o villana, y por eso es que cualquier cosa que quieras poner de mí, mejor me la preguntas antes y así puedo aclarar tus dudas acerca de mi vida al lado de Alirio Martinica, un hombre escabroso, es cierto, muy dado a sus fatuidades, pero que tuvo su calvario, y todo aquel que tiene un calvario merece que se le guarde compasión, y es aquí donde quería decirte, antes de nada, que si algo espero de ti es que nunca vayas a tomarlo como objeto de burla, y ya te veo protestando que no, pero te lo aviso por si acaso te viene esa tentación, y tampoco se te vaya a ocurrir condenarlo de antemano, ni a él ni a mí, por somocistas, que a estas alturas ya te habrás dado suficiente cuenta de que muchos de los que pelearon para botar a la familia Somoza terminaron cayendo en lo mismo de siempre, bolsas repletas, corazón contento, aunque todavía se sigan llenando la boca al llamarse a sí mismos revolucionarios, y por tal razón ahora me río de los juicios que dicen que haces sobre mi papá adoptivo en esa novela bendita que no he querido leer, un militar que fue duro seguramente cuando le tocó serlo, no era instruido, pero era leal, y con esa lealtad le ayudó al viejo Tacho Somoza a ejercer el poder a la manera de entonces, y aquí viene mi parte, a mí me rescató de un hospicio de huérfanas, me dio cariño de padre, hizo lo que mejor pudo por educarme, y fíjate bien en esto que te digo y repito, jamás se le ocurrió buscarme como mujer, según dicen también que has afirmado en aquel mismo libro, una falsedad peor que la otra sobre el fraude en el concurso de Miss Nicaragua, ya se ve que mi destino es vivir a merced del capricho de tus invenciones.

Tampoco desprecio, vamos al caso, mis recuerdos de niña a su lado, aunque esos recuerdos puedan parecerte turbios, por ejemplo que crecí jugando rayuela en los patios de los cuarteles y sintiendo el tufo a creosota de las bartolinas, eso es cierto, y que ayudaba hasta la medianoche a contar las costaladas de billetes de a peso de las coimerías, recogidas en burdeles y cantinas, también es cierto, pero todo aquello me dio un carácter, por qué no, me enseñó astucias para defenderme en la vida, aunque no las suficientes, lo reconozco, para que no se me fuera de las manos, en dilapidaciones estúpidas, la mediana fortuna que me heredó.

No vayas a esperar que en esta carta, ni en las siguientes, te dé una biografía completa mía, ni que todo lo que te diga lleve un orden preciso, no soy literata y ya bastante hago con haber aprendido a manejar esta computadora después de los sesenta años, una manera que he hallado de distraerme porque no tengo muchas entretenciones desde que falleció hace más de un año mi segundo marido Terry Pallafock, una dulzura de hombre, callado y servicial, jamás una mala palabra, Mister Pallafock, como yo lo llamaba por cariño en su misma presencia, que me dejó abandonada con su muerte en esta jaula de oro, un penthouse precioso del Ocean Club Tower, en Key Biscayne, pero que se ha vuelto como un asilo solitario de la tercera edad para mí, y fíjate lo que es la vida, en el mismo edificio vivió la Hope de Somoza, ya casada también en segundas nupcias, aunque ninguna amistad hicimos, buenos días, buenas tardes, cuando nos encontrábamos en el ascensor o en el hall, a como tampoco nos tratamos nunca allá en Nicaragua, pues si altiva ella, altiva yo, la pobre, murió de un cáncer horrible, como ya debes saber.

Lauree, casada con un venezolano que se ha venido huyendo de Chávez, se aparece a visitarme casi todas las tardes, ella me enseñó a navegar en la red y así leo los periódicos mundiales, nunca los de Nicaragua porque me ponen los nervios de punta, también participo en los chats de corazones solitarios donde nadie sabe quién es quién y una puede hacerse pasar por jovencita si tiene el atrevimiento suficiente, y juego, además, solos de póker en la pantalla. Así voy matando el tiempo.

Una pregunta tuya será seguramente por qué me casé con Alirio Martinica. De los tres amigos que siempre andaban juntos en sus tiempos universitarios, al que mejor conocía era a Jacinto Palacios porque su papá, el doctor Macario Palacios, era mi guardador, pero nunca sentí ninguna atracción por él, sin embargo, el que más me llegó a gustar entre ellos, aunque no era nada del otro mundo en cuanto a físico se refiere, fue Ignacio Corral, una atracción de lejos, porque trato casi no tuvimos entonces, sólo aparecía en la capilla a oír misa los domingos, se acercaba a comulgar, y hasta una carta romántica recibí de él una vez a través del mismo Jacinto con una poesía de García Lorca copiada en el cuerpo de la carta, pero aquello nunca llegó a más, y tampoco podía confiarme de que esa carta fuera legítima de Ignacio porque los tres vivían dándose bromas de todo color y tamaño, entonces, queda Alirio Martinica, el más lejano para mí, solamente había oído su nombre en labios de Jacinto, le pedí una vez que me lo describiera y me dijo que tenía ojos verde mar y pestañas coquetas, como de mujer, y orejas también de mujer, muy chiquitas, pintándomelo como afeminado, que en el cuarto donde vivían por la Recolección, cuando creía que nadie lo estaba viendo se ponía vestidos escotados de mujer y zapatos de tacón alto que escondía en el fondo de su valija, pero yo sabía que todos esos infundios eran parte del juego de sus bromas, una vez le pagaron a una barata para que saliera a anunciar por todas las calles la muerte del decano de la Facultad de Derecho con música fúnebre y por poco los expulsan de la universidad.

Ya habían terminado sus estudios cuando un mediodía se presentó Alirio Martinica al colegio fingiendo que me llevaba un recado urgente de mi guardador, y quién iba a creerlo, el atrevimiento le cayó muy en gracia a madre Melaine, la superiora, que se puso desde entonces de su lado y facilitó sus siguientes visitas, «vuestro avispado pretendiente», me decía, muy risueña, y ahora me imagino tu pregunta del millón, si es que me enamoré de él a primera vista, pregunta ante la cual te diría que no sé, esas no son respuestas que el corazón pueda dar de manera terminante. A veces pienso que más bien me enamoré de la tentación de libertad, al ver la puerta que se me abría para salir del encierro donde podía quedar condenada a vivir según el absurdo testamento de mi papá, una monja sin hábito, pero monja al fin, sin que eso signifique que no me enamorara al mismo tiempo de quien me llevaba la llave para salir de la prisión, porque tenía realmente unos ojos de muñeco de celuloide y unas pestañas crespas, y tenía un modo provocador, como si siempre estuviera hablando en doble sentido y una tuviera que hacerse su cómplice. Nos casamos en pocos meses, para alegría de las monjas, que ya me creían condenada a solterona, sin importarles en lo mínimo la pérdida de la herencia, y no sólo me dio madre Melaine como obsequio de bodas un rosario, herencia de su familia, que había traído de Francia, sino que mandó a pintar la capilla y cambiar los cortinajes, gastando también un platal en calas que pidió a Costa Rica para adornar el altar.

Cuando nos instalamos a vivir en Managua fue que vino a presentarse el problema del juego, porque a mí primero, y él no tardó en seguirme, nos dio la manía por apostar fuerte en las ruletas, se hizo humo la herencia de mi papá y entonces él tuvo que buscar un puesto público, con lo que terminó metido en los subterráneos de la política al lado de Somoza, ya ves, reconozco mi pecado porque yo lo atraje al vicio del juego y eso al fin de cuentas vino a cambiarle la vida, algo que nunca hubiera sucedido si no se me ocurre a mí poner una noche la primera ficha de cinco córdobas en un número de la mesa de ruleta en el malecón de Managua, y no es que lo defienda por santo al echarme yo la culpa, no fue un santo ya metido en el gobierno, quién es santo en este mundo, en primer lugar, hacía lo que Somoza le mandaba, y muchos defectos tuvo, ser iluso y ser terco, por ejemplo, porque otra sería la historia si me ha hecho caso las veces que hablamos por teléfono, él en Santa Lorena y yo en Managua, de que se saliera de la hacienda, ya encendida la guerra.

En mi defensa tengo que en la pasión desmedida por el juego encontré una nueva puerta para salirme del otro encierro donde hasta entonces había vivido, distinto al del colegio de las monjas, un encierro que estaba dentro de mí misma, pues era la cárcel que aprisionaba mi alma. Hallaba mi libertad en el riesgo diario de las vueltas de la ruleta, atraída ante el misterio del azar, perder o ganar, y por esa misma ambición de ser libre arriesgándome fue que terminé enredada en los brazos de Ignacio Corral, te lo cuento desde ahora para ahorrarte la sorpresa, porque tarde o temprano llegarás a encontrar en algún documento escondido, ya sea de la seguridad de Somoza o de los propios sandinistas, algún tip, o referencia detallada, no lo sé, de ese romance imprevisto que vivimos él y yo cuando ninguno de los dos lo esperaba, yo una esposa «burguesa», como fue moda decir después, y él un guerrillero clandestino, algo que significaba revolver el agua con el aceite, pero también, como en la letra de aquel bolero, confundir el cielo con el mar, ahora vas a decir que ya me puse cursi, está bien, pero los amores viejos tienen una música en el recuerdo y tienen una letra.

En noches de desvelo y tantos años después, nunca ha dejado de halagarme el pensamiento de que Ignacio Corral bajó de la montaña sólo por vivir conmigo aunque fuera unos pocos meses de su vida, los últimos además, entregándome en aquel amor descabellado algo de lo que era ya su propia muerte, ésa es mi fantasía, ésa es mi ilusión, y también mi consuelo, que vino desde lejos nada más para encontrarme a mí, y ya ves que me encontró, dispuesta a correr un riesgo mayor que el de perder en la ruleta. Apostarle al peligro, tal cual le aposté, llevándolo a sus encuentros clandestinos, visitándolo después en la casa de seguridad adonde terminó trasladándose, un lugar mucho más expuesto que mi propia casa, porque por mucho que alguien piense lo contrario, Alirio Martinica nunca lo hubiera denunciado, a mí me consta que los vínculos entre ellos iban más allá de cualquier lealtad política o de cualquier rivalidad, y ya es asunto tuyo si me crees o no.

Desde el principio te advertí que no quería presentarme como una heroína de novela, y sigo sin pretenderlo, pero te digo que todavía me estremezco al pensar en aquellos días dementes junto a Ignacio, días que nunca volvieron a repetirse para mí, y también te digo que no tuve frente a Alirio Martinica ningún sentimiento de culpa, una no pide disculpas ni se culpa por la pasión correspondida, te lo sostiene alguien que entra en su vejez serenamente, no una joven caprichosa, y te lo confieso soplando sobre las cenizas frías.

No vayas a caer en la tentación de negar mi amor por Ignacio Corral argumentando que yo me aproveché de su estupidez de ir a meterse en la propia casa de Alirio Martinica, el peor lugar que podía haber escogido, y que lo seduje sólo para entregarlo después, porque de tal palo tal astilla, si era yo hija del coronel Catalino López, tu villano preferido. Jamás lo denuncié, puedo jurártelo, yo no tenía trato con la oficialidad de la Guardia

Nacional, ni con el propio Somoza, por mucho que parezca lo contrario. Si se presentó a tocar a la puerta menos conveniente bajo cualquier apariencia, fue porque desvalido como andaba no tenía ningún otro lugar adonde ir, y voy a decirte algo que no sé cómo va a parecerte, hay pasiones que comienzan muchas veces por la lástima, nacen de una especie de amor maternal, de un deseo de brindar protección, aunque al volverse incontrolables después, hagan olvidar aquellos motivos del principio.

No tenía comunicación con quienes rodeaban a Somoza, es cierto, porque no era necesario, pero a quién no oculto que yo era parte del sistema, manejaba los negocios de mi marido, que sólo se podían hacer a la sombra del poder, y hasta que apareció Ignacio nunca se me había ocurrido renegar de ese poder del que también provenían los bienes de mi papá, malbaratados después en las ruletas. Es verdad que me repugnaba en lo íntimo, por un lado, aquel ambiente de falso «chic» de la corte de la Hope de Somoza, cada vez más escaso de aduladores, donde se hablaba por regla inglés y abundaban mujeres de dieta rigurosa, secas y estiradas como ella, que se imaginaban ser modelos de la revista *Vogue*, y del otro lado, los oropeles de prostíbulo de la corte de la pérfida Mesalina, donde iban a desembocar las cloacas de todo Managua, y con eso te digo todo. Tampoco soportaba el ambiente de servilismo y pedantería de los funcionarios que rodeaban a Somoza, ni la vulgaridad de los coroneles de la Guardia Nacional y sus mujeres estrafalarias y bocateras, todas ellas súbditas a muerte de la pérfida Mesalina, o «La Dama», como la llamaban, para contraponerla a la «Primera Dama», la Hope de Somoza. Pero no era suficiente. Faltaba que apareciera Ignacio para que yo cambiara, y no te rías, por favor, tomándolo por capricho de mujer ociosa, porque jamás fue así.

No me bastó con el riesgo de quererlo a ciegas sabiéndolo un perseguido, sino que al final llegué a convencerme de que mi prueba mayor de libertad estaba en la aventura, y que acompañarlo, irme con él, significaba romper por fin todos los amarres, ser libre totalmente, ponerme mis alitas aunque fueran de cera, algo que hoy puede parecer ridículo, estoy consciente, yo de guerrillera, pero fue una ocurrencia que me atrevo a llamar sublime y que Ignacio al menos supo respetar, fíjate lo que me dijo en una ocasión, que si él tenía por seudónimo Igor, yo debería llamarme Natasha en la clandestinidad, para que pareciéramos los personajes de una novela rusa, si hablaba en son de broma no lo sé, dame respuesta a esta duda en tu libro, al fin y al cabo eres de alguna manera mi confesor.

Alas de cera, ilusiones de volar, qué vergüenza siento al tener que escribir en este teclado que cuando lo mataron mi espanto se volvió muy pronto cobardía, a tal extremo que nunca me atreví a hacerle el menor reproche a Alirio Martinica por haberse prestado a declarar que aquel día funesto acompañaba a «Moralitos» en una farra, algo que de todos modos de nada sirvió y que sólo se explica por el miedo, miedo a que Somoza fuera a cobrarle caro por haber escondido a dos terroristas en su propia casa, ya sabrás que Ignacio andaba acompañado de una «compañera Cristina», pobrecita, se comportaba como una monja en sus costumbres, una monja rígida que mucho celaba a Ignacio, pero hasta donde pienso, no eran celos de mujer, sino celos fanáticos, ten en cuenta que entre ellos se trataban con unas reglas muy rígidas, informes escritos para cualquier cosa, crítica y autocrítica, cosas que a veces daban risa.

Quién aseguraba, pues, que la OSN no le hubiera seguido las vueltas a la «compañera Cristina» cuando salía a buscar contactos, y el miedo agregado mío de que toda la información de mi affaire con Ignacio estuviera consignada en un expediente secreto para chantajearme alguna vez, todo era muy posible, entonces, refugiada en mi cobardía, me dediqué con mayor fuerza a mis negocios, y volví a ser de cuerpo entero «la burguesa» dedicada a contentar al esposo engañado, todo lo contrario al comportamiento que tuve cuando él llegó a descubrir esos amores, pues entonces, envanecida, lo traté con desprecio y lo humillé.

Vas a encontrarte en el camino de tus pesquisas con la amante de Alirio Martinica, una prostituta de ocasión que vive aquí en Miami, dedicada a su mismo empleo de manicurista en un salón de belleza latino en Dade County, y por favor, nunca vayas a imaginar que si yo me enredé con Ignacio fue por venganza de aquella infidelidad de lupanar, eso sería reducir a una mezquindad el episodio más singular de mi vida. Alirio Martinica, que muchas veces confundía la ingenuidad con la soberbia, creía que yo no sabía nada sobre esa amante, aunque lo supe desde el principio y me lo callé, así como supe que vivían juntos en Santa Lorena desde que él fue a refugiarse allí, y también me lo callé, porque siempre me han repugnado los escándalos, aunque la principal razón, ya puedes comprenderlo, es que yo no lo quería lo suficiente como para arriesgarme a pelearlo en trifulcas sentimentales, y por eso mismo, cuando apareció Ignacio y me entregué a él, te repito, no fue por venganza, sino porque en mi vida existía un vacío, ese vacío donde no arden las llamas del delirio, que como tú mismo escribes en un artículo que leí en el *Herald*, pueden ser las mismas llamas del infierno.

Aquella manicurista inofensiva, encumbrada a querida de un colaborador íntimo de Somoza, no era más que una acólita de la pérfida Mesalina, y a ella sí había que temerle. Aunque nunca nos habíamos visto, su presencia en mi casa era constante de todos modos, y cuando su voz y la mía se cruzaba al levantar yo el teléfono, me apresuraba en ponerle a mi marido, haciéndome la que no la conocía. Perversa y todo, nunca quiso meterse conmigo y me dejó en paz hasta el día en que por despecho se ensañó contra él, una historia que para qué te la cuento si ya la debes conocer. Entonces yo también sufrí el zarpazo, me suprimieron la fuente de mis negocios pero tenía ahorros suficientes, de modo que no fue lo peor, sino que me quedé sola, abandonada hasta por mis amigas de las mesas de canasta, porque no querían pasar por la vergüenza de intimar con la esposa de alguien acusado de un delito tan rastrero, que además era causa de risas y chacotas en todo Managua. Esa mujer, sería bueno que lo escribas así, fue nuestra ruina y perdición, aunque si algo le debo, por qué no reconocerlo, es que no haya tachado mi nombre de la lista de los escogidos para acompañar a Somoza en su viaje al exilio la madrugada del 17 de julio de 1979. Eran tres aviones los que salieron para Miami, y en el que me tocó a mí, ingratitudes del destino, iba también la manicurista esa, que había logrado regresar a Managua desde Tola libre de culpa, de seguro gracias a favores propios de su condición prestados a los guerrilleros sandinistas.

O quizás no pudo tacharme porque mi papá aún podía protegerme desde la tumba. La noche anterior llegaron a buscarme a mi casa dos agentes de la custodia de Somoza en una camioneta con vidrios polarizados, para llevarme por órdenes suyas al Cementerio General. Mi papá había sido enterrado en la cripta de la Guardia Nacional, muy cerca del viejo Tacho Somoza y su hijo Luis, y cuando llegamos encontré un gran despliegue de tropas alrededor de la cripta. Varios vehículos militares alumbraban con sus focos, y dentro trabajaban unos soldados con picas y barras. «Pirañita», el mismo que había sido utilizado como falso testigo contra mi marido en la pantomima que le montaron, dirigía la operación. Tenía instrucciones de sacar de la cripta los cadáveres de los dos Somoza y también el de mi papá, para librarlos de cualquier vandalismo vengativo. Le hacían esa distinción final y querían que yo estuviera presente. Allí me quedé hasta que el féretro fue subido a la plataforma de un camión militar junto con los otros dos. Esa misma noche, un avión de carga los llevó a Guatemala.

A la pérfida Mesalina la vi al fin por una única vez, y entonces, a pesar de todo, le tuve lástima. Fue en 1980, cuando mataron a Somoza en Paraguay y trajeron el cadáver despedazado para enterrarlo en Miami. El ambiente de la vela en la funeraria Caballero de la pequeña Habana era sofocante y chocarrero, de apretujamiento, enormes coronas de olor descompuesto y flores machacadas en el suelo, y los viejos oficiales de la Guardia Nacional, ya demasiado barrigones unos, y otros que habían llegado a la funeraria sin haber tenido tiempo de quitarse los uniformes de vigilantes nocturnos, que era ahora su trabajo, prometiendo constantemente vengar al «Jefe» y llorando mientras le cantaban «pero sigo siendo el rey...».

Nunca me ha gustado ver muertos, y cuando mi papá pereció al incendiarse el avión de Lanica en la pista de Siuna, me ofrecieron abrir el cajón de zinc donde habían amontonado lo que quedó de él, para que le diera mi despedida antes de que lo trasladaran al féretro, y me negué. Pero a Somoza lo vi, sin querer, porque en aquella aglomeración me fueron empujando, y de pronto, debajo del vidrio del ataúd me encontré con aquella cara zurcida a pedazos que habían maquillado a como mejor pudieron, un torso hundido, mal rellenado, un rosario entre las manos enguantadas que seguramente eran ya postizas, y allí estaba ella, abrazada al ataúd. No hacía más que repetir entre sollozos «papacito, mi papacito», pero alzó de pronto la cara bañada en lágrimas y me miró tras los anteojos oscuros, como pidiendo consuelo, o no sé si me miró o no miraba a nadie, los focos de las arañas del techo reflejados en los anteojos, y de pronto se había olvidado ya de lo que hubiera estado mirando si es que algo miraba, volvía a abrazar el féretro y la marca del rouge de sus labios iba quedando pintada sobre el vidrio que los aparatos de aire acondicionado empezaban ahora a empañar, y Somoza destrozado y zurcido parecía hundirse en aquella niebla hasta borrarse y desaparecer.

Entonces era ella la huérfana y no yo, como sueles tú llamarme a mí.

Segunda parte

«El alma ajena es un bosque sombrío...»
TURGUENIEV, *Nido de hidalgos*

6.

La huérfana no lloraba su partida como hubieran querido las monjas que en formación cerrada, las manos debajo de los mandiles morados, aguardaban al lado del altar de la capilla el momento en que ella subiera a depositar su ramo de azahares artificiales a los pies de la Virgen, mientras la veían repartir abrazos y besos a los invitados que se habían acercado a felicitar a los novios, inclinándose cada vez porque ya se vio que era tan alta, y a ellas, a su turno, vino a repartirles abrazos y besos también, después de depositar el ramo, compungida pero no lo suficiente a pesar de que algunas de las monjas, sobre todo las más viejas, dejaban correr las lágrimas sin amago de secárselas.

A la madre Melaine, que pretendía abrazarla, como en broma le rindió más bien aquella reverencia de adelantar el pie e inclinar el torso que las alumnas le dispensaban al verla acercarse por los corredores, pero al fin cedió al abrazo al momento de recibir de sus manos el estuche con el rosario de pétalos de rosa bendecido en el santuario de Lourdes y que la madre había traído consigo un cuarto de siglo atrás cuando emprendió desde Toulouse su viaje a Nicaragua, y ya con el obsequio en la mano exageró el gesto de no hallar dónde ponerlo, una novia no lleva cartera como parte de su atuendo nupcial, pero lo peor fue su desdén risueño al abrir el estuche, frunciendo muy apenas la nariz que empezaba a brillar de sudor, como si estuviera lleno de caca antigua de gato y no le quedara más remedio que olerlo porque si no era de pésima educación.

Tres días después salió en *Novedades* una crónica firmada por la redactora social Lucrecia Ayón, con foto a tres columnas del momento en que la novia era entregada al pie del altar por el doctor Macario Palacios, presidente del Soberano Congreso Nacional, y no se había citado correctamente en la crónica el apellido del novio, que apareció como Alirio Martínez y no Martinica, ni se había dicho que la modista que confeccionó el traje de la novia, en moaré con aplicaciones de minardí, había sido su propia suegra, Carlota Salamanca, viuda de Martinica, su última labor de costura porque estaba ya enferma de cáncer y murió a los pocos meses. Poca concurrencia, filas enteras de bancas vacías, no había muchos en León a quienes invitar por parte del novio, aunque se hicieron presentes uno que otro compañero de estudios y Ulpiano, Lombroso, Calamandrei con sus respectivas esposas, escasas compañeras de colegio de la huérfana, ya estaban dispersas desde varios años atrás, casadas en sus lugares de origen, o en el extranjero, con hijos, ni siquiera telegramas de felicitación habían mandado algunas porque de todos modos nunca tuvo ella muchas amigas en el internado, por su edad la sentaban aparte en el aula, un pupitre especial delante de la primera fila, y más bien parecía un disfraz en su cuerpo el uniforme, una mujer hecha y derecha de falda escocesa y blusa blanca, tobilleras y zapatos de cordones, además de que existió siempre aquella sombra imperdonable de haber salido de la turbia entraña de un hospicio, aunque el coronel Catalino López la amparara bajo el manto de su dinero, pues en lugar de dos juegos de sábanas, como mandaba el prospecto, tenía cuatro, de la marca americana Fruit of the Loom, y el doble de todo, faldas, blusas, camisones, portabustos, blúmeres, las sábanas, las fundas y las toallas marcadas con el monograma de sus iniciales en La Casa del Bordado de Managua, en su alacena bajo candado una copiosa provisión de sobres de sopas Maggi, tarros de Frescavena, latas de galletas de soda, botellas de salsa de tomate, y guardado debajo de su catre un aro acolchonado para sentarse en la taza del inodoro y no tener así que poner las nalgas donde las ponían las demás.

Admitirla en el colegio había sido una concesión extraordinaria, pues ni siquiera aceptaban hijas naturales, cada niña debía ampararse en la partida de matrimonio eclesiástico de sus padres, no valían los matrimonios civiles, y además, ya tenían una mala experiencia acaecida en Managua con una Alma Nubia Taleno, hija ilegítima del comerciante de abarrotes al mayoreo del mercado San Miguel, Concepción Taleno, caporal de los Frentes Populares Somocistas, aceptada gracias a una solicitud personal del viejo Somoza pero que había terminado fugándose con un músico de arrabales porque las cabras tiran siempre para el monte, según sentencia de madre Francisca, superiora del colegio, aunque años después, cuando madre Melaine vino a recibir en León la solicitud referente a la huérfana de parte de Luis Somoza Debayle, sucesor de su padre, tampoco pudo negarse, tan bromista y bonachón el joven presidente, fue a sacarla de misa la hermana lega, se arrodilló a su lado en el reclinatorio, espantada, la llamaba Luis Somoza, él mismo estaba en el teléfono, le había hablado, le había dicho: Ve, mamitá lindá, andá avisale a Nuestra Madre que quiero hablar con ella, que la llamo yo, decile, ¿en misa?, misas ha oído ya suficientes en su vida, alas hubiera querido madre Melaine para llegar al teléfono, no, cómo iba a fallarle, mas primero era necesario reunir al capítulo, recomendaría el caso con la mayor simpatía, pero esa misma tarde estaba en la puerta del colegio la camioneta del coronel Catalino López, los guardaespaldas regados en la acera, metidos en la sala de recibo, ya habían invadido al locutorio, un trastorno, las niñas asomadas a las puertas de las aulas, el coronel traía de una vez por todas a la huérfana con sus abundantes bártulos, las cajas de comestibles, el aro de inodoro.

Madre Melaine, disgustada pero prudente, lo hizo pasar a su oficina, y ante su suave protesta, haciéndole ver que el capítulo aún no había tomado una decisión formal sobre el caso, el coronel le suplicó que se la tuviera de manera provisional mientras resolvían, es cierto que se acercaba a los veinticinco años pero pedía que le dieran clases especiales si acaso ya era tarde para el bachillerato, clases de asuntos que a ella le fascinaban, redacción y ortografía, versos castellanos, historia antigua y contemporánea, y tal vez piano y bordado, ¿daban en el colegio clases de cocina?, con él no podía seguir, él andaba solamente entre militares, hombres corridos en la vida, oficiales casados pero gozosos de hacerle el daño a la primera que se les pusiera de frente, no, novio no le conocía, pasaba la mayor parte del tiempo encerrada en la casa, bajo vigilancia de las sirvientas, pero cualquier día iba a ocurrir una desgracia, él era un hombre solo, su hogar no tenía gobierno, y en los ojos del gordiflón coronel Catalino López, velados por la neblina de aquellos lentes de grueso aumento, madre Melaine percibió que si algún peligro se cernía sobre la huérfana adulta, que esperaba afuera, sentada en una banca del corredor a que terminara la entrevista, era el coronel mismo, temía amancebarse con ella o ya se había amancebado, según le suplicaban sus ojos cegatos. Y se persignó madre Melaine mentalmente. Suspiró. Y la recibió.

Ya había empezado la fiesta de bodas en los salones de la segunda planta del Club Social, y el compás de la batería, la estridencia de una trompeta, el zumbido del órgano eléctrico, bajaban hacia la plaza, donde se entretenían como siempre en alegre tertulia los choferes de taxi en espera de pasajeros, los vendedores de golosinas, los pregoneros de lotería, acomodados en los asientos y en los espaldares de las bancas de cemento debajo de los laureles de la India primorosamente podados, y quien tuviera ganas y tuviera alas para asomarse por alguna de las ventanas vería las cintas blancas que adornaban el techo pendientes de una campana tejida de minúsculos rombos de papel crepé, vería racimos de chimbombas, blancas también, en las esquinas, vería las mesas cubiertas de manteles almidonados igual que las fundas en el espaldar de las silletas, vería invitados que se despedían temprano, antes del buffet, y otros que se aparecían tarde, como don Adrián y doña Amanda, porque se les había ponchado una llanta a la altura de Nagarote, y en fin, vería en el fondo, lejos del escaso bullicio, a la modista Carlota Salamanca, ya macilenta por las huellas de la enfermedad, a su lado su segundo marido Hipólito Garay, y en la misma mesa la niña Rosa Amelia Baca, la casera descalza, que había llegado a la capilla cargando su regalo, un busto del Corazón de Jesús de yeso empacado en celofán.

Los meseros de chaquetín empezaban a trasponer las bandejas para llevarse más tarde a sus casas los envoltorios de comida porque el buffet de todos modos se estaba quedando entero, y de manera subrepticia le quitaban tajada tras tajada al queque monumental, pero poco parecía importarle todo aquello a la huérfana, ni tampoco que los músicos siguieran tocando llenos de entusiasmo pese a que sólo bailaban unas cuantas parejas desganadas, su afán era más bien no soltarlo de la mano a él, lo paseaba por el salón así no hubiera ya a quién saludar, lo llevaba con frecuencia a la pista, bolero, mambo, cha-cha-chá, lo que fuera lo bailaban muy pegados, el velo y la corona depositados sobre la mesa de honor donde Macario Palacios y su esposa doña Coralia tenían sitio a cada de los novios, aunque en este momento la señora pellizcaba la comida muy sola porque su marido, llamado por Jacinto, se había trasladado a la mesa de los profesores dispuesto a disfrutar un rato con ellos, tanto que su hijo se los afamaba como léperos ingeniosos y sin embargo un fracaso desde el comienzo, Ulpiano recibía su andanada de chistes pecaminosos con una mueca asustada que pretendía ser sonrisa, y los otros dos, Lombroso y Calamandrei, peor que gallinas compradas, entonces, decepcionado, agarró su vaso, medio se despidió de ellos, y trinando de disgusto ante la frialdad concertada de aquellos tres mudos fue a reclamarle a Jacinto, que en un receso de la orquesta platicaba a solas con el novio, mientras la novia departía en la mesa de su suegra, Estos tus maestros, a una vela parece que han venido, ¿lo rechazaban acaso por somocista?, entonces a mucha honra, sin la familia Somoza ya nos hubiera llevado candanga en manos del comunismo, ¿será que seguían resentidos por la carceleada que les dieron?, ¿quién los metía a andar de opositores virulentos?, claro que se cometieron excesos esa vez que balearon de muerte aquí mismo en León al presidente, pero cualquier hijo reacciona de la misma manera, a ese Calamandrei, malagradecido le habían puesto veto en la lista de invitados por no ser socio, tuvo que pelear duro, varias llamadas por teléfono desde Managua al secretario de la directiva del club, sólo aquí en León se les ocurren esas pendejadas de alcurnias, rechazan al tal Calamandrei porque no tiene apellido y admiten a la esposa que sí lo tiene, ella sí podía venir a la boda pero él no, habrase visto, ¿y el otro, Ulpiano?, ¿no le había oído decir a Jacinto que Ulpiano era un correligionario liberal?, y se fue, por fin, a buscar a doña Coralia que seguía sola en la mesa de honor, sin ocultar ya sus bostezos.

—Un fracaso total el acercamiento —dijo Jacinto.

—A esos tres muñecos, cuando andan con sus esposas, parece que se les rompe la cuerda —se había casado de smoking tropical y no dejaba de arreglarse el tieso corbatín rojo.

—Vos aprendé a no tenerle miedo a la tuya, aunque sea más grande, más fuerte y más trancona —dijo Jacinto.

—*Thalamus omnia aequat*, la cama todo lo iguala —el corbatín rojo hacía juego con el clavel de fantasía metido en el ojal, el fajín de tafetán y los tirantes.

—Después me contás cómo se acomoda la huérfana grandotota en la cama —dijo Jacinto.

—Te quedarás con la esperanza —los tirantes rojos, jamás en la vida se hubiera imaginado de tirantes, y el pantalón de casimir negro con la cinta de seda bajando por las costuras de las perneras.

—Si sabe más de una posición, la clásica, no es virgen ni que te lo jure, para eso de fingir las estrecheces se inventó el alumbre, que es inmemorial —dijo Jacinto.

—¡Alumbra, lumbre de alumbre, Luzbel de piedralumbre! —el pantalón de casimir, que tanto le picaba en la entrepierna mojada de sudor.

—Mi papá traía bien ensayado el cuento del cliente del burdel que muerto de sed se bebió de un solo trago el agua de alumbre que la puta manejaba en un vaso para esos menesteres de fingimiento que te digo, y después no podía abrir la boca de tan apretada que le quedó —dijo Jacinto.

—La sábana manchada de sangre, eso sí, te la puedo enseñar de lejos, desde el balcón del Hotel Lacayo —los zapatos de charol de empeine libre, sin cordones y horma en punta, escogidos por la huérfana de un catálogo en La Casa del Lagarto el día que habían ido de compras a Managua en un taxi alquilado, juntos por primera vez al aire libre pero bajo la custodia de una monja guardiana.

—Es lo único que no calza con los fastos de esta boda, esa luna de miel pobretona en el caramanchel del Hotel Lacayo —dijo Jacinto.

—Nada malo tiene nuestro amado y anciano Hotel Lacayo —en los puños de la camisa las mancuernillas, dos reinas de corazones esmaltadas en oro, que la huérfana había salido a encargarle al Orfebre Segismundo, en compañía de otra monja guardiana.

—¿Te parece poco tener que bajar cada vez el bacín para irlo a botar a los excusados comunales? —dijo Jacinto.

—Tantos recuerdos sentimentales, y vos pensando en bacines —en la tienda de Homero Galindo le había comprado calcetines de nylon, camisas sport y de cuello duro, pañuelos, empezaba a vestirlo como rey de copas.

—Más bien hechos presentes que recuerdos, porque seguís viéndote con la pregonera de frutas en ese hotel —dijo Jacinto.

—Por eso no te preocupés, la luna de miel va a tener lugar en otra pieza, suficientemente alejada del lugar de los hechos —el perfume de la huérfana quedaba en las hombreras del smoking junto con la huella suave de su mano de dedos largos, las uñas barnizadas de nácar.

—Tenés que dejarla —dijo Jacinto.

—La misma exigencia del capellán de las monjas cuando me confesó ayer —otro olor distinto el de la Erlinda, un olor agrio de frutas ya pasadas entre los pechos, un olor de vinagre de guineos en los sobacos.

—No me digás que te la vas a llevar a Managua —dijo Jacinto.

—A quién perjudica que le ponga una pulpería en un barrio apartado, donde no moleste —el olor a Glostora disipándose en el pelo lacio y largo tendido sobre los hombros, un pelo como de crin, y después sólo el aroma neutro de aceite de máquina de coser.

—Te estás metiendo en camisas de once varas —dijo Jacinto.

—De todos modos su traslado no puede ser de un día para otro, ya le advertí que se espere —el sudor que huele a frutas corrompidas empozado en el arranque de las nalgas firmes color de níspero, su mano que entra buscando la oscuridad húmeda, y ella que de espaldas en la cama revuelve la melena como en un sueño inquieto.

—No te atrasés en ponerle de una vez la pulpería, degenerado, ya la huérfana tiene cuenta propia en el Banco Nacional, con un buen depósito de apertura —dijo Jacinto.

—Todo se gastó en esta fiesta opulenta —ella se da vuelta boca arriba y lo miran encendidos sus ojos de diabla mansa, la risa en la boca untada de carmín barato.

—Y trabajo que le costó a mi papá el permiso para usar el club sin ser vos socio, peor tu caso que el de Calamandrei —dijo Jacinto.

—Capricho de la huérfana, no mío —la boca que le embarra el pecho de aquel carmín sanguinolento, la lengua candente que va mojándolo de saliva y se demora en el ombligo, entretenida en escarbar.

—Tal vez si con una cirugía plástica le quitan lo trompudo a Calamandrei, podrían levantarle la veda y dejarlo que asista al club con su esposa cuantas veces quiera —dijo Jacinto.

—Ni el sabio Debayle hubiera sido capaz de cambiarle esos rasgos propios de la heroica raza indígena de Subtiava —los pechos que le cuelgan pesados ahora que busca ponerse a horcajadas se cubren de pronto de semen, y afloja entonces el cuerpo con desengaño.

—Qué vaina con mi papá, volvió a levantarse de la mesa de honor y anda como papalote sin cola —dijo Jacinto.

—Llevváselo a don Adrián, tal vez se interesa en el tema del nuevo jabón de bola —disgustada va hasta el aguamanil a lavarse los pechos, se envuelve en la toalla y se asoma al balcón.

—Va a ser otro fracaso, a don Adrián, caballero del Santísimo, no le va a gustar el cuento del alumbre —dijo Jacinto.

—Tenés razón, y no vaya a ser, además, que le pregunte por Ignacio —desnudo la sigue hasta el balcón encendido con una luz de fragua, la despoja de la toalla y la abraza por detrás, metiendo la nariz dentro de su pelo brilloso de Glostora.

—Como si hubiera nacido ayer mi papá para andar con imprudencias, ya sabe que Ignacio se fue clandestino —dijo Jacinto.

—¿Cómo lo sabe? —el mar retumba a lo lejos en la tarde desierta de bañistas y él la suelta de su abrazo, la empuja por los hombros para que se agache y le pide al oído que aparte las piernas.

—Si es algo que se va a quedar entre los dos, te cuento —dijo Jacinto.

—Mañana mismo salen en La Prensa mis declaraciones al respecto —ella no quiere, puja con enfado, aunque separa al fin los talones escurriéndolos sobre la fina capa de arena que el viento sigue llevando hasta la tarima del balcón y se dobla ante la presión de sus manos en los omóplatos.

—Manitos de Seda le comentó que muchachos de familias principales se están empezando a ir a la guerrilla, pero que ni modo, las balas no pueden ir rotuladas —dijo Jacinto.

—Y mencionó a Ignacio —quiere que se agache más, que se abra más, la abraza ahora por la cintura para atraerla hacia sí, pero ella de pronto se resiste otra vez, y se zafa del abrazo.

—«Allí anda ya un compañero de estudios de tu hijo, de los Corral de Granada, después que no se quejen», le dijo —dijo Jacinto.

—¿Sabe Manitos de Seda que Ignacio dejó una carta? —se vuelve con un gruñido, se cubre los ojos bajo el brazo y abate la cabeza, y al sacudir la cabellera lacia se agitan los pechos morenos que le parecen ahora más grandes, como más grande le parece la aureola violeta de los pezones.

—¿Una carta para quién? —dijo Jacinto.

—Para doña Amanda, el día que fui a Granada a dejarles la invitación, me la enseñó —sigue mirando las nalgas firmes, renegridas, ahora que ella se está poniendo el blúmer rosado de basto tejido de algodón.

—¿Qué dice la carta? —dijo Jacinto.

—Menciona el incidente aquel del reloj que le robó el muchachito lustrador, te acordás —«Los vicios equivocados de la carne guardan relación permanente con las nalgas, y quienes los practican vienen a dividirse en dos categorías», explicaba Ulpiano en la rueda de cantina.

—Me acuerdo, perseguimos al niño, lo alcanzamos entrando a una cuartería allá por el Calvario —dijo Jacinto.

—Lo que más lo golpeó fue que la abuela, siendo tan pobre, además fuera ciega —«la categoría de los pasivos, y la categoría de los activos...».

—Cuando le propuse que fuéramos a llamar a la policía, se indignó —dijo Jacinto.

—Aquel cuadro de miseria le recordó un deber pendiente que ya no podía seguir posponiendo, pone en la carta —«y para mejor claridad del concepto: cochones y cochoneros, los cochones de espaldas, en posición supina, y los cochoneros de frente, lanza en ristre, tomando siempre en cuenta que la palabra cochón deriva del francés cochon, cerdo...».

—Nada distinto de lo que nos vivía predicando en los últimos tiempos —dijo Jacinto.

—Y que ahora se había pasado a dormir al suelo, dejando la cama —«los que prestan y los que piden prestado...».

—¿Y ese disparate? —dijo Jacinto.

—Porque mientras los peones siguieran durmiendo en el suelo y tanto pobre no tuviera cama, él consideraba indigno acostarse en un colchón —«los mamploras machos y los mamploras hembras, tomando siempre en cuenta que la palabra mamplora, mi flor, deriva del francés ma fleur...».

—Los primitivos cristianos sin más túnica que la que andaban puesta, y pendejadas semejantes —dijo Jacinto.

—Si Ignacio se te apareciera de pronto, así clandestino como anda, ¿vos qué harías? —«en todo caso, muchachos, tomen nota de que el peligro empieza por las nalgas».

—Me cagaría de miedo —dijo Jacinto.

Van a ser las cuatro de la tarde y en el patio hay un receso hondo de las voces porque están escuchando con atención a alguien que cuenta un asunto gracioso, y de pronto le responden con risas, unas risas en coro que son como un amago de lluvia. Nicodemo se ha detenido a revisar las hojas mecanografiadas que tiene frente a sí, los brazos un tanto encogidos, separados de la mesa, el bolígrafo suspendido, en la inminencia de que pronto todo va a continuar otra vez, y alzando la vista mientras repone el bolígrafo en el bolsillo, mira al reo, y dice: Quisiera pedirte que ampliaras el incidente del robo del reloj. Y él, no sabe por qué, rebaja tanto la voz que la compañera Judith estira el cuello para ponerle oído y termina diciendo que nada se le escucha. ¿Es que acaso no fue suficiente el almuerzo, doctor, que se le nota tan debilitado?, dice Manco-Cápac, y él sonríe, dócil a la broma.

Estudiábamos para un examen de derecho civil, antes de la hora del almuerzo, cuando un niño de oficio lustrador, que andaría tal vez en los siete años, metió la cabeza entreabriendo la celosía, preguntó si teníamos zapatos que lustrar, se le dijo que no, entró de todos modos, y tras dejar su caja en el suelo se quedó jugando en el piso con algo que sacó de la bolsa de la camisa desgarrada, un carrito fabricado con unas garruchas de hilo y una lata de sardinas vacía, pero en lo que nos descuidamos, llegó gateando hasta la mesita donde Ignacio tenía sus libros, encima estaba el reloj de pulsera, regalo de cumpleaños de su papá, lo arrebató, y ya en la huida pasó recogiendo su caja para desbocarse contra la celosía, que aún se bamboleaba cuando salimos tras su coletazo gritándole que se detuviera mientras se alejaba como un lince por las calles a pesar de que cargaba al hombro la caja de lustrar, y al fin, tras muchas cuadras persiguiéndolo, divisamos que entraba en una cuartería cercana a la iglesia del Calvario, nos metimos detrás de él por la rendija estrecha de un portón trancado con una piedra y de pronto nos encontramos en la oscurana de una cueva en pleno mediodía, sofocados por el tufo a humo de candil y a letrina teníamos que ir tanteando para adivinar las paredes desconchadas y los huecos de las puertas a cada lado del pasadizo de tierra, ya bien atrás la rendija del portón como un leño a punto de apagarse, nos detuvimos, desorientados, pero más allá oímos que golpeaban a una puerta, y la voz del niño pidiendo casi en secreto que le abrieran, llegó Jacinto primero, guiándose por aquel hilo de voz, y lo cogió por el brazo, sacudiéndolo, que devolviera el reloj que se había robado, se lo decía en voz baja, como si temiera despertar a alguien, y entonces, porque ya estábamos acostumbrando los ojos a la penumbra, distinguimos que frente a la puerta entreabierta estaba una anciana de gordura vaciada balanceándose sobre unos grandes pies cubiertos de polvo como una muñeca sin gobierno, las manos por delante, los ojos nublados como huevos cocidos, el balandrán de manta que le llegaba a los tobillos sucio de restos de comida, manchas de contil, tal vez de excrementos, y el niño, refugiado detrás de la anciana, asomaba a ratos la cabeza mientras se repetían los reclamos de Jacinto, el reloj, un reloj robado, un reloj caro, un regalo de cumpleaños, y ella suspiró como si le faltara el aire. Lloraba. Mi nieto, no tiene padre ni madre, debe ser alguna equivocación de ustedes, yo no lo mando a robar a las calles, decía, pero mientras, tanteando, halló la cabeza del niño y lo agarró firmemente por el pelo, si es cierto que robó, muy jodido, entregue lo ajeno, y entonces el niño extendió la mano con el puño cerrado, lo abrió, sólo quedaban el vidrio de la carátula y unas cuantas piezas sueltas, ruedas dentadas, bielas, resortes, nada de esto sirve, decía Jacinto, y la anciana, sin soltar al niño del pelo, preguntaba, ansiosa, qué ocurría, ¿arruinado el reloj?, hecho pedazos, las ganas de hacer el daño, habría que ir a llamar a un policía al parque de San Juan, seguía Jacinto, y entonces la anciana había soltado al niño del pelo y ahora más bien lo protegía en un abrazo estrecho inclinada sobre él, yo pago el reloj, con qué les pago, Ignacio se iba ya sin decir nada, lo siguieron ellos dos, salieron a la calle donde el mediodía de pronto los deslumbraba, puro teatro, había dicho Jacinto, la misma vieja ciega lo manda a robar, pero Ignacio parpadeaba como transfigurado, ¿Se dan cuenta?, nunca llegué a imaginarme que existiera un lugar como éste, una tumba de enterrados vivos, un botadero de gente, gente como nosotros, y Jacinto insistía, Ése es un ardid, la vieja tiene instruido al nieto de que destruya el cuerpo del delito si lo persiguen, ya Ignacio riéndose, No seás salvaje, qué banda profesional de ladrones, una anciana ciega y su nieto, los ladrones verdaderos están arriba, en los puestos públicos, Si te estás refiriendo a mi papá, aclarámelo, decía Jacinto, y ya también se estaba riendo.

¿Sostuvo en ese momento el compañero Igor que ante ese tipo de situaciones se hacía necesaria la violencia de clase para que viniera un gobierno de corte popular y ya no existieran ni pocilgas insalubres como aquélla, ni menores de edad trabajando en las calles, ni ancianas ciegas abandonadas?, pregunta Manco-Cápac leyendo de las anotaciones que recién termina de hacer en un cuaderno escolar cuadriculado. Tal vez no con esas mismas palabras, afirma el reo, pero pudo haberlo expresado de manera parecida. Nicodemo espera un tanto impaciente por alguna pregunta adicional de parte de Manco-Cápac, y no habiéndola, dice que quiere pasar a otro asunto que desde ya advierte no es relevante: ¿La esposa del reo visitó alguna vez la finca Santa Lorena? Nunca, le repugnaba el olor a boñiga de vaca, y tampoco le llamaba la atención el mar, no le gustaba asolearse. A pesar de que le pusiste su nombre a la propiedad. A pesar de eso. Sería por no encontrarse con su rival, doctor, dice Manco-Cápac, que ahora se sopla la barba sudorosa con el cuaderno escolar, la mirada distraída en el cielo raso donde las sombras de humedad, unas más oscuras que otras, semejan nubes amontonadas. No cree que su esposa conociera esa relación, afirma el reo, y de conocerla, no le habría dado mayor importancia. ¿Qué lo hace pensar así?, quiere saber la compañera Judith.

Una tarde de comienzos de 1965, recién trasladados a la residencia de Bolonia, ojeaba un número de *Ecrán* echado en el sofá de la sala, mientras la huérfana jugaba póker con sus amigas alrededor de una mesa de sobre de cristal apartada entre los helechos del jardín, y a través de la puerta corrediza de vidrio, que mantenía entreabierta, las oía contar historias propias y ajenas entre estallidos de risa, despreocupadas de la presencia del barman que les servía té frío en grandes copas como floreros y cocteles adornados con miniaturas de sombrillas japonesas, volvían ellas a las confidencias y a las risas, repasaba él la revista, se entretenía en las fotos, se descuidaba a retazos de la plática, pero apenas la voz de la huérfana vino a destacarse entre todas diciendo que consideraba natural en los hombres casados las aventuras con otras mujeres, ya estaba de pronto de pie, apartando apenas la cortina que el aire tibio del jardín esponjaba, divisó al grupo más allá de la piscina donde flotaban, muertas, las hojas de los mangos, y la divisó a ella, de perfil, que seguía hablando con desdén de las infidelidades maritales, acercaba los ojos un tanto bizcos al abanico de cartas, una gracia suya hablar con los ojos encontrados, tenso el cabello recogido en una moña perfectamente ajustada en la nuca, casi tenues las cicatrices del acné en las mejillas, y aunque faltaba todavía para que apareciera en su vida la Yadira Marenco, no se le ocurrió pensar que le estuviera otorgando ninguna patente de corso, se suponía que él no estaba escuchándola, y además, era imposible poner a prueba la libertad que le ofrecía delante de sus amigas, juntos se iban todas las noches a las ruletas del malecón y juntos regresaban de madrugada, dormían hasta muy tarde y la hora del desayuno venía a ser la del almuerzo, un desorden gozoso en sus vidas, y comodidades a domicilio ya no se diga, el barman particular, un barbero del Gran Hotel llegaba a rasurarlo, el propio dueño de los Mejores Trajes Gómez se presentaba a tomarle las medidas, de manera que nunca se le hubiera ocurrido alejarse solo más allá de la puerta, porque en la calle se hubiera sentido como un niño extraviado.

¿Y la idea aquella de traerse a vivir a Managua a la pregonera de frutas de León no calzaba en las palabras de su esposa?, pregunta Manco-Cápac. Esa idea había fenecido hacía tiempos porque Macario Palacios lo llamó al orden pocas semanas después del matrimonio, cuando aún vivían en una de las viejas casas de alquiler del coronel Catalino López en el barrio San Antonio, lo invitó a almorzar al Club Managua, buscó una mesa apartada con vista al lago, y apenas se sentaron, mientras extendía a sacudidas la servilleta almidonada para colocársela sobre los muslos, había empezado de una sola vez: Vamos a lo que vamos, mi querido doctor, quien bien lo quiere, bien lo arrienda, y aquí no se trata de andarse por veredas, me comentó Jacinto antes de irse para Chicago a sus estudios de postgrado, la plática que tuvieron el día del casamiento, y no se me vaya a disgustar con él, si tomó la iniciativa de comunicarme esos planes suyos es porque se siente preocupado por usted, y vea bien, doña Lorena me ha pedido que yo siga administrando los bienes de su herencia, que cobre las rentas, que me entienda con los bancos, y que nada más le mantenga dinero suficiente en la chequera, favor al que estoy dispuesto mientras ella no dé contraorden, por el cariño que le tuve a su papá, un militar a carta cabal, por el cariño que le tengo a ella, si fui yo quien la llevó al altar, y por el cariño que le tengo a usted como cofrade que es de mi hijo, razones suficientes porque en esto yo no me echo un solo centavo a la bolsa según va a poder ver en los informes contables que estoy seguro ella le va a enseñar, allí se va a dar cuenta que tienen plata los dos para vivir con mucha holgura y darse los gustos que quieran pero sin abusar, sin meter demasiada mano a la chequera porque tampoco se trata de una tinaja sin fondo, y aquí viene el punto, doctor, no quiero ser chocante, pero cualquier muchacho de su edad, sin fortuna propia, hijo de una madre viuda que lo educó con tanto esfuerzo cosiendo vestidos ajenos, de su padre mejor no opino, creo que se equivocó por completo y eso le costó lo que le costó, cualquier muchacho así, le digo, debe considerar que se sacó el premio gordo de la Lotería Nacional de Beneficencia, ¿qué gana, entonces, con torear la suerte?, la chequera va a seguir estando en manos de ella, bajo su única firma, y quiero confesarle, muy sinceramente, que ése es un consejo sano que yo le he dado, de manera que cualquier desliz suyo, cualquier mal paso, puede significar que vuelva usted a la indigencia, porque no hay peor cosa que herir el orgullo de una recién casada, y sobre todo, afrentándola con una mujer de baja condición, ¿se imagina qué agravio más fatal?, y si esa recién casada, además, es dueña de la chequera mágica, y el marido no puede firmar en esa chequera, haga usted sus cuentas, y un último consejo, tenga mujeres después, pero que valgan la pena, yo no he sido ningún dechado de virtudes en mi vida y por lo tanto no doy consejos hipócritas, pero tómese aunque sea un tiempo, jodido, no le vaya a ensuciar el agua del pozo a su señora metiendo el hocico como los chanchos, apenas acabados de casar, y ahora vamos a ordenar la comida que se me hace tarde, tengo sesión en la cámara y yo, si no duermo aunque sea un ratito después de almorzar, ya paso la tarde como sonámbulo.

Quisiera saber cómo fue que se metieron tan recio con el juego de ruleta, dice Manco-Cápac, ¿es cierto eso de que su señora se entrenó desde niña en la escuelita donde el coronel Catalino López instruía a sus cuadrillas de tahúres? En la mesa del jardín había empezado con las rondas de canasta, haciéndose la mansa, después fue metiendo a sus socias en los laberintos del póker, que bien conocía, hasta que las envició, acostumbrándolas a apostar fuerte, pero al poco tiempo, sin abandonar su diversión de las tardes con los naipes, se dedicó en las noches a la ruleta, porque es cierto, gracias a la familiaridad adquirida en su infancia con los juegos de azar, conocía los secretos y mañas del oficio de los tahúres, no sólo en el póker, sino también en la ruleta, la fuerza calculada del impulso que debe darse a la rueda al ponerla a girar para que se detenga donde mejor conviene, y las miradas de entendimiento entre el croupier y el ruletero.

Él primero nada más la acompañaba, viéndola apostar, un tanto aburrido, luego tomaba de vez en cuando una ficha de baja denominación para depositarla sobre un número en el tapete, como probando apenas, con desgano pero con cierta curiosidad, y si ganaba, ponía una ficha más alta, así se fue aficionando, y muy pronto, en cosa de semanas, estaba enviciado, apostaba fuerte, ganaba, perdía, quedaba a veces tabla, enviciado ya junto con ella a tal punto que comenzaba a amanecer sobre el lago y quedaban los dos solos en la mesa de ruleta frente al croupier, el guachimán cabeceando de sueño, apoyado en el rastrillo, el guardián de la banca con las manos sobre el cofre de las fichas y los billetes esperando que ellos se decidieran a su apuesta final para irse a entregarle cuentas a Moncho Bonilla, el dueño del garito, que desayunaba sobre el tapete verde de una de las mesas de dados, y de vuelta en la residencia de Bolonia, ya con la luz del día, quería dormirse y era imposible, los números pintados en el tapete ahulado iban y venían por su cabeza, la ruleta dando vueltas sin fin en su desvelo.

Y una tarde en que se hallaba en la piscina, con el agua al pecho, y el barman le había dejado un daiquirí en la losa del borde junto con una bandeja de cubitos de queso gouda en palillos festoneados, apareció de manera imprevista Macario Palacios, el maletín de cuero bajo la axila, y ya alzaba el vaso en señal de saludo e iba a preguntarle si quería algo de beber cuando viniendo de su dormitorio salió la huérfana en bata de baño, la toalla enrollada en la cabeza, como un turbante, los pies metidos en unas chinelas afelpadas, y los vio desaparecer rumbo al despacho que en los planos había sido previsto para él, amoblado con un gran escritorio metálico y estantes de caoba llenos de tomos jurídicos pedidos a México y a España, una colección encuadernada del Boletín Judicial, otra de La Gaceta, en una mesa de rodillos una máquina de escribir eléctrica bajo su funda, y en una pared, que sólo lucía las cabezas de los clavos, el sitio de honor donde iba a colgar sus títulos, pero la verdad es que nunca volvió a León para presentar su examen privado, hacía el esfuerzo vano de ponerse a estudiar y de inmediato lo dominaba la morriña, fracasaba en sobreponerse al vicio de la lectura de revistas que compraba por brazadas en el Book Nook, no sólo *Ecrán*, donde venían las vidas de las estrellas de cine, también *Vanidades* y *Romances*, lo más serio que pasaba por sus manos era *Visión Internacional*, mientras tanto la huérfana seguía entregada a novelas de autores como Giovanni Papini, Blasco Ibáñez y Curzio Malaparte, siempre llevaba un libro de esos, forrado en papel kraft, para leerlo debajo de la secadora de pelo en los salones de belleza.

Salieron tras largo rato de su encerrona y se quedaron todavía unos momentos en el jardín, el gesto de Macario Palacios sombrío, ella asintiendo con los brazos cruzados por delante como si le hablaran de un enfermo grave, pero no se atrevió a acercarse porque si algo sentía era pudor ante los asuntos del dinero de su esposa, ya sabía que no podía tocar la chequera ni tampoco nunca lo había invitado ella a ver los informes del contador, que guardaba en su clóset en una caja manual de caudales, y por fin Macario Palacios desapareció rumbo a la calle, oyó después el portazo cuando la huérfana entraba a su dormitorio, y metido en el agua clorinada, que se volvía cada vez más fría hasta causarle repelos, se sintió triste y pendejo, por lo que se salió, y tras largo rato de haberse tendido sobre la toalla en la perezosa, vino ella por fin a sentarse en el borde, había problemitas, esos informes del contador, debió haberles puesto atención desde antes, y la ruleta, Macario Palacios estaba furioso, parecían unos muchachitos, doscientos cuarenta mil córdobas perdidos en cuatro meses, demasiado para diversión, iba a ser necesario vender las casas de alquiler vecinas en el barrio de San Antonio, una de las dos aquella donde habían vivido recién casados, las querían los compradores para botarlas y poner un parqueo, una gasolinera, no había entendido muy bien, ya tenía ella en la mano un margarita que el barman le había traído, pasaba la lengua por la escarcha de sal en el filo de la copa, vamos a tener que refrenarnos, mi amor, ir mejor al cine, pero los dos sabían que eso no era cierto, esa noche volvieron al malecón, ganaron que dio miedo, y por más de una semana entera se pasaron reventando la ruleta al punto que Moncho Bonilla les pidió tregua.

Fue cuando compraron el Chevrolet Impala aerodinámico, último modelo, porque él quería desde hacía tiempos tener un carro como aquel de

Jacinto y la huérfana le dio gusto a condición de que la dejara escoger el color, plateado eléctrico, toldo negro, un carro que recién estrenado fue ella a estrellar contra un guanacaste, a la salida de Diriamba, una medianoche que regresaban de jugar en las ruletas para las fechas de las fiestas patronales de San Sebastián, sufrieron heridas y golpes leves, la huérfana una cortadura en la ceja izquierda que sangró mucho y un codo lastimado que necesitó radiografía, no iba bebida ni nada, se les había cruzado un niño corriendo detrás de un aro de bicicleta, algo inusitado a aquella alta hora, y al frenar el carro se salió de la carretera, pero lo que Macario Palacios nunca les llegó a perdonar, y se lo dijo la vez que él se presentó, ya derrotado y sin un real en la bolsa a solicitarle apoyo para conseguir trabajo en el gobierno, fue que dejaran botado ese carro en el mismo lugar del accidente, allí pasó meses, destripado bajo el guanacaste, la gente empezó a carnearlo, primero las llantas de banda blanca, luego los faros, los vidrios del parabrisas, los asientos de cuero, el motor que sacaron con un tecle, hasta que sólo el chasis herrumbrado quedó escondido entre el zacate, por qué ese olvido, esa desidia, no podría contestarlo ahora, como tampoco pudo entonces darle una respuesta satisfactoria a Macario Palacios, que a punto de firmarle la carta de recomendación para Manitos de Seda no dejaba de mover la cabeza desconsolado, incrédulo aún ante aquel suceso que había servido como vaticinio de la ruina final, pues a partir de allí fue como si el viento del infortunio se colara por una casa en pampas llena de goteras, empezaron a perder, ya sin parar nunca, y así todo llegó a su fin un amanecer con unas pocas líneas trazadas por la mano de la huérfana en la hoja arrancada al cuaderno en que el guardián de la banca llevaba sus cuentas de caja *vale por una finca de café de treinta manzanas en Catarina, con casa para el cuidador, árboles frutales y un pozo, agosto 7, 1968*, todo en la presencia de Moncho Bonilla, que había acudido masticando el bocado de huevos perdidos del desayuno, el pocillo de café en la mano, y al subir el sol la ruleta de pedestal se había llevado, vuelta tras vuelta, la propiedad que más quiso en su vida el coronel Catalino López.

La compañera Judith demora los golpes sobre las teclas, con tedio, mientras Nicodemo parece haberse dormido porque conserva la cabeza baja, los ojos cerrados, pero tose de pronto, un largo acceso de tos que lo hace levantarse, camina por el aula, y cuando se le oye hablar desde lejos, cerca de la ventana, otra vez la máquina de escribir se desboca: ¿Te sentís agradecido con Macario Palacios? Motivos de agradecimiento claro que tiene, responde el reo, porque siempre encontró su apoyo, sobre todo esa vez que llegó a solicitarle la recomendación para un puesto en el gobierno, aunque fuera de mecanógrafo, y pese a sus reclamos malhumorados le dio la carta dirigida a Manitos de Seda, seguramente muy elogiosa, pues, para su sorpresa, fue nombrado oficial mayor, un puesto de confianza.

Que si siente igual agradecimiento para con su hijo Jacinto Palacios, pregunta Nicodemo. Que no puede afirmar lo mismo, pues la relación entre ambos llegó a volverse distante, sin saber el reo a qué atribuirlo. Sería porque Jacinto Palacios había subido como la espuma desde que volvió graduado de la Universidad de Chicago a finales de 1966, con un master en finanzas, directo a encabezar el grupo de los Minifaldas, organizado para respaldar la candidatura presidencial de Somoza, y por celos lo llegaste a ver como tu rival, dice Nicodemo. ¿Qué es eso de los Minifaldas?, se interesa la compañera Judith, y deja reposar los dedos sobre las teclas. Como estaban de moda las minifaldas en las calles de Managua, les pusieron ese nombre porque ellos venían a ser también una novedad, le explica desde lejos Nicodemo, proclamaban la transformación capitalista del país, con el duro de la familia por fin como presidente, mientras ellos, graduados todos en Estados Unidos, se hacían cargo, muy diligentes, del engranaje tecnocrático, progreso con puño de hierro, y desde entonces Jacinto Palacios, el muchacho maravilla, ocupó, uno tras otro, los cargos clave en el área económica.

Nicodemo habla con pausas suficientes para que aquella explicación sea copiada, pero la compañera Judith, aunque lo sigue muy atenta, mantiene los dedos inmóviles sobre las teclas, y es hasta que lo oye dirigirse al reo que empieza a escribir de nuevo: ¿Te molestaba que Jacinto Palacios gozara ya de la intimidad del dictador cuando apareciste por la puerta de atrás, nombrado su secretario privado? No, Jacinto Palacios no gozaba de esa intimidad cuando yo llegué a la Loma de Tiscapa, era un funcionario importante, pero no un íntimo de Somoza, dice él. A ver, explicate mejor. Mucho lo perjudicaba su afición a robar cámara, a dar fiestas sonadas, o peor, hacer que se las dieran a él, algo que le disgustaba en el alma a Somoza, y no pocas veces hizo planes de sacárselo de encima mandándolo lejos, con algún cargo diplomático. Esa explicación que me estás dando no me convence, Somoza no dejaba de alabarlo en sus discursos, lo condecoró por haber propuesto el sistema aquel de silos de lata para acopiar las cosechas de granos de los pequeños productores, te acordás que el pueblo comenzó a llamar con sorna «los paniquines vacíos» a esos silos porque nunca funcionaron, aunque bien visto, la idea no era mala, lo malo era el sistema corrupto de Somoza, de modo que te pregunto, ¿a qué se debió la marginación en que acabó Jacinto Palacios? Tras reflexionar unos momentos, el reo expresa que según su entender, la causa principal de ese hecho estuvo en la fidelidad terca que Jacinto Palacio le profesó siempre a la Primera Dama, Hope de Somoza, cuyo bando era cada vez más débil, mientras tanto crecía el bando de la pérfida Mesalina, razón por la cual, en su calidad de amigos de toda la vida que habían sido, le hizo ver en no pocas ocasiones el error que estaba cometiendo, y sobre todo, que debía renunciar al cargo de tesorero del Comité Pro Construcción del Teatro Nacional Rubén Darío, obra cumbre de la Primera Dama que la pérfida Mesalina trató de boicotear a cada paso, con sus influencias en la aduana, por ejemplo, para que atrasaran el aforo de los numerosos contenedores que traían materiales y equipos de tramoya, electricidad, ventilación, sonido, luminotecnia, butacas, cortinajes y decorados, y por último, ya ante lo inevitable, quiso deslucir el concierto de inauguración. Sin embargo Somoza asistió a ese concierto, dice Nicodemo. Por razones de protocolo tenía que hacerse presente, y también los ministros por fuerza del mismo protocolo, pero en la recepción de gala que siguió en el foyer no permaneció más que unos momentos, y al desaparecer, quedaron excusados los ministros, que se fueron detrás de su caravana a la mansión de la otra, donde había preparada una fiesta con la actuación de Miguel Aceves Mejía y el mariachi Garibaldi, más de cuarenta músicos transportados desde México a fin de opacar a la soprano española que había cantado en la función inaugural, Victoria de los Ángeles cree que se llamaba.

Decime una cosa, se acerca, sin prisa, Nicodemo, con las manos en los bolsillos: la celada esa del pasquín, con los nombres y datos de los amantes de la pérfida Mesalina, ¿se la tendiste vos a Manitos de Seda? El reo guarda silencio, mira hacia el piso y luego dice: Puedo explicar las razones que tuve. No tenés que explicar nada, bonito estaría ponerse a oír aquí descargos sobre trampas en contra de Manitos de Seda, a mí qué me importa. Manitos de Seda le había pasado a Somoza la pistola con que mató a mi padre. Pero eso es algo que entonces vos no sabías, según has declarado aquí mismo, así que no me vengás con cuentos, le preparaste la celada para que te quedara debiendo el favor de sacarlo de esa misma celada, y al mismo tiempo, para que la pérfida Mesalina supiera que si volvía contrito a comer de su mano, era gracias a vos, no le gustaba que nadie la despreciara, ni siquiera sus amantes descartados, pero te hago otra pregunta: ¿no será que vos mismo fuiste parte principal de la intriga que le hizo perder a Jacinto Palacios el favor del tirano? Eso es absolutamente falso. Esperame a que termine: ¿no será que vos mismo lo animaste a mantenerse en el bando de la esposa de Somoza, mientras, por el otro lado, corrías a informarle a la pérfida Mesalina que tu amigo del alma no tenía remedio? Eso también es falso. ¿Te pidió ella que lo convencieras de dejar el bando de la Hope de Somoza? No lo recuerdo bien. ¿Te lo pidió, o no te lo pidió? Pudo habérmelo pedido, a lo mejor. Fracasó en reclutarlo y pasó tiempos con la espina de esa rebeldía clavada, porque el teatro se inauguró en diciembre de 1971, y a Jacinto Palacios no lo destituyeron del cargo de presidente del Infonac sino en octubre de 1972, poco antes del terremoto, como resultado de un plan urdido entre ella y vos. No sé de qué plan me habla, comandante.

Nicodemo se restriega de tal manera las guedejas del mentón, que parece como si fuera a arrancárselas, y se coloca frente a él. El hecho de que su genio estrella hubiera permanecido en el bando equivocado, no le parecía a Somoza razón suficiente para sacarlo del gobierno, cuando además le aseguraba desde el Infonac préstamos fraudulentos para sus negocios y era bien visto por la embajada americana. De eso no sé nada, comandante. Así que, confabulado con ella, le informaste a Somoza que Jacinto Palacios le mandaba canastas de rosas rojas todos los días, con tarjetas perfumadas, un cambio abrupto, de adversario jurado a enamorado rendido, y cuando Somoza ordenó investigar, interceptaron una de esas canastas, se puso hecho una fiera, firmó de inmediato el decreto de destitución que preparaste y se fue a buscarla, la sacó de la piscina agarrada del pelo, la golpeó en la cara y le dejó un gran hematoma en el ojo, fijate qué clase de levadura la de esa mujer, dispuesta a aguantar una apaleada con tal de desquitarse de Jacinto Palacios. Le insisto en que de eso no sé nada, comandante. Sí que sabés, a Somoza no se le ocurrió llevar sus investigaciones a la floristería, allí hubiera hallado tus huellas, y tampoco la OSN quiso profundizar, los Minifaldas les caían mal a los oficiales de la guardia porque los veían como advenedizos y demasiado presumidos.

Nicodemo rodea la mesa del tribunal, y apoya las manos en el respaldo de su asiento: Sólo la intervención de Macario Palacios, que llegó al búnker, ya en silla de ruedas, a implorarle al tirano, impidió que su hijo fuera llevado a los tribunales, algo también fraguado por la pérfida Mesalina y por vos, una acusación de fraude por aprovecharse de préstamos garantizados con maquinarias industriales de descarte presentadas como si fueran nuevas, no digo que eso no fuera verdad, es lo que vivía haciendo también a favor de Somoza, pero esa vez los documentos de prueba aparecieron completos, por obra tuya, en manos del propio Somoza, que los necesitaba para justificar el juicio delante de la embajada americana. Eso no calza, comandante. ¿Qué es lo que no calza? Al dejar el Infonac, Jacinto Palacios fue nombrado en otro cargo público. ¿Qué cargo le dieron? Director General de Presupuesto. Un mero cargo administrativo, y eso porque Somoza se apiadó de Macario Palacios, ¿no es cierto que entró esa vez diciéndole: «Yo te cargué en mis brazos, vos me orinabas cuando eras un tierno, no me metás en la cárcel a mi hijo, dámele más bien una escalera para que se baje callado»? Es cierto, reconoce el reo, se apiadó de él. Esa fiesta, a la que nosotros entramos sin estar invitados, fue una pretensión de demostrar que todavía seguía en el juego aunque vos ya lo habías sacado, te acordás de esa fiesta. Me acuerdo, comandante. Vos y yo hablamos esa vez por teléfono. Me acuerdo también. Te metiste a llamar por tu cuenta, nadie te había autorizado. Fue un impulso mío, comandante. ¿Llamaste porque buscabas salvarle la vida a Jacinto Palacios o para saber si ya lo habíamos matado? Porque buscaba salvarlo. Lo querías, en el fondo. Lo quería, en el fondo. Sos contradictorio vos. Todos somos contradictorios, comandante. Querías verlo hundido, pero no muerto. Yo no tenía todo ese poder de hundir a nadie que usted me atribuye, comandante. Tenías ese poder y más. Ya ve que usted mismo se engañó conmigo esa vez del asalto, creyendo que yo tenía poder de negociación para liberar a los rehenes. En eso, pero en lo demás, eras como la sombra de la pérfida Mesalina, su mano derecha y su sombra. Usted exagera, comandante. No exagero, y dejame decirte que la trama de las rosas rojas nos causó siempre mucha risa, se ve que no habías perdido tu malicia de los tiempos universitarios.

La compañera Judith, que ha dejado de escribir, le sonríe, como sorprendida en culpa ante una travesura. A mí me tocaba la responsabilidad de llevar los expedientes de los somocistas que eran de interés de la organización, y para eso reuníamos informes de distintas fuentes, dice, así que todas sus andanzas para hundir a Jacinto Palacios fueron a dar su expediente. Usted era desde entonces Caifás en ese expediente, doctor, dice Manco-Cápac.

La carta robada
[Informe de la compañera Cristina, 1971]

De: Cristina
A: Compañero Misael
Fecha: Ciudad de La Habana, 23 de septiembre, 1971

Paso a cumplir con el deber revolucionario de informar sobre las circunstancias que antecedieron a la muerte del compañero Ignacio Corral (Igor), miembro suplente del mando político-militar de la columna Crescensio Maradiaga que opera combatiendo al enemigo imperialista en las heroicas montañas de Nicaragua, y tal como se me ha solicitado haré esta relación desde que abandonamos el campamento de La Choriza con destino a Managua.

Una madrugada del mes de abril del corriente año salimos del campamento citado de La Choriza, cercano al encuentro del río Zinica con el caño Boca de Piedra, y rompiendo montaña todo el día por Filas del Papayo en compañía del baquiano Toribio Chiquito (había también otro baquiano llamado Toribio Grande pero a ése ya lo habían matado), bajamos hasta El Corozo con el objetivo de anochecer en casa de la colaboradora doña Celinda que nos dio albergue y desayuno. Muy de madrugada nos alistaron allí bestias para allegarnos a San Bartolo a fin de esperar un camión de ganado que venía de Waslala y podía transportarnos hasta Matagalpa según los arreglos de otro colaborador, don Chico, que mercaba reses en esa zona; y así fue que acostados entre las patas de los animales que a veces nos cagaban la cabeza y nos orinaban, y porque amagaban con patearnos no podíamos ni movernos, atravesamos sin novedad los constantes retenes de la guardia, retenes fuertes de doce o quince soldados. Cruzaban sobre los cerros los helicópteros que iban y venían de Waslala, pasaban camionadas de campesinos presos, mujeres con sus muchachitos agarrados al pezón, chavalos ya macizos, niñas en edad de merecer, ancianos enclenques, a todos se los llevaban para meterlos en las famosas zanjas excavadas por órdenes de Vulcano en el descampado dentro del cuartel de Waslala; cuentan y no acaban los campesinos que han estado refundidos allí y quedan libres por milagro, o porque quiere Vulcano que alguien salga a publicar sus crueldades para azuzar el miedo.

Detrás de alambradas de púas muy gruesas están esas zanjas de tres metros de hondo y tal vez seis metros de largo, que con los grandes cuerazos de lluvia van empozándose, pasan días los presos aguantando adentro un frío perro de hacer temblar, frío y hambre bastarda, no les dan el más mínimo bocado, se sueltan en alaridos porque el agua entra a borbollones y va subiendo hasta sus cabezas, y caso hubo de una mujer que no tuvo otro remedio que quedarse en la postura de brazos para arriba sosteniendo a su criatura que no se le ahogara; hasta que aparece a medianoche Vulcano en persona, lo alumbran arriba con fuertes focos sus secuaces, se queja en sorna de que no dejan dormir a la tropa con tanto grito, y es mejor que ya se persignen, porque apenas cesan sus burlas vienen los artilleros a causar mortandad con fuego de ametralladoras de sitio, cierran con un bulldozer el hoyo, vuelven a abrir otro para esperar más presos, y a quienes no van a la zanja los suben a los helicópteros para lanzarlos desde arriba por diversión de los mismos malvados.

Así sucedió con todos los miembros de la familia Mendocal, Fidelino Mendocal, el marido, Lisímica Abarca, la esposa, Sigfrido, Gumersindo, Estebana, Leoncia, los hijos, todos menores de edad, los conocí porque en la casa de esa familia en La Lodosa hice estación en el mes de noviembre de 1969 esperando que el baquiano Toribio Grande me subiera por primera vez a la montaña. Fueron capturados en la ermita de la comarca un domingo junto con otros feligreses mientras predicaba Fidelino, que era delegado de la palabra, y los llevaron amarrados a Waslala. Según los que vieron y recuerdan, los subieron a un helicóptero Sikorski y por la puerta abierta los empujaron al aire, revolotearon los cuerpos desde las alturas y cayeron destripados contra las piedras en un playón donde quedaron desparramados, adultos y niños allí pudriéndose, a merced de la nutrida multitud de zopilotes que se solazaban en sus carnes, ya que a causa del miedo nadie podía tocarlos para darles sepultura.

Y mientras la guardia seguía arrasando las comarcas, ranchos que rociaban con kerosín para pegarles fuego después de arriar prisioneros a sus moradores, milpas ya sazonas que les metían tractores, pozos que los aterraban con piedras o les echaban Gramoxone para envenenar el agua, nosotros cada vez más adentro en el monte, el campamento de la columna lo habíamos puesto ya muy hondo, en La Choriza que he dicho, y allí estábamos huérfanos de provisión, faltaba comida y remedios, hasta las pilas del radio se habían gastado y no podíamos oír ni los noticieros de Managua. Por todo eso fue que el compañero Hipólito, jefe de la columna y miembro de la Dirección Nacional, decidió que bajara el compañero Igor y que yo lo acompañara para dar menos que sospechar, como si fuéramos pareja, a buscar contacto con los compañeros del Frente Urbano en Managua y exponerles las angustias de nuestra situación.

Puestos en Matagalpa agarramos un bus, recuerdo que era un día viernes, y ya en viaje para Managua, en el radio que el chofer llevaba encendido a todo volumen oímos el boletín de la Guardia Nacional informando que en un combate en Aguas Zarcas, comarca de río Iyas, habían matado al compañero Hipólito y a tres guerrilleros más no identificados. El compañero Igor solamente me apretó la mano, sin dejar de mirar hacia el frente, no podíamos ni hablarnos para comentar, menos podíamos derramar ni siquiera una lágrima, pero pensé, para mi mayor tristeza, que si aquel combate se había dado en Aguas Zarcas, bastante lejos de La Choriza, quería decir que habían detectado el campamento y que los compañeros de la columna se habían visto forzados a dividirse en pequeños grupos, huyendo ya sin rumbo fijo; y de pronto, acaté que nosotros dos también íbamos ahora de huida.

Llegamos ya de tarde a la parada de la Cotrán en la carretera norte, cerca del Granero Nacional, no cargábamos casi nada, el compañero Igor unos pocos trapos en un valijín, más que todo para tener donde ocultar su pistola Colt, los magazines y una granada de mano de fabricación checa, y yo una blusa de repuesto y una muda de ropa interior en un costal de harina donde cargaba mi Browning. Nos fuimos en taxi a la primera de las tres direcciones que Igor llevaba apuntadas, una casa cercana al mercado Boer donde hallamos a otras personas ajenas a la organización que acababan de pasarse allí, dos talabarteros hermanos que tenían en el mismo lugar su taller, y en los otros sitios tampoco encontramos rastro de los compañeros que buscábamos; en uno, en el barrio Riguero, recién desocupado, nos asomamos por las rejas de la ventana y sólo quedaban unos bidones de recoger agua, y en el otro del barrio San Luis, la vecina que vendía mangos y nancites en su puerta nos dijo que los estudiantes que vivían en la casa se habían ido muy precisados dos días antes, con todos sus chereques montados en una camioneta de tina. Hay que recordar que los esbirros de la OSN, al mando del célebre Moralitos, venían quebrando las casas de seguridad en Managua, y así cayó heroicamente en las cercanías de las Delicias del Volga el compañero Julio Buitrago, miembro de la Dirección Nacional, resistiendo él solo el asalto de centenares de guardias hasta que se le acabaron las balas, igual que cayeron los compañeros Leonel Rugama, Róger Núñez y Mauricio Hernández en el barrio El Edén, también cercados por centenares de guardias y cañoneados por tanquetas.

Al no hallar alma nacida, contra todas las reglas nos arriesgamos a dormir esa primera noche en una pensión llamada Isabel, que queda cerca del parque Fray Bartolomé de las Casas, por donde cruza la carrilera del tren que va a Sabana Grande, con la intención de abandonarla al día siguiente pero sin saber para dónde agarraríamos, y además ya sin dinero, porque además del pago del alojamiento mucho habíamos gastado en carreras de taxi. Ante la situación sin salida, al presentarse la mañana el compañero Igor decidió probar suerte con un viejo amigo de su papá, compañero de colegio en Granada, un coyote, como llaman a los que se dedican al cambio de dólares, de nombre Benedicto Hermógenes Lacayo, alias Gallo de Lata; y aunque resultaba peligroso semejante acercamiento, vimos que era necesario jugársela en procura de un escondite para mientras podíamos pegar con alguien de las estructuras, ya que volver a la montaña no tenía el menor sentido.

Fue a buscarlo a pie a la esquina del almacén Carlos Cardenal, en la avenida Roosevelt, lugar habitual donde hacen sus transacciones los coyotes, y me dejó para mientras en la pieza de la pensión con instrucciones de mantenerme encerrada. Volvió al rato con la noticia de que había tenido éxito, afuera esperaba Gallo de Lata en su camioneta, y cuando salí me hallé a un señor atento de modales, vestido de blanco hasta los zapatos y con un prensador de oro en la corbata, muy flaco y el pelo peinado en una especie de cresta, por lo que seguramente lo llamaban con aquel sobrenombre. Nos llevó a su casa en el barrio San Sebastián, cerca de la Radio Mundial, donde nos dieron desayuno, pero a pesar de su cortesía se veía a la legua que estaba muy nervioso, miraba a cada rato a la puerta y también a cada rato se levantaba al baño, burlándose él mismo de su miedo, «me estoy zurriando en los calzones» decía; su esposa se había encerrado en el cuarto cuando supo quiénes éramos, mientras sus hijas andaban ociosas por la casa, unas gemelas que según oí acababan de bachillerarse en el Colegio La Inmaculada, y él quería mandarlas a estudiar a los Estados Unidos.

El compañero Igor me miraba con cara desconsolada porque ya Gallo de Lata nos había advertido que después del almuerzo llegaban de visita amistades de sus hijas y no podíamos permanecer mucho tiempo más en la casa; y mientras los dos se quedaban conversando sobre las formas de enfrentar el problema, yo mejor me metí en la cocina a ayudar en los oficios para hacer menos bulto; al poco rato se fue a la calle Gallo de Lata, y entonces se acercaron las gemelas a hacerle preguntas curiosas al compañero Igor, que se zafó por el lado de que era finquero, y mientras yo le ayudaba a la cocinera a picar el repollo de la ensalada del almuerzo, lo iba oyendo contar que había venido a Managua, junto con su esposa, que era yo, a buscar un préstamo en el Infonac para comprar ganado, que el papá de ellas iba a ayudarle en el trámite, pero que antes nos iba a llevar a conocer el mar porque vivíamos muy adentro de la montaña y jamás habíamos visto el mar, por lo que pensé que tal vez Gallo de Lata había encontrado la solución de meternos provisionalmente en alguna casa desocupada de algún balneario y andaba consiguiendo las llaves con los dueños.

Nadie se sentó a almorzar en aquella casa, las gemelas en el vecindario y la esposa sin salir jamás del cuarto, y al fin regresó Gallo de Lata del mandado en que andaba, que era comprarle ropa playera al compañero Igor, cuando me asomé los dos estaban ya vestidos con calzones cortos y camisas de mar, me pasaron a mí un sombrero de palma con una cinta amarilla, y así disfrazados, según Gallo de Lata para no despertar sospechas, nos montamos en la camioneta y anduvimos dando vueltas de «despiste» por muchas calles, hasta llegar a una mansión del barrio residencial Bolonia, de la Casa del Obrero tres cuadras a la montaña, dos cuadras arriba; aquél era el lugar donde íbamos a buscar cómo quedarnos, según me lo explicó muy rápidamente el compañero Igor ya cuando Gallo de Lata estaba tocando el timbre, nada menos que la casa de Alirio Martinica, mano derecha del propio dictador, y como yo me asusté y protesté, me pidió que me calmara y me contó el cuento de una carta robada que nunca la encontraban porque estaba en el lugar menos pensado, puesta en un cuadro en una pared donde todos podían verla, pero por eso mismo nadie la veía.

Vino a abrir una empleada de nombre doña Azucena Salcedo, siendo los otros empleados doña Rosita Smith, la cocinera, Ramiro Escorcia, el chofer, Hipólito Ruiz, el jardinero (a todos les elaboró con posterioridad una ficha el compañero Igor para determinar su grado de peligrosidad potencial); pasamos a una sala a la orilla del jardín donde había una gran piscina, fue doña Azucena Salcedo a llamar a la dueña de la casa que se llama Lorena López de Martinica, y salió ella al poco rato de su dormitorio, una mujer de bastante estatura, se acababa de bañar porque traía el pelo remojado que se alisaba con un cepillo, y al principio parece que no reconoció al compañero Igor, él se acercó, le tendió la mano, y entonces le dijo su nombre verdadero, soy tal y tal, viejo amigo de Alirio su esposo, no sé si se acuerda de mí, y ella empezó de nuevo a cepillarse, no le dio ninguna respuesta, no le dijo ni que sí ni que no, si lo recordaba o no lo recordaba, y en ese momento Gallo de Lata la tomó por el brazo y salieron los dos por la puerta corrediza de vidrio que daba al jardín, se pusieron a platicar por un rato que a mí me pareció muy largo, él hacía gestos con los brazos, ella seguía cepillándose, terminaron, y mientras Gallo de Lata se quedaba afuera, sentado en el borde de una de las sillas reclinables al lado de la piscina, volvió ella y dirigiéndose a mí me dijo que iba a mandar de vacaciones a doña Azucena Salcedo hasta su pueblo que era La Conquista, y que yo me quedaba por un tiempo como empleada de adentro, en obligación de barrer y limpiar cuartos y baños, cambiar ropa de cama y toallas, echar agua a las maceteras, después me iba a enseñar cómo se manejaba la lavadora de ropa, todo lo decía sin dejar nunca de cepillarse el pelo y sin mirar todavía para nada al compañero Igor, que estaba de pie en un rincón, y hasta que terminó conmigo se volteó para donde él y le dijo que tenían que hablar los dos, que la siguiera a la oficina, y él agarró su valijín y la siguió.

Al rato regresó sola, me llevó al cuarto de doña Azucena Salcedo, que ya había levantado campo, para que me pusiera uno de sus uniformes, que me quedó bastante holgado, y luego fue a enseñarme el portón del garaje, al nomás oír pitar un carro queriendo entrar, ése era su marido, los sábados no usaba al chofer, que me estuviera atenta a abrir. Y mientras el compañero Igor permanecía encerrado en la oficina, y yo cogía una escoba y me ponía a barrer, ella volvió al jardín para seguir conversando con Gallo de Lata. Entonces sonó el pitazo. Había dejado mi pistola en el costal de harina donde cargaba mis mudadas, pues no podía exhibirme con ella, pero de todos modos ya estábamos a la mano de Dios desde el momento de haber entrado en aquella casa, y fui a abrir.

Alirio Martinica tenía tal vez la edad del compañero Igor, pero era ya bastante quitado de pelo, con unos restos de colochos sobre la calva. Calzaba esa vez unos mocasines llenos de polvo y venía vestido de traje entero de un color como canela, la corbata floja, el saco sobre el hombro, colgado de una mano; me miró extrañado, sin responder a mis buenas tardes, y yo me fui a seguir mis oficios, inventando que barría pero atenta a todo lo que estaba por acontecer, porque sabía que ante cualquier mal pálpito suyo solamente me quedaba correr en busca de mi pistola. Pero no hubo novedad.

Debido a que la cocinera doña Rosita Smith salía a las ocho del servicio, me tocó a mí poner la mesa para los tres, pues cenaron bastante noche, el compañero Igor vestido de manera ya normal con camisa, pantalón y zapatos propiedad del mismo Alirio Martinica, pues eran los dos más o menos de la misma medida y tamaño, y pasó esa cena sin alarmas, más bien entre mucha plática y de repente risas.

Los días siguientes se sucedieron también tranquilos. Alirio Martinica se iba muy temprano con su chofer y el compañero Igor se quedaba encerrado en el cuarto de huéspedes, mientras ella, que acostumbraba levantarse tarde, no aparecía sino como a las diez, por lo que yo aprovechaba esas horas de la mañana para entrar a verlo, como si fuera a hacer el aseo, y así conversábamos sobre la necesidad de hallar los contactos perdidos, ya por último el compañero Igor con el viaje a Cuba en mente, dada la situación calamitosa de las estructuras en Managua.

Resolvimos que debía ser yo quien saliera a procurar los contactos, porque así corríamos menos peligro, cosa que empecé a hacer, contando con el consentimiento de ella, después de levantar el servicio del almuerzo. Fui primero a las oficinas del CUUN en la UNAN, donde uno de los dirigentes estudiantiles me dio la dirección de un doctor que tenía su clínica cerca de la Reencauchadora Santa Ana, por rumbo del Cementerio General, uno que le decían «el Volche» por causa de haber estudiado en la Unión Soviética; se asomó a la salita de recibo al oírme entrar, las manos llenas de yeso porque estaba atendiendo a un paciente con el brazo fracturado, y como me vio con el uniforme del servicio doméstico creyó seguramente que llegaba por asunto de aborto y me pidió que esperara. Pero cuando ya su paciente se había ido con el brazo en cabestrillo y escuchó mi historia, me dijo, tragándose el susto, que todo lo que podía darme eran cien córdobas de ayuda y que por favor no volviera, que lo tenían muy vigilado.

Después, otros estudiantes del FER con los que fui a verme en el Cafetín Presto de la misma UNAN me llevaron a buscar a una enfermera de seudónimo Rafaela que vivía por Campo Bruce, pero no estaba esa vez en su casa porque tenía turno en el Hospital Bautista, donde trabajaba en la sala de partos. Me dejaron allí los estudiantes y la esperé hasta que iban a ser las seis de la tarde, cuando apareció y pude platicarle, y aunque de mal modo al principio, se comprometió a entregar a su responsable una carta que el compañero Igor preparó esa misma noche y que yo volví a dejarle al día siguiente; pero tuvieron que pasar dos semanas antes de que recibiéramos una respuesta del compañero Damián, el único de los jefes clandestinos del Frente Urbano que quedaba en todo Managua.

Empezaron dificultades ingratas, y estaba claro que a través de cartas que tardaban en ir y venir no sería posible que los dos pudieran ponerse de acuerdo, sobre todo porque el compañero Damián dejaba entrever una gran hostilidad que yo atribuyo a sus juicios subjetivos sobre la condición de clase del compañero Igor, insistente en señalarle que la decisión de haber buscado escondite en aquella mansión de un somocista la había tomado por afán de «comodidades burguesas», y se lo planteo a ese compañero donde quiera que esté como una crítica constructiva, nunca aspiró el compañero Igor a ninguna comodidad burguesa como lo demostró mientras estuvo integrado a la columna Crescensio Maradiaga, caso de haber pasado varios días con fuertes calenturas sin reportarlo al mando a fin de no desperdiciar las pocas pastillas que había en el botiquín del campamento.

El compañero Igor se desesperaba de lo inútil de aquellas discusiones por correspondencia, y por fin le propuso una entrevista al compañero Damián, el que por toda contestación mandó indicaciones de la fecha, punto y hora donde el compañero Igor debía presentarse en un vehículo, el Drive Inn El Madroño, que queda cerca del parque de Las Piedrecitas, las siete de la noche, allí iban a recogerlo en otro vehículo para llevarlo al lugar de la cita; todo de manera que tuviera que decir que no, pienso yo, porque a nadie se le podía ocurrir que allí donde estábamos se nos prestara ningún auxilio para una movilización de ese tipo.

El compañero Igor no tenía a nadie más a quien recurrir sino a ella, y no digo que de buena gana, pero se comprometió a transportarlo. Ese encuentro, celebrado en la casa de unos colaboradores extranjeros que vivían en la colonia Becklin de Monte Tabor, sobre la carretera sur, no sirvió de mucho para corregir las desavenencias existentes, y el compañero Igor volvió más preocupado que nunca, en primer lugar porque había sido tratado con una gran arrogancia por el compañero Damián, que se presentó acompañado de otros tres compañeros fuertemente armados, como para amedrentarlo. Y yo vuelvo a señalarle lo erróneo de su conducta a pesar de que se trata de un cuadro dirigente muy respetado por sus cualidades político-militares, no sólo por su extracción proletaria.

Alirio Martinica llegó tarde esa noche, tal como acostumbraba, y al no encontrar a ninguno de los dos, pues ella acababa de salir a recoger al compañero Igor al mismo punto del Drive Inn, donde iban a dejarlo en una hora convenida al finalizar la reunión, se puso frenético de furioso y la agarró contra mí, de manera que tuve que parármele firme exigiéndole que me respetara; entonces me ordenó, sin más, que le llevara a la sala una botella de vodka, hielo y limones, a lo que pude haberle dicho que no, pero mi cobertura era la de empleada doméstica. Puso el tocadiscos a todo volumen con un long-play de Lucho Gatica, y cuando al fin volvieron los ausentes, cerca de las doce, los recibió con gritos y ofensas, reclamándoles lo que él llamaba su gran irresponsabilidad.

El compañero Igor supo calmarlo, le argumentó que más peligro corrían con el escándalo que estaba armando, y al poco rato se sentaron los tres a conversar, pidieron más hielo, pusieron más discos, y el altercado se disipó; pero como se impuso la necesidad de nuevas salidas y ella servía siempre de chofer, volvieron las protestas y los gritos, algo que preocupaba al compañero Igor, pero no tanto como las reuniones con el compañero Damián, que se celebraban cada vez más a menudo no en casas particulares, sino a bordo de un vehículo, en caminos solitarios, con los tres compañeros armados subidos en el asiento trasero, al punto que estaba temiendo ya por su vida; asunto que si expongo de esta manera es porque se me ha ordenado ser absolutamente veraz en mi informe.

Seguía exigiéndole el compañero Damián abandonar la residencia de Alirio Martinica, pero la casa de seguridad que proponía como alternativa en el barrio Santa Rosa, y que yo misma fui a explorar, ofrecía las peores condiciones. Al lado quedaba una cantina donde se jugaba billar, llena de ebrios en permanente relajo, al otro una pulpería, y en un patio de enfrente un taller de enderezado y pintura de carros, por lo que advertí al compañero Igor que de ninguna manera convenía pasarse allí; pero a esas alturas se hallaba demasiado presionado, y además, sólo si accedía al traslado iba el compañero Damián a facilitarle el viaje a Cuba, siendo ya firme en su mente la decisión de venir aquí conmigo a plantear la situación de la montaña.

Mientras vivimos bajo el techo de Alirio Martinica no se presentaron mayores problemas de seguridad, y más bien la pareja se mostraba cuidadosa en seguir las indicaciones que el compañero Igor daba, yendo aún más allá ella, pues fabricó por su cuenta la «leyenda» de que era él un enfermo mental, pariente de su marido, al que no había que molestar en su encierro porque se ponía violento; por otro lado, Alirio Martinica salía temprano y volvía tarde, habiendo noches en que tampoco aparecía del todo, pues tenía otra mujer, protegida de la amante del dictador, un asunto que era bastante público, aunque no sé si la esposa lo sabía.

A esta altura me siento en el deber de dar mi apreciación sobre la clase de relaciones existentes entre ella y el compañero Igor, asunto que no pocas veces la enfermera Rafaela quiso indagar conmigo, seguramente a solicitud del compañero Damián. Si bien es cierto que entraba a visitarlo en su encierro del dormitorio, y eran largas esas visitas, no puedo afirmar en términos objetivos que los hubiera sorprendido en situaciones de intimidad, y estoy segura de que el compañero Igor, en base a la solidez ideológica de sus principios, en ningún caso hubiera dado paso a tales situaciones, pues conocía de sobra la calidad de mujer con quien tenía que vérselas. Vendía mercaderías extranjeras de contrabando, como whisky, vodka, cervezas, conservas, equipos de sonido, televisores, radios portátiles, y el día que entraba el furgón procedente de Honduras, según autorización que daba cada vez la amante del dictador, se ponía ella unos blue jeans y una camisa descotada, se metía el pelo bajo un pañuelo de fajina y se iba a vigilar el descargue a la bodega alquilada a pocas cuadras, cerca de la Casa Nazaret, adonde yo la seguí en diversas ocasiones, obligada como estaba a averiguar sus actividades. Un hombre ya mayor, de nombre Chepito, empleado de confianza que había sido del coronel Catalino López, padre adoptivo de ella y secuaz del fundador de la dinastía, despachaba las mercancías al fondo de la bodega, metido dentro de una especie de jaula de barrotes de madera con una ventanilla frente a la que hacían fila las mujeres encargadas de ofrecerlas a domicilio, así como en bares, restaurantes y cantinas. Y el tráfico de libres introducciones de vehículos de lujo lo manejaba por medio de Gallo de Lata, quien llegaba los viernes de cada semana cargando un libro de contabilidad a rendirle cuentas; yo les servía tragos de Flor de Caña con agua y limón, que él bebía a sorbos pausados sacudiendo cada vez la cresta, y así, de retazo en retazo, pude averiguar que esas libres, facilitadas también por la amante de Somoza, estaban arregladas de modo que los beneficiarios pudieran endosarlas, mientras otras ni siquiera llevaban nombre, viniendo a ser como cheques al portador.

Ya puede sacarse que el compañero Igor no iba a inmiscuirse en amoríos con una burguesa así, que si decidió ayudarlo en lo que lo ayudó es porque con seguridad le gustaba sentirse «peligrosa», pues siendo mujer desocupada es lógico que la tentara la novedad; y mientras permanecimos allí, como compañera suya de militancia, yo nunca tuve motivos para hacerle señalamientos a ese respecto, salvo una vez que lo escuché llamarla «la huérfana», un exceso de confianza a mi entender, pero él se escudó en que era una costumbre de sus tiempos de estudiante. Por otro lado, ella nunca tuvo conmigo una sola grosería de la que yo pudiera quejarme, sino al contrario, como una vez que me vio tendiendo en el patio de secar los paños recién lavados que usaba para mi regla, que me había bajado en esos días, y entonces fue a su habitación y me trajo una caja de Kotex de regalo.

Sin embargo fue una debilidad del compañero Igor haberle suministrado la dirección de la casa de seguridad, y se lo reclamé desde la primera vez que ella apareció en esa casa, al día siguiente mismo de que nos habíamos trasladado. Él se excusó diciéndome que sólo había llegado a dejarle unos informes del Banco Central que necesitaba para unos estudios sobre la situación socioeconómica de Nicaragua, documentos que ella misma le había conseguido, o no sé si el propio Alirio Martinica; pero más grave fue que esas visitas se continuaran repitiendo. A la hora menos pensada llegaba a dejarle ropa que le compraba en las tiendas, aunque el compañero Igor no podía asomarse ni a la puerta, le llevaba también comida preparada en su casa o en restaurantes, pollos al pastor, sándwiches envueltos en papel espermado, ensaladas de fruta, pudines, un termo de naranjada con hielo, pajillas, vasos de cartón. Además de los peligros que ya corríamos con la pésima ubicación de la casa, esas visitas eran una temeridad, dejaba parqueado su carro bastante lejos, es cierto, pero una mujer como ella, caminando por esas calles pobres con un termo y una canasta repleta de comida, llamaba la atención; mas ante mi reclamo, lo que el compañero Igor hizo fue pedirme que el compañero Damián no fuera a darse cuenta de aquellas visitas porque podía frustrarse nuestra salida para Costa Rica, que ya estaba arreglada, íbamos a irnos en el vehículo de un colaborador hasta Sapoá, y de allí un baquiano nos iba a pasar por veredas hasta el pueblo de La Cruz, al otro lado de la frontera, cosa a lo más de una semana para que se pusiera en ejecución el plan, semana que fue alargándose eternamente.

Una tarde los oí conversar desde la cocina, donde lavaba yo los trastos del almuerzo, y me quedé helada. Decía ella que había tomado la decisión de venirse con nosotros a Cuba para que le dieran entrenamiento militar y cursillos políticos, quería convertirse a la causa, renunciar a su pasado, que podía aportar dinero, y cuando se fue, de inmediato le hice ver al compañero Igor su seria falla de no haberla parado en treinta de una vez por todas, que si no era una espía encargada de seguirnos hasta Cuba, a lo menos era una peligrosa aventurera sin consistencia ideológica, pero él, tomándolo a broma, me dijo que nada malo veía en que la revolución terminara siendo financiada por el negocio de la venta de las libres y del contrabando de whisky; en cuanto a lo de aventurera, que muchas grandes militancias empezaban por eso, por un deseo de aventura; y en cuanto a lo de espía, que no tenía lógica, eran aconteceres que sólo figuraban en las películas de cine. Además, si la dejaba divagar en sus fantasías de venirse con nosotros a Cuba era para no causarle una desilusión por adelantado, cuando alzáramos vuelo ya no nos iba a encontrar, sólo la casa vacía.

Si nos denunció o la siguieron sin su culpa, o no fue ni un caso ni el otro, yo no sé, no tengo elementos de juicio, pero qué podía esperarse de una mujer de semejantes antecedentes. Estuvo ese día último. Y al ser las once de la mañana, cuando se había ido dejando el termo y la canasta, el compañero Igor me dijo que estaba aburrido de comer tanto sándwich y que mejor le hiciera un vigorón, teníamos yuca, dejé cociendo la yuca en el fogón y salí a buscar los chicharrones a una venta que yo sabía, de la esquina dos cuadras al lago, habían destazado chancho porque estaba la bandera roja clavada en la puerta cuando salí temprano por la leche; venía, pues, ya de vuelta del mandado trayendo media libra de chicharrones, además de un repollo y tres tomates pequeños comprados en un puesto de verduras, cuando divisé un policía de tráfico, con su motocicleta cruzada a media calle, que soplaba el silbato para desviar a los vehículos, asunto que no me llamó tanto la atención, pero al desembocar en la esquina me hallé con todo el vecindario volcado en las puertas y en las aceras, una fila de camiones militares, dos jeeps de esos pelones, con las grandes antenas, orillados frente a la propia casa de seguridad, la bullaranga de las comunicaciones de radio, unos ciclistas que carreteaban en círculos como si anduvieran paseando, los mismos que yo veía pasar a cada rato desde hacía días, y reconocí también a los choferes de dos taxis que siempre se parqueaban al lado del taller automotriz como si esperaran pasajeros, sólo que ahora cargaban unas ametralladoras Mazda en bandolera, y de una esquina a la otra el hormiguero de guardias con cascos de acero, chalecos antibala y fusiles de asalto que cateaban las casas, habían desalojado la cantina y los jugadores de billar, con los tacos en la mano, se habían trasladado a la otra acera donde también estaba el dueño de la pulpería junto con sus clientes de esa hora, y qué otra cosa más podía hacer que detenerme entre ellos, fingirme una mirona, el envoltorio de papel con los chicharrones transpiraba la grasa en mis manos, se me cayeron al suelo los tomates que rodaron hasta la cuneta, y confieso, compañero, que temblaba, porque además, había salido desarmada a mi mandado, y para peor, en ese momento descubrí a Moralitos sentado en el asiento de uno de los jeeps pelones al lado del chofer, tal cual aparecía en las fotos, con sus mismos anteojos oscuros en los que se reflejaban los jugadores de billar, los guardias, las casas, los demás mirones, y yo misma.

Moralitos gritaba «Sí señor, sí señor» por el micrófono, y por fijarme en él y nada más que en él, tardé en descubrir que en la parte trasera del jeep, con las manos esposadas y una capucha en la cabeza tenían al compañero Igor, lo reconocí por la ropa y por los zapatos, dos sapos de civil, con las camisas de fuera, las culatas de las carabinas asentadas en las rodillas, lo vigilaban desde los asientos travesaños del jeep, y uno de ellos le aplastaba mientras tanto la cabeza bajo el zapato, con saña, con gusto, se oyó en eso un papaloteo, volaban las hojas de los árboles en la ventolera como si las hubieran picado con una tijera de podar y un helicóptero de burbuja vino a posarse en la copa de un guarumo que se alzaba en el patio del taller de mecánica, por cuentas estaban dirigiendo el cateo desde el helicóptero, y cómo es que no lo había oído volar antes, no me explico, si el operativo debió haber empezado cuando iba yo camino de la venta de chicharrones.

Enfrente mío vino a detenerse uno de los orejas montado en su bicicleta, la rueda delantera rozándome casi el vestido y yo inmóvil, los tomates caídos a mis pies, era sospechoso que no me agachara a recogerlos pero si me movía iba necesariamente a poner sus ojos en mí, y en esa duda estaba, cuando Moralitos dio sorpresivamente al chofer de su jeep la orden de arrancar, cubrieron al compañero Igor con una lona, el helicóptero se desprendió de la copa del guarumo y se elevó, después hizo un giro en picada y se perdió de vista, se montaron en los camiones los guardias, se subieron a sus taxis los agentes, se fueron los demás orejas en sus bicicletas, la calle apareció de pronto desierta, y cuando lo último que se oía era el escape de la motocicleta del policía de tráfico que se alejaba y los vecinos se quedaban en las aceras comentando, tal como si acabara de pasar un fuerte temblor, yo recogí los tomates de la cuneta, me tragué el llanto que se me venía a la boca como una buchada de vómito, y empecé a caminar sin saber por qué rumbo, acordándome del dicho del compañero Igor sobre la carta robada, yo había sido ahora esa carta robada en medio del gentío a la vista de Moralitos y su cortejo de sicarios.

7.

Sentado en la colchoneta, la espalda contra la pared, se había entredormido acaso porque el siseo de los cohetes que tardaban en ascender rasgando el aire para reventar en ecos secos, y ahora los retumbos de los morteros de pólvora, no le causaban sobresalto como si de niño corriera hacia la iglesia de San Jerónimo al encuentro de la procesión del domingo de Ramos, Jesús del Triunfo, de manto morado y sombrero de mosquetero, montado muy tieso en la burrita de pelambre encanecida que salía entre repiques por la puerta mayor cabeceando bajo su carga y dejaba atrás un rastro de cagajones, las pequeñas volutas de humo que se deshacían en el cielo azul brillante y las varillas quemadas yendo a caer sobre los techos, una vez una varilla de ésas había ido a ensartarse en la corona de una palmera y el penacho encendido ardía en flamas en el calor de abril, pero si se había entredormido venía ya despertando porque la algazara se metía en el aula, la bulla de otra canción en los parlantes de la barata *mataron al indio Julián, quemaron el rancho de Pedro, pero ése será el camino, camino del indio morir por el pueblo*, y más cercano aún el son de toros de la banda de chicheros que incitaba gritos de entusiasmo, una trompeta rajada, la tuba que gruñía, los platillos que restallaban contra sus sienes, el trombón de vara que soplaba dentro de su cabeza, y las consignas cercando de nuevo las paredes.

Se puso de pie a como pudo, apoyándose de hombros en la pared, porque sentado se sentía más indefenso, y oyó que abrían la puerta. Manco-Cápac, la tijera del muñón en el pomo de la cerradura no acababa de entrar, hablaba todavía con alguien, dando instrucciones, se había interrumpido de pronto la canción en los altoparlantes de la barata pero la banda de chicheros seguía tocando más lejos, como si diera un paseo, y alguien soplaba en el micrófono, una voz de varón, aló, un largo zumbido creciente, aló, se reían en coro de su ineptitud, que se callen por favor los compañeros filarmónicos, pedía la voz, y hubo silencio por fin: Compañeros y compañeras, aquí les habla Servando Salinas, que he sido nombrado jefe del comité de orden por las nuevas autoridades del poder popular, ¡poder popular, poder popular!, alentó él mismo la consigna que fue coreada con alguna timidez, cualquier cosa estoy a sus órdenes, nos avisan que va a venir a visitarnos el comandante Ezequiel, desde ahora mismo le mandamos a decir que es muy bienvenido, y en tanto llega vamos a quedarnos aquí en vigilancia revolucionaria para que adentro sesionen los jueces sin que se les moleste en su obligación, a los compañeros del comité de orden los van a reconocer por un pañuelo rojinegro amarrado en el brazo, está prohibido desde ahora el licor, muchas gracias, compañeros y compañeras, he dicho, ¡patria libre...!, y una repuesta en coro, otra vez tímida, ¡o morir! Aplaudieron. Hubo un viva, ¡que viva el comandante Ezequiel!, lanzado por una mujer, como si enseñara un rezo, seguido de una salmodia de voces, también de mujeres, ¡que viva!, y desde atrás, un muera, ¡muera el esbirro Alirio Martinica!, respondido otra vez por las mujeres, las voces quebrándose en un trémolo agudo al volverse más enérgicas, y detrás una charanga de bombo y platillos.

Ahora sí, la puerta se abría por completo para dar paso a Manco-Cápac que se enjugaba el sudor de la frente con el dorso de la mano sana, la misma en que traía el sombrero, y entraba con él a todo volumen el barullo de fiesta, hay un ambiente chibirisco, doctor, no se ha quedado nadie en su casa, el comité de orden ha dado permiso para que metan al patio la banda de chicheros y la barata, mesas de fritangas y venta de gaseosas también, ya las están instalando, licor por supuesto que no, ya oyó, de pronto ponen una mesa de tororrabón, quién quita el juego de la sirenita, una ruleta en su pedestal, a usted que tanto le gustaron las apuestas de ruleta, de todos modos no hay quién de sotana en esta casa cural que impida la diversión, y si se les ocurre, hasta la cabra maromera y un fakir angurriento suben a la tarima de actos escolares porque debido a la guerra por aquí se ha quedado varado un circo de esos en palmazón que ni carpa tienen, nomás las bancas de galería y dos palos tensados y un travesaño para enganchar el trapecio, gente alborotada ésta de Tola, se están alistando para pasar la noche, la cosa es que dejen sesionar al tribunal sin tanta bolina, ya que haya comité de orden es bastante avance, no sé qué le parece a usted.

Un molimiento de huesos se le había declarado de pronto y el cemento de la pared comunicaba una leve frescura a su espalda adolorida. Manco-Cápac se acercó, mostrándole la llavecita de las esposas, ya iba a descansar de esa molestia, a nadie se le ocurría que fuera a querer escaparse a estas alturas, ¿o le había dado pensamiento a una fuga? Él aseguró que no, con movimientos de cabeza muy decididos, hasta solemnes, y se dio vuelta a fin de permitir que el otro lo liberara, Imagínese, con ese cardumen allí afuera en el patio, aparece usted corriendo, y ellos felices con el regalo de su presencia, como quien dice, sus pascuas floridas. Se sobó las muñecas entumidas y luego no halló otra cosa mejor que hacer con las manos libres, sino metérselas en los bolsillos, así volvían a ser suyas, poniéndolas donde quisiera, para avanzar después, resignado, hacia la puerta, pero Manco-Cápac lo detuvo por el hombro, no, no es hora de la sesión todavía, vuelva a su colchoneta, sólo vine a aliviarlo de las chachas, una gestión de la compañera Judith, por lo visto le cayó usted bien, pidió la gracia y el comandante Nicodemo accedió, con lo dura que es a veces esa compañera, nunca se sabe con ella, ya ve cómo le puso el lazo a Manitos de Seda, y ¿quién cree usted que le disparó a Jacinto Palacios la noche del asalto, cuando apareció de pronto con un fusil, si no fue ella? Parece que nunca van a terminarse las revelaciones, dijo. Pues no creo que le esté contando ningún secreto delicado, el asunto es que ella no quería matar a nadie, pero él mismo fue a buscar su muerte como un niño llevado de la mano, ya el comando tenía dominada la situación, ya había cesado la balacera, y entonces corrió a su dormitorio, donde guardaba sus armas en una vitrina, y escogió un fusil Remington de mira telescópica. Es cierto que tenía una colección de armas de cacería, dijo él. Armas mortales, de todos modos, la mira telescópica venía a ser inútil, pero el fusil era de gran potencia, y entonces, ella, que guardaba la puerta del pasillo, no tuvo otro remedio que dispararle una ráfaga con su carabina M-1. De cualquier manera, nadie lo vio salir con ese fusil de su dormitorio. ¿Me quiere decir que la compañera Judith lo mató desarmado, a sangre fría? Quien haya sido, yo sólo digo que no hubo testigos. Porque todo pasó en la parte de los dormitorios y nadie oyó tampoco la ráfaga, como si a todo el mundo le hubieran tapado con cera los oídos, no la oyeron en el salón principal, donde estaban empezando a reconcentrar a los que se hallaban en los corredores, en las terrazas, en la cocina, fueran invitados o meseros, o músicos, o empleadas domésticas, imposible saber todavía cuántos peces gordos quedaban en la pecera, cuántos se habían ido ya de la fiesta, cuántos habían logrado huir saltando por el barranco más allá del jardín, y lo que es más extraño, tampoco oyeron nada en los propios dormitorios, adonde habían corrido a refugiarse algunas de las esposas de los capos somocistas, muy cuajadas de joyas, entre ellas la que se tragó el anillo de diamantes, ésa se encerró dentro de un clóset junto a un par de meseros y los músicos de un trío enviados a recoger a la rotonda de Bello Horizonte, los descubrieron por el chischileo de las maracas de uno de los músicos que temblaba de miedo. Escondieron el cadáver con la intención de enseñarlo como el primer rehén ejecutado en caso de que no les cumplieran las demandas, dijo él. ¿Entonces, en qué quedamos, doctor?, ¿lo mató por gusto la compañera Judith, o una vez que murió por imprudente se le quiso sacar provecho al cadáver? Pudieron ser las dos cosas. ¿Sabe quién entrevistó en Cuba a los miembros del comando? No tengo idea, dijo él. García Márquez, el que inventó Macondo, nada menos, esa entrevista la teníamos como material de estudio en La Habana, por eso conozco tanto dato sobre el asalto. Está bien, usted sabe más que yo, dijo él. De todos modos, como lo veo con muchas dudas y sospechas, mejor le recomiendo pedirle esas aclaraciones a la compañera Judith, no pierda la oportunidad.

Las oportunidades se me van acabando, dijo él, y dentro de las paredes de aquella aula asoleada, tanto que se sentía como al descampado, su voz sonaba hueca. No sea tan pesimista, doctor. Además, no tengo ánimos de estarle preguntando nada a nadie sobre ese caso. ¿Por qué?, se acercó Manco-Cápac, más bien curioso ante el repentino humor hosco del reo. ¿Nadie de ustedes se ha puesto a pensar que Jacinto murió defendiendo su hogar?

Esos son criterios somocistas, también nos daban a estudiar los editoriales de *Novedades* de esa época para que supiéramos cómo había reaccionado el enemigo frente al golpe. Con eso lo arreglan ustedes todo, lo que no les parece, son criterios somocistas. Aquella mansión llena de tagarotes de la dictadura, y me viene con la cantinela del hogar sagrado. ¿No saldría usted a defender su casa con un rifle si alguien se metiera a secuestrar a su familia? Pues si quiere saberlo, a mi casa en León se metieron, pero no tuve el chance de defenderla. ¿Quién se metió? Qué pregunta, los perros feroces, al mando del sargento Pipilacha, llegaron buscándome a mí, ya cuando me había venido para Rivas, desquebrajaron todo, los pocos muebles los hicieron astillas, los trastos de cocina quedaron en reguero, mataron un chancho que engordaba mi mamá con desperdicios y untaron la sangre en las paredes, le retorcieron el pescuezo a las gallinas, balacearon el techo para que así entrara la lluvia, quebraron a culatazos las puertas, sacaron a mi papá de arrastradas sin importarles que se hallara tullido y lo dejaron tirado en el patio, y cuando mi mamá llegó, porque alguien del barrio alcanzó a avisarle a la casa de sus patrones, lo halló, golpeado y humillado, en la casa de unos vecinos que lo habían recogido, y allí recibió ella la otra noticia, que a mi hermana Erlinda se la había llevado Pipilacha, amarrada y encapuchada, en un jeep militar.

Tanto tiempo había pasado desde que Manco-Cápac le pidiera volver a la colchoneta porque aún no era hora de la sesión, tanto tiempo desde que había empezado a andar de regreso, tanto tiempo de que se había detenido a medio camino. ¿La torturaron?, preguntó. No sé, no apareció nunca, mi mamá la buscó en el cuartel donde reinaba Vulcano, en la cárcel de la 21, después en la morgue del Hospital San Vicente, y ya por último en los botaderos de muertos de los caminos de Chacra Seca y Lechecuagos, porque allí amanecían los cadáveres que las patrullas llegaban a descargar de noche, y allí se juntaban docenas de deudos en la madrugada buscando a sus muertos, con las mortajas debajo del brazo, con ataúdes que llevaban amarrados al techo de los taxis, otros con garrotes para espantar la congregación de zopilotes, pero nada, y ni esa desgracia tan bruta la cambió en su pensar, terca la señora como no hay otra, ya le dije, a ella no le hablen de revolución, ni siquiera sé si le habrá servido de algún consuelo la noticia de que Pipilacha fue ajusticiado por los cazaperros saliendo de la casa de una querida en el barrio del Coyolar, vea qué cáscara de individuo, en plena guerra y siempre fiel al polvorete.

Otra vez las palabras de Manco-Cápac caían sordamente dentro de su cráneo, una tras otra, como piedras en lento derrumbe hacia un abismo, pero también otra vez una de esas piedras rodaba con ruido distinto antes de detenerse en un recodo del tímpano *si tú mueres primero yo te prometo*, una canción ya vieja de Julio Jaramillo desgajándose hacia el fondo entre el tumulto que no terminaba de asentarse, el cuarto de tambo recalentado, la llamarada calina en el balcón en ascuas, y abajo la roconola que de vez en cuando alimentaba con monedas de a chelín, para que tocara el mismo disco, alguna pareja solitaria acodada a la baranda frente al mar, a lo mejor su hermana esté viva, comandante, la habrán llevado presa a Managua. Nada de eso, lo más seguro es que la violaron uno tras otro, como es usanza de los perros, después la habrán matado y la enterraron en una de las fosas comunes en el patio del cuartel, le quedó esa costumbre de las fosas a Vulcano desde sus tiempos de Waslala, los compas intentaron desenterrar todos esos muertos pero hubo que dejarlos donde estaban, un imposible con semejante infinidad de cuerpos inflados como globos, ya negros brillosos como si los hubieran cocinado, otros deshaciéndose, trapos, huesos, cabezas pelonas entre la tierra que empujaba la cuchilla de los tractores, cabelleras resecas de mujer, faldas, sandalias, mocasines, carne podrida, tenga, pues, por sabido que ella quedó allí.

Si el centinela que vigila desde el traspatio se detuviera en su lento rondín y se asomara por entre las paletas de madera de la ventana, podría ver al reo sacar de los bolsillos las manos que tiemblan de frío, y tratando de disimular el gesto, llevárselas a la cara para darles calor al contacto de sus mejillas sembradas de troncos entrecanos que por contraste arden encendidas, un disimulo inútil porque Manco-Cápac se ha ido, llamado de urgencia, y él, otra vez solo en el aula, retoma con pies remorosos su viaje de regreso hacia el rincón de la colchoneta mientras la bulla del patio vuelve a sus oídos, pláticas banales, risas, bromas, silbidos, voces de niños, se sienta con las piernas plegadas, los brazos sobre las rodillas, recuesta la cabeza de lado y la mejilla que sigue ardiendo le quema la mano aún fría, la Erlinda pregonera de frutas revuelta con otros cuerpos en una fosa común, Ignacio enterrado en una tumba sin nombre, y Jacinto, el que bailaba solo llevando en vueltas a su pareja invisible, abandonado dentro de un frigorífico de la cocina que los asaltantes vaciaron de pavos y cuartos de res, cajas de langostas, tambores de helados, pizzas y cartones de tv-dinner para darle cabida, ya no necesitaron exhibirlo como prueba de sus amenazas de ejecutar a los rehenes porque Somoza se avino a todas sus demandas, soltó a los guerrilleros presos, el saco de lona con el millón de dólares les fue entregado al pie de la escalerilla del Boeing de Lanica que los llevó a La Habana, y en medio del desorden del desalojo de la quinta, vigilado por la Cruz Roja, nadie se acordó de preguntar, en ausencia de Mary Jo, liberada un día antes como parte de las negociaciones junto con sus hijos, las esposas de los invitados, músicos, meseros y empleadas domésticas, dónde estaba el anfitrión, un misterio hasta que los agentes de la OSN que registraban las dependencias descubrieron el cadáver congelado en posición fetal dentro del frigorífico ASESINADO POR LOS TERRORISTAS EN EL SANTUARIO DE SU PROPIA CASA, ése es el título a ocho columnas, Jefe, y Somoza, de acuerdo, doctor, dícteselo de inmediato por teléfono a Luis, el primo hermano Luis Pallais Debayle, director de *Novedades* y nieto también de Margarita está linda la mar, y las fotos familiares, Jefe, hay que ponerlas en los desplegados de pésame de las instituciones del gobierno, aquí las tengo, me las prestó Mary Jo, de toga y birrete el día de su graduación en la Universidad de Chicago, rodeado de su esposa y sus niños bajo un inmenso árbol de Navidad escarchado, su mano sobre la mano del hijo mayor partiendo el queque de cumpleaños, entre amigos en el muelle de San Juan del Sur mientras atrás cuelga en la balanza el marlin de trescientas libras capturado en el campeonato anual de pesca deportiva, para que se vea que asesinaron a un hombre útil y ejemplar, Jefe.

La noche del asalto trabajaba todavía en el búnker bajo la luz aséptica de quirófano que iluminaba su oficina sin adornos, nada en las paredes amarillo huevo excepto la fotografía oficial de Somoza, de lentes de carey alargados y corbata negra delgada como era la moda, escuálido entonces y más que sonriente. Sonrisal le habían puesto de apodo en las calles gracias a esa foto, la marca de una sal efervescente para aliviar la acidez. El búnker. Cualquiera imaginaba una fortaleza subterránea y no era más que un cubo chato de cemento armado, de una sola planta y sin ventanas, construido apresuradamente tras el terremoto de 1972 al pie de las ruinas del Palacio Presidencial de estilo mudéjar que se alzaba en la Loma de Tiscapa, y del que sólo quedaban los arranques de algunos muros y los mosaicos de los pisos de cemento que figuraban alfombras en sus arabescos, mientras abajo, hacia el lago, la ciudad muerta de edificios demolidos a medias y extensos baldíos, donde los tractores no terminaban de despejar los escombros, era un gran cementerio oscuro cercado por alambres de púas, del que aún emanaba un leve olor a cadáver.

Por la puerta entreabierta de su oficina era visible el paisaje solitario de la sala de sesiones, alrededor de la extensa mesa de caoba los sillones giratorios en desorden, tal como habían quedado al final de la reunión del Estado Mayor concluida a las once de la mañana, en un atril el mapa azul pálido que mostraba el teatro de operaciones en la cordillera Isabelia, los reductos de la guerrilla marcados en rojo, en azul las posiciones de las tropas contrainsurgentes. Vulcano, llegado en helicóptero esa madrugada desde Waslala, había explicado con enérgicos toques del puntero sobre el mapa la situación militar, la voz llena de serena arrogancia, el bigote entrecano cuidadosamente recortado, las botas jungla nuevas, las mangas de la camisa del uniforme de camuflaje enrolladas a la altura de los bíceps mostrando el revés blanco de la tela, su apellido grabado en una plaquita de formica prendida al mismo bolsillo en que sobresalía un puro Joya de Nicaragua envuelto en celofán, porque Somoza, como todas las veces, había hecho pasar de mano en mano al comienzo de la reunión la caja de puros especiales enrollados en su fábrica de Nueva Segovia, con sus iniciales grabadas en el anillo, y que todos los demás oficiales fumaban a grandes bocanadas, chupando el puro y después mirándolo con aprendido deleite, tal como veían hacer al Jefe, mientras el humo se estancaba en el techo.

Esa misma tarde el helicóptero llevó a Vulcano de vuelta a Waslala, y antes de partir había entrado a su cubículo para despedirse. Despatarrado en la silla, la cabeza hundida en el espaldar, aspiraba el olor del puro intacto en su envoltorio, les estamos montando catarina de verdad a los pobres piricuacos esos, doctor, tanta lástima que dan cuando vamos a patear los cadáveres después de cada combate para contarlos, las botas desguazadas, los fusiles ensarrados, flacos en los puros huesos, las costillas peladas, unas barbitas ralas, ni barbas serias de guerrilleros como aquellas de los cubanos de la Sierra Maestra les crecen, se ve que sólo carne de mono congo comen, pavonas, si acaso guineos porque los roban en las huertas, y leche condensada de la que todavía les queda en sus viejos buzones, cada vez iban adentrando sus campamentos a lo más hondo de la montaña, si fuera por él, los dejaba allí, no le hacían daño a nadie oyendo todas las noches las proclamas de Radio Habana, peligrosos, esos sí, resultaban los campesinos de esas comarcas, tan taimados, si no seguían suministrando provisiones a los piricuacos era porque les estaba asentando la medicina, con ellos, pija y rincón, había que vacunarlos con plomo, una verdadera cruzada sanitaria aunque nada bonito fuera vivir refundido allá en Waslala, lodo y zancudos todo el año, y casta abstinencia obligada, además, porque no le halagaba la carne de monte ni que fuera fresca, eso de desvirgar doncellitas se lo dejaba la tropa, pero no es que se estuviera quejando de privaciones, por el Jefe, todo, y se había puesto de pie, se había cuadrado como si lo tuviera de frente, amaba al Jefe, si aquello podía llamarse idolatría, se declaraba idólatra, no era ningún homosexual, los diecisiete hijos tenidos con diferentes mujeres lo probaban, pero que lo amaba, lo amaba ciegamente, y si alguna vez se le ocurría pedirle que se acostara con él, con mucho gusto lo haría, ese puro jamás iba a fumárselo, todos los coleccionaba como reliquias. ¿Y era cierto, coronel, que coleccionaba también orejas en un gran vaso de alcohol en su oficina del cuartel de Waslala, guerrillero caído, oreja cortada, campesino ladino cogido con las manos en la masa, también oreja cortada? Vulcano sonrió apenas, y volvió a acercar el puro a la nariz.

Terminaba ahora de revisar los apuntes de la reunión, un resumen ejecutivo que debía estar al día siguiente en manos de Somoza apenas regresara de Bluefields, adonde se había ido en su turboprop Cessna de seis plazas acompañado del congresista Jack Murphy, su roommate en West Point, y los hermanos Toni y Desi Rebozo, inversionistas de Long Island. Desde hacía más de una semana esperaban los tres en el Hotel Intercontinental, al otro lado de la calle, por aquel viaje de negocios pospuesto varias veces, y encima de la pila de documentos pendientes, tenía ya listo el borrador en español del joint-venture entre Bonito

Consolidated Fisheries, propiedad de los hermanos Rebozo, y Promarblue, la compañía de Somoza que explotaba la pesca de camarones en Bluefields. Era una excursión que se había perdido, como se perdía otras parecidas por no hablar más inglés que el aprendido con el padre Cestero en el Colegio Salesiano, que daba la clase ayudándose con su colección de discos Cortina ya rayados de tanto uso, Being fluent in english like hell es lo único que le falta para ser mi secretario perfecto, le decía Somoza golpeándole con energía la espalda, y Murphy, que hablaba el español buscando imitar a sus votantes latinos del West Side, le golpeaba la espalda también, mándelo a mí a Nueva York, seis meses practicando con hembras, y volvió hablando gringo requete, coño, chico, la chucha, tu madre, y entonces Somoza, de guayabera manga larga, la cara doble ancho tras los lentes de carey, la papada tersa de sudor, porque de la delgadez aquella de la foto Sonrisal en la pared no quedaba más que eso, la foto, acodado igual que Murphy en el mostrador del bar vecino a su despacho en el búnker, balanceaba el vaso de Stolichnaya envuelto hasta la mitad en una servilleta de papel, alzaba las cejas, mordía el puro, se envolvía en humo, You wanna kill me?, I swear I can't live without him, holy smoke! Y lanzaba una carcajada que amenazaba con hacer trizas el espejo y las copas del bar.

Había empezado a acumular responsabilidades que Somoza le confiaba un día, de manera circunstancial, y ya se quedaba con ellas, asuntos de gobierno y negocios privados por igual, haciéndose necesario, postergando su salida hasta muy noche, llegando primero que nadie por las mañanas, cuando todavía no terminaban el aseo de las oficinas, y otras de esas responsabilidades, que antes correspondían a Pirañita, le fueron siendo trasladadas silenciosamente por obra y gracia de la pérfida Mesalina, sobre todo las que tenían que ver con favores gruesos a ministros y altos militares, el control de la agenda presidencial, quién era recibido en audiencia y quién no, el filtro de las llamadas telefónicas, estaba el presidente, no estaba, mientras Pirañita era relegado a ocuparse de que la caravana estuviera a punto en el garaje, del surtido del bar, del guardarropa, del brillo de los zapatos en la amplia zapatera del clóset, aunque en eso también perdió muy pronto poderes Pirañita, porque al poco tiempo ella desvestía y volvía a vestir a Somoza a su gusto, valijas enteras de camisas, corbatas por docenas, rimeros de trajes en sus bolsas de nylon, que la esposa del cónsul en Miami, convertida en su fiel aliada, consignaba en los vuelos de Lanica.

Ni El Chigüín, recién llegado de West Point, y que andaba por los pasillos del búnker en uniforme de camuflaje, exhibiendo las barras de capitán recibidas como regalo de graduación, pasaba más horas al lado de Somoza que él. El muchacho, que ya exhibía señales de gordura, un mal de familia, no le contestaba los buenos días y de repente parecía como si fuera a morderlo, quizás es que respiraba por la herida de la madre, pero una mañana, para su sorpresa, había entrado a su oficina con una lata de Coca-Cola en la mano, ¿le permitía sentarse un rato?, una pregunta a voz golpeada, una orden más que una solicitud, y él había alzado la cabeza de sus papeles, lo había mirado a los ojos, y se había dado cuenta de que se las estaba viendo con una criatura indefensa y necesitada. Nada más quería conocer la rutina, le dijo, el *day-to-day*, y pronto se puso a hablar banalidades, asuntos de su vida de cadete en los Estados Unidos que transformaba en grandes aventuras, y él, solícito y paciente, dejó sus ocupaciones y se dedicó a oírlo toda la mañana, parpadeando con extrema constancia para que advirtiera con qué cuidado le prestaba atención.

Regresó luego una vez, y otra, siempre la lata de Coca-Cola en la mano, y lo que quería, en verdad, era hacerle confidencias, más tímido de lo que nunca él se hubiera imaginado, había conocido en el vuelo de Lanica, viniendo de Miami, a una stewardess costeña, un monumento de hembra, Grace Cayasso, nativa de Corn Island según sus pesquisas, tenía el teléfono de la casa donde se hospedaba en Managua cuando no andaba volando, la casa de una tía en la colonia Unidad de Propósitos, pero cómo hacía él, presentarse en aquel barrio, con escolta, gosh, arriesgarse a ir a buscarla solo, manejando él mismo, Shit, what a crazy idea, ni a llamarla se atrevía, para colmo su voz era muy parecida a la del Jefe, incredibly alike, y además, qué iba a decir el Jefe, me hace un teatro por andar con mujeres, How could I say it... que no debo, damn it, y se acercó, bajó la voz, you know, the case is... se trata de una negra, a fucking colored girl.

La vez siguiente, apenas volvió al mismo tema, él se dedicó de manera deliberada a atender sus papeles mientras lo dejaba hablar, anotando en rojo en los márgenes, marcando párrafos con el iluminador amarillo, desechando documentos que dejaba ir en la papelera trizadora debajo del escritorio, respondiendo al mismo tiempo llamadas, el teléfono acodado entre el hombro ligeramente alzado y la mejilla para mantener libres las manos, y de pronto, interrumpiendo sus tareas, se levantó, y lo tomó cariñosamente por los hombros: ¿Nunca has estado con una mujer, verdad? El muchacho bajó la cabeza y se quedó callado. De hombre a hombre, entonces, y promesa es promesa, yo te lo arreglo todo con la morena de Lanica. ¿Cómo? Yo mismo voy a llamar a la casa de la tía para que no haya problema con la confusión de voces, ¿okay? Okay. Yo mismo voy a amarrar en tu nombre la cita, ¿okay? ¿Una cita adónde? En una casa en la carretera sur, bastante escondida, que tiene de todo, aire acondicionado, un bar surtido, consola estereofónica, discos de música suave, cama de agua en el dormitorio y espejos de verse uno de cuerpo entero. ¿No vive nadie allí? La dueña saldrá desde temprano, para dejarles el campo libre. ¿De quién es la casa? De una amiga. ¿Y esa amiga? Una amiga mía que me ha pedido que no se sepa su nombre. No me puedo ir a meter en cualquier lugar solo, you know, the terrorists. Tu escolta se queda afuera, en el jardín. ¿Y la stewardess? A la morena voy yo personalmente a buscarla. ¿Para cuándo sería? Para esta misma noche. ¿Y si ella no está en Managua? Ya tengo eso chequeado, está. ¿Y si no quiere? No jodás, ya deseara yo ser vos para probar qué mujer iba a atreverse a decirme que no.

Somoza nunca había vuelto a poner los pies en la mansión del Retiro desde que la Primera Dama perdió la guerra frente a la pérfida Mesalina, y se fue a su destierro voluntario en Miami, del que sólo regresaba cuando le tocaban comparecencias públicas inevitables. Entonces, casi furtiva, volvía a ocupar la mansión, donde el único habitante era el hijo recién llegado de West Point. En esa mansión, sacudida a medianoche por el terremoto que arrasó Managua en las vísperas de la Navidad, y de pronto en tinieblas, Somoza se había dado cuenta de que los teléfonos no le respondían, ni tampoco el transmisor de radio instalado en su limosina, porque los oficiales, clases y soldados que no perecieron bajo los escombros en las barracas de la Loma de Tiscapa y el Campo de Marte, habían corrido a sus casas en busca de sus familiares, igual que sus escoltas, mientras sus funcionarios civiles, ministros y demás, se ocupaban también de los suyos, con lo que se halló literalmente solo e indefenso. Salvo por él, que había acudido a su lado el primero, y el único, hasta que empezaron a llegar, ya alto el sol, las tropas aerotransportadas del Comando Sur de los Estados Unidos desde la Zona del Canal de Panamá.

Ahora, lejos del Retiro, el ser más poderoso de Nicaragua no tenía hogar al que volver cada día, y aunque recalara a menudo en la cama de la pérfida Mesalina, vivía en el mismo búnker, donde disponía de un apartamento nada suntuoso, de modo que era usual que él lo buscara fuera de horas en su dormitorio para plantearle asuntos urgentes. Tocó aquella vez a la puerta, y cuando la voz gangosa dijo adelante, lo encontró sentado en el borde de la cama mientras un ordenanza de uniforme kaki, arrodillado en la alfombra, terminaba de amarrarle los cordones de los zapatos. Se hallaba ya vestido de traje oscuro y corbata brillante de rombos rojos, porque iba a la fiesta de quince años de la hija de uno de sus ministros, y él sólo esperó que se retirara el ordenanza para contarle del plan que había urdido en beneficio de su vástago. Somoza, las piernas muy abiertas, como si no terminaran aún de amarrarle los zapatos, se le había quedado viendo fijamente, el ceño fruncido, y él temió, no se le habría ido acaso la mano, pero antes de que rematara su informe ya en aquella cara redonda había empezado a formarse una amplia sonrisa, una máscara de hule que alguien hubiera acomodado de otra manera, jalándola por los carrillos, estirándole la boca, y por tanto, apresuró el remate, La cita es en la casa de la Yadira, Jefe, pero matemos dos pájaros de un tiro, cuando avisen por radio los escoltas que adentro ya todo acabó, y ya nos hayamos llevado a la morena, se presenta la Dama fingiendo que aquella es su casa y vuelve más temprano de lo previsto, y para qué sigo, de seguro quedan a partir de un confite los dos, ya sabe lo artista que es ella, y perdone si me he entrometido, dijo, sabiendo ya de antemano que de ninguna manera se había entrometido. ¿Ya sabe ella del plan?, había preguntado Somoza, removiendo los resortes del colchón con sus vaivenes entusiastas. Ya sabe, está esperando la llamada suya, porque esto solamente usted puede autorizarlo. Y Somoza, entonces, avanzó a trechos a lo largo de la cama, empujándose con las nalgas, hasta alcanzar de un manotazo el teléfono en la mesa de noche, discó el número de la pérfida Mesalina, y mientras esperaba respuesta dio unas palmaditas cariñosas sobre el colchón, siéntese, doctor.

Quedó a partir de entonces El Chigüín en manos de la rival triunfante, porque así sobrevino que la pérfida Mesalina lo recibió en adopción, y ahora en las visitas diarias a su oficina lo que le contaba eran sus hazañas de cada noche apañadas por ella, mecanógrafas de los ministerios, dependientas de almacenes, aprendices de peinadoras, pero jamás iba a ocurrírsele llevar a alguna de esas pécoras a la mansión del Retiro, le confesó una de esas veces, qué irrespeto sería para mi madre ausente, what a shameless bastard would I be. Y un día le hizo otra confesión que nada tenía que ver con mujeres. En el tronco de un guanacaste vecino al ventanal del dormitorio clausurado de sus padres había sido descubierto un rótulo con las letras FSLN grabadas a cuchillo, y uno de los jardineros, un chavalo enganchado como soldado raso, confesó su culpa, lloró, había sido una broma, un juego para preocupar a los guardianes de que los guerrilleros pudieran meterse hasta allí, pero kaputt, el cadáver se lo entregaron a medianoche en el barrio de Batahola a su tía, su único familiar, informándole que a uno de los centinelas se le había escapado accidentalmente un tiro, la primera orden en serio que daba, había concluido con un deje vanidoso, siempre en la mano la lata de Coca-Cola, nunca le creí lo de la broma a ese terrorista infiltrado cuando lo interrogué personalmente, aunque siendo la tía tan pobre, ordené costear los gastos del entierro. ¿Ya sabe el Jefe?, había preguntado él, alzando los ojos del documento que revisaba, pero El Chigüín sólo estrujó la lata roja antes de lanzarla al cálculo dentro de la papelera. Y desde ese momento entendió que ciertos temas mejor para qué tocarlos.

Entonces, aquella noche del asalto, el teléfono marrón colocado en la mesa al lado de su escritorio había repicado con furia. La línea secreta. El reloj de la pared marcaba las 10:45 P.M. Era el general José R. Somoza, Papa Chepe, el hermano bastardo, inspector general de la Guardia Nacional. No había alarma en su voz, sino restos de sueño. No encuentro a Tacho, dijo. Se quedó a dormir en Bluefields, respondió él. Pues hay un clavo que usted ni se imagina, asaltaron la quinta del doctor Jacinto Palacios en Las Nubes. ¿Maleantes? Guerrilleros, parece cosa de un secuestro, había una fiesta allí. Una fiesta en grande, general. ¿Qué fiesta era ésa? El cumpleaños de Mary Jo, la esposa de Jacinto, dijo él. ¿Y no estaba usted invitado? No, general.

Desde el puesto G.N. del Crucero se había escuchado el tiroteo nutrido, y de acuerdo con los informes de las patrullas de reconocimiento enviadas por el coronel Valle Salinas, jefe de la Policía de Managua, los choferes de los invitados habrían huido por los montes, en desbandada, porque numerosos vehículos quedaron abandonados en el sitio de estacionamiento, con las puertas abiertas, pero por lo visto, dos vigilantes de la quinta, o escoltas, se habían batido con los asaltantes, ya que sus cadáveres yacían en las afueras del portón. ¿Y qué pasa ahora dentro de la quinta?, preguntó, mientras, fiel a la costumbre de registrarlo todo, tomaba nota en su block amarillo a rayas, tamaño oficio. Desde las ventanas del segundo piso le dispararon a las patrullas con armas automáticas, hirieron a tres hombres de línea. ¿Qué piensa hacer entonces, general? Cercar el perímetro, pero hay que avisarle de inmediato a Tacho a ver qué ordena, llámelo por el radio, yo me traslado en este mismo momento al Campo de Marte. Y colgó.

Ahora que el teléfono ha quedado mudo, como una pieza inútil, se siente dominado por esa ansiedad ante los males imprevistos que tanto se parece a la ilusión, y entonces puede ver, otra vez, el parquecito del Crucero con sus cuatro bancas nimbadas por la neblina, allí donde el camino mal asfaltado que asciende hacia Las Nubes se separa de las últimas vueltas de la carretera sur, borracho perdido que iba, indiferente al riesgo de despeñarse en un abismo, toda la tarde metido en el Gambrinus, sin un real en la bolsa, firmando vale tras vale, no quita el pie del acelerador mientras sigue subiendo y los faros alumbran a fogonazos la masa oscura de los cafetales, los portones de fierro de las quintas, una bolsa rota de cemento Canal viene de repente a posarse sobre el parabrisas para elevarse flameando y desaparecer, y por fin el largo muro coronado por un ovillo de espigas de alambre de púas, la cortina de cipreses tras el muro, y más allá los altos ventanales que brillan con fulgores de laca negra, el portón de madera bajo el alero de tejas, el guardián que sale de la caseta cubriéndose los ojos con el brazo frente al deslumbre de los faros, la quinta Mary Jo, como la había bautizado Jacinto en honor a su esposa, hija del gerente regional para Centroamérica de la Texaco Caribbean Company, parece que también te la hubieras sacado en una rifa, le había dicho al oído cuando lo abrazó al pie del altar en la iglesia del Carmen tras la ceremonia de la boda, pero no era tan cierto, el premio mayor ya le había tocado en suerte cuando volvió de Chicago con el postgrado y se puso al frente de los Minifaldas, que vestidos con camisetas y gorras rojas gritaban Somoza forever en las manifestaciones de campaña, tanto costaba verlo ahora en su despacho del Infonac como ver a Somoza en la Loma de Tiscapa, mientras él, caído en la indigencia, pitaba y pitaba en la oscuridad para que le abrieran, se acercaba el vigilante armado de una escopeta, no estaban los patrones, llegó otro vigilante armado de otra escopeta, nadie puede entrar, órdenes terminantes, sea quien sea, y brillaron entonces los focos de una camioneta, Jacinto que llegaba, se bajó, quiere abrazarlo y no se deja, estás borracho, le dice, me das otro trago y me compongo, qué triste espectáculo, pasemos, nada de pasemos, me vas a dejar aquí afuera, quién te ha invitado, voy a irme pues con las manos vacías, no entiendo de qué me estás hablando.

Y le contó entonces en una sola tirada su tragedia porque no le importaba humillarse, se había presentado al mediodía al casino de Moncho Bonilla en el malecón, no estaba, se lo pusieron tras muchas rogativas por teléfono, había aceptado después de mucha insistencia suya que habilitaran una mesa de ruleta, mandaron a buscar al croupier y cargaron la carrera de taxi a su cuenta, un acto de traición a la huérfana irse a jugar solo después de perder la última finca de Catarina pero quería entrar triunfante al dormitorio, pedirle que se quitara el antifaz que usaba para dormir sin molestia de la luz del día, vaciar los manojos de billetes sobre la cama, y en cambio el rastrillo se había llevado el reloj Piaget, la esclavina de platino con sus iniciales inscritas en el cierre, las mancuernillas con las reinas de corazones esmaltadas en oro, obra del orfebre Segismundo, y Jacinto tan insensible, yo para jugaderas no presto, mañana mismo te pago, no, ni un centavo, y él tiembla, una gran rabia, un gran desconsuelo, ganas de vomitar, te vas a arrepentir de esto que me estás haciendo. Lloraba. Lloraba como lloran los borrachos.

Quite su vehículo que el patrón tiene que entrar, le ordena uno de los vigilantes, y ya Jacinto le ha vuelto la espalda para subirse de nuevo a la camioneta donde lo esperaba Mary Jo, mientras él se queda en el camino como si se hubiera perdido, se limpia con un faldón de la camisa los mocos del llanto, tropieza al dirigirse a su carro con las llaves en la mano, quiere apresurarse pero tropieza otra vez, se apoya de brazos contra la puerta, y el vómito amargo, ácido, baña en cascada el vidrio de la ventanilla.

Mi hijo me contó del mal percance que tuvieron, quiso darle una lección pero se le fue la mano, le había dicho Macario Palacios cuando firmaba la carta de recomendación dirigida a Manitos de Seda. Ningún mal percance, ya ve, dejé de jugar. Pero usted no quiere contestarle ni siquiera el teléfono, eso no me parece, ustedes han sido como hermanos. Descuido mío, pierda cuidado, hoy mismo lo llamo. Y había llamado a Jacinto esa noche para que su protector quedara contento, le salió Mary Jo, tan fría, pero Jacinto cogió el teléfono como si nada hubiera ocurrido, lo invitaba a pasar un domingo en la finca de Tola, solteros como Dios los había echado al mundo, había tanto ganado fino de alta estampa en estos tiempos, con fierro o sin fierro, que era una lástima dejarlo perecer de necesidad. Un domingo que los dos sabían jamás iba a llegar.

Llamó al radio operador del búnker para que buscara cómo conectar de inmediato con la base de Bluefields, y mientras aguardaba se sintió extraño en aquel escenario de oficinas desiertas bajo las luces de quirófano, las fundas de plástico gris cubriendo las máquinas de escribir, los numerosos archivadores precintados, el despacho de Somoza visible a través del desorden de sillas de la sala de sesiones, con el viejo escritorio presidencial, herencia del padre, guarnecido como un catafalco, y dentro de una urna, a un extremo, la bandera de Nicaragua, plegada en su asta, con el escudo de armas suntuosamente bordado, aparadores llenos de trofeos ganaderos, la estatuilla de bronce de un caballo pura sangre en la mesa baja del centro, la foto a colores de un toro Charolais, campeón de sementales, en la pared del fondo, tras el escritorio. Y mientras las sirenas de las patrullas se alejaban hacia la carretera sur, rumbo a Las Nubes, abrió la gaveta donde guardaba la agenda telefónica, buscó el número y empezó a discar a sabiendas de que no estaba autorizado, Papa Chepe ni siquiera había vuelto a llamar, tampoco Somoza respondía desde Bluefields, y a esas alturas lo más seguro es que ya no necesitaran de él porque estarían en comunicación directa a través de sus canales de radio, un albur el suyo, los zumbidos largos se repetían, pegó el auricular a la oreja, descolgaron, hubo un silencio del otro lado, hasta que una voz, aquella voz, dijo: Esta casa está bajo el control del comando Ignacio Corral y aquí nadie ni se vende ni se rinde, ¡patria libre o morir!

Extraños en la noche [Conversaciones telefónicas, 19 de octubre de 1974]

CUARTEL GENERAL DE LA GUARDIA NACIONAL
OFICINA DE SEGURIDAD NACIONAL (OSN)
SERVICIO DE E.T.

TRANSCRIPCIÓN C.T.
C.M 123/74
Día: 19 de octubre de 1974
Hora C: 11.01 P.M.
Hora T: 11.04 P.M.

A.M.: Doctor Alirio Martinica, Secretario Privado SPS.
S.D.: Sujeto desconocido.

S.D.: Esta casa está bajo el control del comando Ignacio Corral y aquí nadie ni se vende ni se rinde, ¡patria libre o morir!
A.M.: Habla el doctor Alirio Martinica, soy el Secretario Privado del Presidente Somoza.
S.D.: Conozco de sobra tu nombre. ¿Qué pasa?
A.M.: ¿Por qué esa violencia, cuando las cosas se pueden arreglar dialogando?
S.D.: La violencia es la de ustedes contra el pueblo.
A.M.: ¿Con quién hablo, personalmente?

S.D.: Soy el número Tres del comando. Llámeme Tres.

A.M.: Póngame por favor al jefe de ustedes, todo esto se puede arreglar antes de que ocurra una desgracia.

S.D.: Voy a ponerte al comandante Cero cuando vos me pongás a Somoza. Mientras tanto, entendete conmigo.

A.M.: ¿Se puede saber qué quieren?

S.D.: Por el momento, que retiren de inmediato a todas las fuerzas que están rodeando la quinta en plan de zafarrancho.

A.M.: Tomo nota de su petición, voy a transmitirla.

S.D.: Tienen que retirarse por completo del perímetro, no puede haber ningún militar, ni tampoco civiles armados en trescientos metros a la redonda.

A.M.: Voy a transmitirlo con todo gusto.

S.D.: De lo contrario vamos a comenzar a ejecutar uno por uno a los rehenes, empezando por Jacinto Palacios.

A.M.: Les ruego tener calma, con buena voluntad todo se puede arreglar.

S.D.: No estamos jugando. Si nos atacan, empezamos a ejecutar a los rehenes, uno por uno.

A.M.: Créame que eso sería una barbaridad.

S.D.: No estamos jugando, te lo repito.

A.M.: ¿Se halla autorizado para sostener esta conversación?

S.D.: Si no fuera así, no hubiera levantado este teléfono.

A.M.: ¿Puedo hablar con el doctor Jacinto Palacios?

S.D.: Aquí nadie puede hablar con nadie, este es un operativo militar, y ya te dije que Jacinto Palacios es el primero de la lista.

A.M.: Más les conviene conservar la vida del doctor Palacios, hablen con él, es una persona civilizada, puede ayudar a encontrar una solución.

S.D.: ¡Vos me estás queriendo distraer mientras nos atacan! ¡Ya nos están atacando por varios flancos!

A.M.: No se sofoquen, ya intervengo para parar el ataque.

C.T. interrumpida.

(Al revisar la cinta No. 123/74 que corresponde a la transcripción, antes de que la llamada se interrumpa se escuchan de lejos tiros, y luego de cerca, carreras, muebles atropellados, voces de mando, un vidrio que estalla, gritos de miedo, llantos.)

CUARTEL GENERAL DE LA GUARDIA
NACIONAL
OFICINA DE SEGURIDAD NACIONAL (OSN)
SERVICIO DE E.T.

TRANSCRIPCIÓN C.T.
C.M 124/74
Día: 19 de octubre de 1974
Hora C: 11.37 P.M.
Hora T: 11.41 P.M.

A.M.: Doctor Alirio Martinica, Secretario Privado SPS.

S.D.: Sujeto desconocido.

A.M.: ¿Me está escuchando?

S.D.: Te escucho.

A.M.: Sería conveniente que mantuvieran libre la línea.

S.D.: No podemos evitar que los familiares de los que tenemos adentro estén llamando a cada rato.

A.M.: Sí, es lógico, están muy preocupados, hay nerviosismo.

S.D.: Sobre todo porque ustedes están creando ese nerviosismo, con el ataque que hubo.

A.M.: Sí, sí, ya se mandó a parar.

S.D.: Por poco hay una masacre. Aquí se mueren todos, y nos morimos todos.

A.M.: Se han girado instrucciones precisas de suspender toda clase de acción militar.

S.D.: Y tienen que retirarse del perímetro.

A.M.: Ya se están dando esas órdenes también.

S.D.: ¿Quién las está dando?

A.M.: Los mandos, los mandos pertinentes...

S.D.: Magnífico, se ve que tenés poder de sobra.

A.M.: Yo sólo soy un buen mensajero.

S.D.: Un mensajero de Somoza.

A.M.: Gozo de la confianza del Señor Presidente.

S.D.: Yo te conozco bien.

A.M.: Tengo un cargo público.

S.D.: No, te conozco bien por otros motivos.

A.M.: No sé a qué motivos se refiere.

S.D.: Tantos motivos, pero tal vez te acordás de un hermano de lucha de nosotros, al que «Moralitos» mandó a echar al cráter del volcán Masaya. Este comando lleva su nombre.

A.M.: Tengo presente el caso. El Consejo de Guerra encontró culpable al coronel Morales, fue condenado, y sufrió baja deshonrosa.

S.D.: Pero vos serviste de testigo a su favor.

A.M.: Testifiqué lo que correspondía.

S.D.: Testificaste que a la hora de la captura de ese compañero, «Moralitos» estaba emborrachándose con vos.

A.M.: Me atuve a lo que fue cierto, que almorcé con él en determinada hora y fecha, nada más.

S.D.: Buscando cómo salvarlo porque eras su íntimo compinche.

A.M.: Era su amigo, lo sigo siendo. Soy leal en la amistad.

S.D.: Leal con un asesino confeso.

A.M.: No voy a comentar sobre ese particular.

S.D.: Y tu otro compinche, Jacinto Palacios, aquí lo tenemos.

A.M.: También es mi amigo.

S.D.: ¿Te preocupa, verdad?

A.M.: Me preocupa la suerte de todos los rehenes.

S.D.: Pero Jacinto Palacios, sobre todo.

A.M.: No niego que quisiera verlo sano y salvo.

S.D.: ¿Y Somoza? ¿Qué pasó con Somoza?

A.M.: El Presidente Somoza no está por el momento disponible, pero se va a poner a la cabeza de la negociación apenas pueda.

S.D.: ¿No está Somoza en Managua?
A.M.: No está disponible.
S.D.: Bueno, en cuanto aparezca Somoza, nos vuelven a llamar. Y no se les ocurra disparar un tiro más, que el primero que se va a morir es Jacinto Palacios, ya te dije.

C.T. interrumpida.

CUARTEL GENERAL DE LA GUARDIA NACIONAL
OFICINA DE SEGURIDAD NACIONAL (OSN)
SERVICIO DE E.T.

TRANSCRIPCIÓN C.T.
C.M 125/74
Día: 20 de octubre de 1974
Hora C: 12.24 A.M.
Hora T: 12.25 A.M.

A.M.: Doctor Alirio Martinica, Secretario Privado SPS.
S.D.: Sujeto desconocido.

A.M.: Llamo para ver cuál es la condición de los rehenes.
S.D.: ¿Vos sos fantoche, o qué?
A.M.: Debería tener la cordura de expresarse con un poco más de respeto en momentos tan delicados.
S.D.: Te lo digo porque aquí llamó José Somoza, en nombre de su hermano, y con él estamos negociando las condiciones para liberar a los rehenes.

A.M.: De eso me alegro mucho.

S.D.: Pero a vos no te mencionó ni por sombras, no sabe nada de tus llamadas, por eso te digo, ¿cuál es tu vela en este entierro?

C.T. interrumpida.

8.

Era la tarde de un sábado de finales de marzo de 1971, vísperas de Semana Santa, cuando Managua comienza a perder sus ruidos porque la gente se desboca hacia el mar, y venía manejando hacia su casa de Bolonia desde los andurriales del barrio Acahualinca que bordean los botaderos de basura en la costa del lago de Managua, después de acompañar a la pérfida Mesalina que ahora celebraba las vísperas de sus cumpleaños con primeras comuniones masivas bajo carpa, y el oficio de los funcionarios era ayudarla a servir el desayuno a los niños comulgantes en las largas mesas, tablones montados sobre burros de madera y forrados con papel de empaque, los ministros, presidentes de entes autónomos, miembros del Estado Mayor, ocupados con grave solicitud en servir el café con leche, los sándwiches de carne del diablo, los pastelitos azucarados y los trozos de queque que ella misma iba partiendo, y ayudarla después a distribuir los regalos y a poner orden en las filas en las que toda la pobretería quería meterse, muñecas Barbarella, aros hullah-hoop, juegos de jacks, pistolas espaciales, patos inflables de piscina, gorros peludos de David Crocket, capas de Superman, y mientras todos se acompañaban de sus esposas, unas resignadas, otras entusiastas, él hacía solitario su oficio porque la huérfana hubiera sido más bien un estorbo, tu señora es un primor, amorcito, se le nota lo educada cuando te llamo por urgencias y me sale al habla, el Jefe la respeta por ser hija de quien es, pero mejor así, de besitos al aire, qué haría ella en una fiesta mía y dónde meto a la Yadira para que no se encuentren, mientras la huérfana, tan práctica, entendía todo lo que tenía que entender sin necesidad de preguntar ni entrometerse, sabía de dónde venían los dones y las bendiciones y con eso es más que suficiente, y tampoco se le pasó jamás a él por la cabeza un encuentro entre las dos, no iban ellas a sentarse a hablar de las poesías completas de Gabriel y Galán, oh pastores de mi abuelo.

Todo reverberaba en un temblor de espejismo bajo el solazo y en la esquina de la Casa del Obrero el tráfico estaba interrumpido porque un camión repartidor de gaseosas Milca había ido a estrellarse contra la pared de la barbería Los Gemelos al perder los frenos, un reguero de vidrios rotos en el pavimento tras el descalabro mientras el líquido rojo corría por las cunetas, pitaban desaforados los policías de tráfico para obligar a los vehículos a desviarse y el maestro Almanza, el dueño de la barbería, contemplaba desde la acera los destrozos junto con el cliente al que atendía al momento del accidente, el mandil amarrado al cuello y a medio rasurar.

Rodeó el Estadio Somoza al volante de su Opel Kadett, siguiendo la corriente de vehículos desviados, y al acercarse a su casa divisó la camioneta de Gallo de Lata estacionada bajo los malinches que sombreaban la acera, nada raro una visita suya en sábado si es que había pescado algún cliente importante para un Mercedes, pero tuvo de todas maneras el presentimiento de algo fatal, que creció cuando tras hacer sonar brevemente el claxon vinieron a abrirle como siempre el portón del garaje, pero no era doña Azucena, que llevaba años en el servicio, sino una muchacha morena, de rasgos muy campesinos, vestida igualmente con uniforme de dacrón celeste y zapatos de lona, sólo que todo el atuendo le venía flojo, porque era sin duda el mismo de la vieja empleada despedida de pronto por decreto de la huérfana, se imaginó, quién sabe por qué graves faltas. No intercambiaron siquiera un buenas tardes, y cuando salió al jardín, halló a la huérfana conversando con Gallo de Lata, de camiseta banlón a rayas y shorts a la rodilla, listo para seguir viaje hacia algún balneario después de cerrar el trato, pero volvió a su presentimiento extrañado de que la familia no lo esperara dentro de la camioneta, con la parrilla cargada de provisiones, y más aún porque al apenas verlo aparecer se despidió apresurado de la huérfana para alejarse a grandes brincos de garza, las flacas canillas desnudas, como si más bien huyera, diciéndole adiós a distancia, con una especie de saludo militar.

Y todavía más extraño, la huérfana se llevó un dedo a los labios, como pidiéndole silencio para no despertar a alguien que durmiera, lo tomó del brazo y así lo condujo hasta la puerta de la oficina a la que llamó con los nudillos, tres golpes leves, como si se tratara de una señal convenida, y entonces vinieron a abrir, y era Ignacio, lo reconoció aunque parecía en verdad otro, un extraño en el que apenas reparó porque sus ojos espantados fueron a dar más bien a la huérfana, suplicándole una aclaración. Pero ella, en vez de mostrarse asustada, tenía ahora una cara muy graciosa de conspiradora que está apenas aprendiendo el oficio y todo lo que le han dicho sobre las reglas del secreto lo toma al pie de la letra, y sin que hasta entonces hubiera mediado la menor palabra lo empujó, como quien se deshace de un bulto, y cerró con suavidad la puerta dejándolos solos adentro.

—Al fin me di el gusto de ver de cerca a la huérfana, pasaron años, pero me di el gusto —dijo Ignacio.

—¿Qué mierda significa todo esto? —era en verdad otro, comandante, como alguien que no es ya de este mundo.

—Le pregunté a la huérfana por qué no ha salido todavía embarazada y dice que es tu culpa, que sos un dejado —dijo Ignacio.

—¿Con qué permiso has invadido mi casa? —si hubiera visto esa sonrisa, como dejada de sí misma, casi borrándose en sus ojos, en sus labios.

—Sola y abandonada la pobrecita en semejante mansión, donde ya parece que asustan de tan vacía —dijo Ignacio.

—Esto no es juego, aquí no podés estar ni un segundo más —parpadeaba al sonreír, como si acabara de despertar, o como si siempre estuviera a punto de dormirse.

—Necesita de alguien que la distraiga mientras vos te dedicás en cuerpo y alma a Somoza —dijo Ignacio.

—No estoy para bromas, así que esta visita se acabó —pero al mismo tiempo daba la apariencia de que ya nadie sería capaz de curarlo del desvelo, como si fuera a quedarse para siempre con los ojos vidriosos abiertos.

—No tengo ningún otro lugar adonde ir —dijo Ignacio.

—Eso no es asunto mío —eran sus mismos ojos, pero aquel brillo pícaro de antes había sido apagado por las penurias y las fatigas.

—Si hubiera tenido otro lugar donde esconderme, jamás se me ocurre venir a molestarte —dijo Ignacio.

—Pues escogiste el peor lugar, esta casa está vigilada día y noche —y el olor a animal de monte, tan persistente, iba a quedarse metido en las últimas rendijas de aquella oficina para la eternidad.

—Nada de que está vigilada —dijo Ignacio.

—Esté o no vigilada, desde el momento en que has puesto un pie aquí, todos estamos en peligro —el color terroso que se pega en la piel de tanto dormir en el suelo, cuánto necesitaba una cama, una almohada placentera, un colchón mullido.

—La huérfana no es de la misma opinión, y

más bien está de acuerdo en recibir también a la compañera Cristina —dijo Ignacio.

—¿Qué compañera Cristina? —un silbido sordo en la respiración, una bronquitis mal curada, sudando las fiebres viejas en algún escondrijo del monte, sin medicinas a mano.

—La muchacha que te fue a abrir la puerta del garaje —dijo Ignacio.

—¿Encima de todo trajiste a una persona más? —peludo, greñudo, con una barba de enfermo que no termina nunca de aliviarse, necesitaba un barbero, tijeras, talco, colonia, jabón.

—Es una maestra normalista, está en mi columna desde hace un año —dijo Ignacio.

—Tu mujer, seguramente —flaco, además, le sobraban hoyos en la faja de los pantalones cortos, su misma armazón de huesos firmes, pero como un toro de feria con los carrizos de los cachinflines ya quemados.

—No, es solamente una compañera de lucha, y la respeto mucho —dijo Ignacio.

—Y tan rápido que la disfrazaron de doméstica, es el colmo del abuso —y aquella camisa de colorines, azul, verde y rosa, con palmeras y tumbadoras, que le daba la estampa de músico de cabaret de la última estofa.

—Fue idea de la huérfana, la compañera va a arreglarte tu cama y alistarte tu ropa mientras estemos aquí —dijo Ignacio.

—¿Mientras estén aquí? —y por todo equipaje un maletín viejo con el sello de la Panamerican, desinflado, con tan pocas cosas adentro.

—Una semana, tal vez menos, mientras puedo pegar con otros compañeros de la organización —dijo Ignacio.

—Está muy loca mi esposa si piensa que se van a quedar en esta casa una semana —al lado del maletín una pistola, la cacha reparada con tape negro.

—No me digás que vas a castigar por mi culpa a la huerfanita —dijo Ignacio.

—Estúpida ella, y estúpido Gallo de Lata, ¿qué anda haciendo ese viejo animal metido en todo esto? —y una granada de mano en forma de pesa de balanza, con la argolla de la espoleta en la cabeza.

—Gallo de Lata es un amigo de mi papá desde sus tiempos del colegio Centroamérica, él mismo le puso ese apodo —dijo Ignacio.

—¿Y por qué no te hospedó mejor en su casa, si quiere andar de samaritano? —¿y si fuera cierto que no tenía nada que ver con la maestra, que nunca había tocado a esa muchacha hosca que olería también a animal de monte?

—Porque sus gemelas quinceañeras tienen una gran clientela de enamorados —dijo Ignacio.

—Y le endosa el muerto a otro —¿habría hecho también voto de castidad, no meterse nunca con las guerrilleras, consolarse con una paja triste cuando creyera que todos estaban dormidos en el campamento?

—Su argumento de que éste era el sitio más seguro me convenció —dijo Ignacio.

—¿Y de dónde saca Gallo de Lata pendejo que aquí no te van a buscar? — siempre que se trataba de hacer viaje a la zona de tolerancia, más allá de la Ermita de Dolores, San Ignacio alegaba que debía estudiar, jamás había bailado con la Natty, la putilla que arrastraba el culo suculento por el suelo, la preferida de Jacinto, jamás se la había llevado por el corredor oscuro a uno de aquellos cuartos forrados con láminas de catrinite abombadas por la humedad.

—Porque es el último lugar donde a Moralitos se le puede ocurrir que estoy escondido —dijo Ignacio.

—Es lo último que faltaba, Gallo de Lata conspirando —«no se le conoció ninguna novia en la ciudad de Granada, ni en la ciudad de León mientras vivió en ella como estudiante universitario, y condiscípulos suyos que lo trataron entonces muy de cerca afirman que no solía visitar lugares de amancebamiento».

—Hay personas así, como Gallo de Lata, que se la juegan por nosotros si se presenta la ocasión, por amistad, por lástima, por lo que querás —dijo Ignacio.

—Afilando el cuchillo con que les van a cortar el pescuezo, el muy baboso —«dado que no se le conoce tampoco ninguna compañera de vida dentro de las filas subversivas del FSLN, es probable que sus costumbres de abstinencia puedan deberse al fanatismo ideológico, según también quienes le conocen desde sus tiempos de estudiante».

—Se la juegan, a pesar de que les meten en la cabeza cosas como las que vos estás diciendo, que los vamos a poner en campos de concentración para que aprendan a trabajar de verdad, apenas triunfemos —dijo Ignacio.

—Gente ejemplar, muy honrada, la que buscan ustedes para hacer la revolución, ya veo —Le comunico con el coronel Morales. / ¿En qué puedo servirle, coronel? / Una cosita ligera y poca. / Dígame de qué se trata. / Quiero pasarle la ficha de un su amigo que fue, a ver si me completa unos datos que nos faltan.

—Vos le das participación a Gallo de Lata en el negocio de las libres de vehículos, y vos mismo lo criticás —dijo Ignacio.

—Te metés armado dentro de mi casa, y encima venís a juzgar lo que yo hago o no hago —¿Y ese amigo mío que fue, adónde anda ahora, si acaso puede saberse, coronel? / Por allá arriba, adentro de Zinica, comiendo mono crudo y bebiéndose sus propios orines.

—Vos mismo empezaste haciendo señalamientos sobre la honradez de Gallo de Lata —dijo Ignacio.

—Olvidate ya de Gallo de Lata y decime de una vez por todas adónde te llevo —Pero a lo mejor lo tenemos de visita por aquí abajo uno de estos días, doctor. / No aguantan más allá arriba, según veo / Haga de cuenta y caso que Vulcano les hubiera echado kerosín en su cueva.

—Ya me cansé de insistir en que no tengo ningún otro lugar donde esconderme —dijo Ignacio.

—Te diste gusto en asustarme, está bien, pero ya para juego es mucho —Y aquí abajo no les va mejor que se diga. / Correcto, una pecera vacía allá, y otra pecera vacía aquí abajo, casa que alquilan, casa que le caigo, mis pobres pepescas, eso es lo que quiero, verlos aleteando en seco.

—¿Creés que a estas alturas puedo andar jugando? —dijo Ignacio.

—Siempre le tuviste afán a las bromas pesadas —La verdad, coronel, yo sobre él tengo muy pocos datos, casi nada es lo que recuerdo. / Suelte prenda, que a veces el dato que menos uno se imagina, sirve.

—Broma pesada es la tuya al querer correrme —dijo Ignacio.

—Entonces pasemos a hablar en serio, me voy a ver obligado a informar de tu presencia en mi casa a las autoridades —¿Qué dato, por ejemplo? / Si los tientan las mujeres es una cosa, si son de esos que les gustan las costumbres de curas fanatizados, que ni cogen ni dejan coger, es otra. / ¿Y entonces? / Los mujeriegos se esconden en casas de viejas ricas, necesitadas de coyunda, los otros, en las sacristías, debajo de las enaguas de los curas.

—Está bien, denunciame, desde que entré por tu puerta he quedado en tus manos —dijo Ignacio.

—Me estás obligando a escoger entre vos y yo —Especímenes interesantes, coronel. / Y otros, que aunque no parezca, andan en el oficio subversivo de muy valientes pero les gusta que les den por la retaguardia, aunque por lo visto, su viejo conocido no parece ser zorro de ese piñal. / ¿Cochones, dice usted, coronel? / Hay de todo, como en botica, doctor, y aquí, entre nos, eso sucede también en el gobierno.

—Te repito que estoy en tus manos —dijo Ignacio.

—¿Por qué jodido no se te ocurrió irte a meter a la casa de Jacinto? —Maricones en el gobierno, quién lo diría. / Los hay en bendición, y muy cerca del Jefe también.

—Porque en Jacinto no confiaría jamás —dijo Ignacio.

—No me digas que no tienen ustedes montones de casas de seguridad, reales en puta, si a cada rato asaltan bancos —Eso de que haya individuos así dentro del gobierno es peligroso, coronel. / Claro que sí, una persona con esas costumbres tiene muchas debilidades de carácter, yo se lo he dicho al Jefe, pero siempre me responde: «Quiero pruebas» / ¿Qué pruebas puede haber en esos casos? / Es lo que yo le digo: «Jefe, la única prueba es que sirva yo de cama».

—Nos han venido quebrando todas las redes allá arriba, en la montaña, y aquí abajo también, vos lo sabés mejor —dijo Ignacio.

—No tengo por qué saberlo, ¿acaso soy policía? —Mándeme entonces el expediente de esa persona, a ver en qué puedo ayudarlo. / Y cuando sepa de alguno de esos otros que le digo, que les gusta que les midan el aceite, ministros, viceministros, páseme la voz, por lo menos los pongo en la lista. / Ni que tuviera yo un detector de cochones, coronel.

—No me vas a decir que no estás informado de las andanzas de Moralitos y sus secuaces —dijo Ignacio.

—A mí sólo me tocan asuntos administrativos en el gobierno —Fíjese siempre la manera de dar la mano. / ¿Cuál es esa manera? / Una manera lánguida y desmadejada. / ¿Asunto nada más de la mano? / Y de la mirada quejumbrosa, que dura un instante fugaz.

—Mejor dejemos de un lado tus funciones y las de Moralitos —dijo Ignacio.

—¿También la maestra anda armada? —¿No falta ninguna otra característica? / La forma en que mueven las caderas cuando caminan, como si les hubieran zafado un tornillo en la base del culo, sobre todo los nalgones. / Parece que fuera usted un especialista en el tema, coronel. / ¿Pederastia es el término científico, verdad? / También el término legal.

—La compañera porta siempre su arma por deber militar —dijo Ignacio.

—¿Quiere decir entonces que estoy secuestrado dentro de mi propia casa? —Debería escribir un manual sobre ese tema, coronel. / Lo llamé para cosas serias, doctor, y ya terminamos hablando de nalgas. / Decía un profesor mío en la universidad: «Nalgas hermosas, aunque sean de hombre».

—Preguntale a la huérfana si se siente secuestrada por mí, o por la compañera Cristina —dijo Ignacio.

—Sea como sea, tenés que ser razonable, y por tu bien y por el mío debés irte de aquí —Pero hay algunos que no son nalgones, doctor, secos, como un palo, y también se les derrama la cantimplora. /

A mí, para serle franco, no me gusta la carne pegada al hueso, coronel.

—En cuanto encuentre adónde, te juro que me voy —dijo Ignacio.

—Si Somoza sabe que yo te escondí, me corta los huevos —Haga que borren de la cinta todo esto que estamos hablando, coronel. / Pendejo sería estarme grabando a mí mismo. / Por si las moscas, quién quita alguien vaya a pensar lo que no es cierto. / ¿Qué cosa no es cierto? / Que somos del otro bando.

—No tiene por qué saberlo —dijo Ignacio.

—Todo lo sabe, de todo se da cuenta, este teléfono Moralitos lo tiene intervenido —Eso es una cosa, pero jugar a la doble parada es muy lícito. / ¿Qué quiere decir con eso, coronel? / Que uno puede transmitir en onda corta y larga, por diversión, y no es nada malo.

—No voy a usar para nada el teléfono —dijo Ignacio.

—Entendé que Moralitos a mí no me quiere porque un íntimo suyo, el coronel Adonis Selva, al llegar yo a la casa presidencial, quedó relegado a cachimber-boy de Somoza —¿Usted dice, coronel, que le gusten a uno al mismo tiempo los hombres y las mujeres? / Un asunto de nalgas ásperas o nalgas finas, nada más, doctor. / Aunque hay efebos que las tienen como si fueran de seda, coronel.

—Pirañita —dijo Ignacio.

—Son como siameses —Abundan toda clase de nalgas entre mis compañeros de armas. / Eso sí que me asombra, mamploras militares. / Pues vaya quitándose el susto, que así es. / Tendrá usted un método diferente para detectarlos, coronel. / El del perfume, guardia perfumado, guardia volteado. / No me diga que usted no se pone colonia. / Prefiero usar colonia Mennen para niños, así no doy qué hablar.

—Ya me imagino, asesinos y torturadores los dos, y además, depravados —dijo Ignacio.

—No estés poniendo en boca mía lo que no he dicho —¿Alguna experiencia propia con algún perfumado? / ¿Me quiere agarrar movido?, doctor? / No, yo sólo le sigo el hilo, coronel. / ¿Ejemplos quiere entonces? / Deme aunque sea uno.

—Bueno, hermano, ya se ve que es imposible, gracias de todos modos —dijo Ignacio.

—Vos me decís dónde los llevo en el carro —Un profesor en la Escuela de las Américas, en Panamá. / ¿Militar americano? / El profesor de Inteligencia, un gringote de sesenta años que aquí lo tuvimos después de asesor, Sartorius Van Wynckle. / Mal de vejez. / Se echaba colonia Atkinson a manotadas en el pelo, los cachetes, el pecho. / Eso no es prueba de ningún delito, coronel.

—Dejanos en media calle, donde mejor te parezca, en una gasolinera, en un parque —dijo Ignacio.

—¿Y para dónde van a agarrar? —Espéreme, doctor, ya va a ver: se depilaba las cejas y se las delineaba con lápiz. / Allí sí, ya vamos llegando. / Y también se untaba crema de almendras en las manos.

—Me sacás de tu casa después de repetirte mil veces que no tengo a donde ir, y todavía querés que te diga para dónde voy a agarrar —dijo Ignacio.

—Está bien, quédense una noche —Hasta allí, pueden ser sólo apariencias. / Lo que no eran apariencias es que el viejo te aprobaba con A en el examen si te lo pasabas por las armas.

—Nada ganamos con una noche —dijo Ignacio.

—Pasado mañana lunes entonces, lunes a mediodía —¿Y usted obtenía buenas notas con el perfumado en cuestión, coronel? / Secreto militar, doctor.

—Martes —dijo Ignacio.

—Te voy a traer una colchoneta y una almohada, porque de esta oficina no podés salir —No me explico cómo podían tenerlo en el ejército americano, siendo tan estrictos. / Padre de familia ejemplar, para que sepa. / Y ahora me va a decir que valiente. / Condecorado por heroísmo en el desembarco de Normandía. / Ya ve, lo valiente no quita lo caliente, coronel.

—Para qué tanta molestia, en el suelo puedo dormir —dijo Ignacio.

Una lumbre escarlata fija a contraluz la silueta de los chilamates que parecen haber perdido de pronto sus hojas, y ahora las sombras empiezan a entrar al patio en oleadas que se agitan y poco a poco irán aquietándose hasta borrar a la multitud. Nicodemo, sin ninguna clase de armas encima, y Manco-Cápac, agobiado por el peso de sus arreos, salen de la bodega de Cáritas adonde habían sido llamados para una comunicación urgente de radio, y ahora, mientras la gente que va de un lado a otro se aparta respetuosa a su paso, se alejan de espaldas por el corredor, el uno con su gorra de trapo, el otro con su sombrero de fieltro, discutiendo de manera agitada, siendo poco lo que puede escuchárseles decir, un murmullo de voces entre ellos, un entrevero de gestos en el que Nicodemo, más alto que Manco-Cápac, más flaco, agita las manos, mientras el otro niega una y otra vez con movimientos rudos de la cabeza. Y cuando entran al aula de kindergarten y Manco-Cápac va despojándose del fusil y la canana de la que penden la pistola automática y la cantimplora, las bujías enroscadas en el cielo raso arden de pronto sin ningún resplandor, vacilan, se apagan y vuelven a encenderse mientras afuera palpita, se calla y vuelve a palpitar una planta portátil que siguen probando, es lo que vienen de chequear, dice Manco-Cápac sin que nadie se lo haya preguntado, el motor de emergencia, las fuerzas del comandante Ezequiel derribaron una torre de alta tensión en Potosí para dejar a los guardias en Rivas sin energía, y nos fuimos todos, moros y cristianos, no va a haber luz en el pueblo a saber por cuánto tiempo, pero Nicodemo, bien sabido de que aquel acto de sabotaje nada tiene que ver con la preocupación que los domina, prefiere seguir adelante con el interrogatorio interrumpido para aliviar sus pensamientos: ¿Por cuánto tiempo se quedó Ignacio al fin en tu casa?, pregunta al reo. Déjeme hacer cuentas, comandante, algo más de tres meses tal vez, si estamos hablando de que apareció a fines de marzo de 1971 y en junio se trasladó a un nuevo lugar, ya cuando había entrado en comunicación con otros miembros clandestinos del FSLN a los que nunca llegué a ver, por supuesto, en mi casa nadie lo visitaba, y las diligencias se las hacía la maestra que tenía por seudónimo Cristina, se iba a la calle vestida con su uniforme como si anduviera haciendo compras o mandados, algo que la cocinera de la casa, doña Rosita Smith, no dejaba de maliciar, que una empleada con tantos oficios pendientes se pasara muchas veces el día entero afuera, y también maliciaba que Ignacio no saliera del todo del cuarto de huéspedes, pero a fin de aplacar cualquier sospecha, tanto de parte de la mencionada cocinera como del chofer, del jardinero o de los electricistas y carpinteros que llegaban ocasionalmente a hacer reparaciones, mi esposa repetía cada vez y cuando delante de ellos que aquél era un muchacho primo mío enfermo de los nervios, y que no debían perturbarlo porque le daban ataques de furia.

La compañera Judith advierte en este momento que desea plantear algunas preguntas al reo. El comandante Nicodemo la autoriza a proceder de conformidad. ¿De entre todas las personas mencionadas, quién sospecha usted que haya delatado al compañero Igor? Que no sospecha de nadie, afirma, ya que como ha expresado antes, y vuelve a repetir, su captura y consecuente muerte se produjo después de que por su propia y espontánea voluntad decidió abandonar la casa, no habiéndose presentado mientras estuvo escondido en ella ningún percance capaz de haber afectado su tranquilidad, y más bien, al irse, tal como también ya lo ha declarado, le dejó una nota de despedida y una dedicatoria escrita en un libro. ¿Qué libro era ése? Un ejemplar de *Rayuela*, novela entonces de moda que, a fin de distraerse en su encierro, Ignacio había encargado a la esposa del reo comprarle en la librería Club de Lectores del centro comercial Zumen, junto con otros libros diversos. ¿Recuerda el contenido de esa dedicatoria? «A mi viejo y querido amigo, por la lealtad y el cariño que me ha demostrado, a pesar de que nos encontramos en campos opuestos, suyo siempre, Igor.» ¿Esas personas de servicio en su casa no pertenecían al personal de la OSN, o por lo menos, no pasaban por algún filtro de seguridad? De ninguna manera, todas eran contratadas en base a la confianza personal, mía y de mi esposa, y más bien fue Ignacio quien preparó fichas sobre cada una de ellas, de lo que me enteré porque mi esposa, que había colaborado en la elaboración de las fichas suministrando datos, me lo comentó, y hasta entonces supe detalles que yo ignoraba acerca de esas personas, como, por ejemplo, que doña Rosita Smith, originaria de Laguna de Perlas, era tía de Bárbara Carrera, la famosa artista de cine nicaragüense que aparece en las películas de James Bond. ¿Y el chofer? El chofer, Nicasio Sarmiento, contratado por recomendación de Gallo de Lata, muy pocas veces le vio la cara a Ignacio. ¿Y su esposa? ¿Mi esposa qué? ¿Nunca se le ha cruzado por la mente que su esposa, Lorena López, hija del coronel Catalino López, sicario reconocido, lo haya denunciado? ¿Cómo se le puede ocurrir semejante barbaridad?, la interrumpe, alzando la voz. Cállese, deje a la compañera que termine, interviene Manco-Cápac, que alza aún más la voz. Nicodemo, en tanto, escribe de manera apresurada sin levantar la cabeza. El reo se sosiega, como tras una larga carrera. Menos mal, dice. ¿Menos mal qué?, quiere saber la compañera Judith. Menos mal que las sospechas de haber denunciado a Ignacio ya no recaen sobre mí, sino sobre mi esposa, que no está sentada en este banquillo como acusada, pero qué locura de todos modos, si fue ella quien me convenció de permitir a Ignacio que permaneciera en la casa por tanto tiempo, a pesar del peligro que representaba para nosotros dos, digan ustedes lo que digan, hija del coronel Catalino López, lo que sea, no se metía en la política del somocismo para nada, y cuántas veces, con el mayor respeto del mundo, no se quedaba haciéndole preguntas después de la cena, por qué se había involucrado en esa lucha, por qué arriesgaba su vida de esa manera, «puede ser que tenga razón, hay que oírlo», me comentaba ya en la intimidad, mientras yo, vean lo sincero que soy con ustedes, le respondía, muy molesto: «¿Oírlo para qué?, ¿no te me estás haciendo sandinista vos?», y después, contra mi voluntad, se volvió su colaboradora, lo ayudó a confeccionar las fichas de los empleados, que ya dije, salía a comprarle ropa cómoda para estar dentro de la casa, cuadernos, lapiceros, además de los libros, le pasaba a máquina documentos, qué documentos eran no me pregunten, que yo nunca los leí ni traté de indagar, y el colmo de todo, le sirvió de chofer, lo dejaba en puntos donde otro vehículo lo recogía para asistir a reuniones clandestinas, algo que le reclamé desde la primera vez, sin conseguir que se detuviera porque es una mujer obstinada, de mucho carácter, ustedes pueden pensar cualquier bajeza de ella porque no la conocen, y además, cuántas veces voy a repetirles que a Ignacio lo capturaron cuando ya hacía tiempo se había ido sin percance de la casa, y mi esposa nunca más volvió a verlo, ni yo tampoco, por supuesto.

Pásenle agua, ordena Nicodemo, que ha levantado apenas la cabeza de sus papeles y advierte la sofocación del reo. Manco-Cápac, poco animoso, se incorpora, toma el pichel que descansa sobre la mesa y vierte agua en el vaso que él sostiene con manos temblorosas mientras bebe, temeroso de botarlo. La compañera Judith ha dejado hace ratos de teclear porque las preguntas son ahora todas suyas: Si el compañero Igor no salía nunca del cuarto de huéspedes, ya no digamos de la casa, y si la compañera Cristina era quien se encargaba de todos los contactos afuera, ¿cómo es que ahora resulta que su esposa lo llevaba a reuniones clandestinas en su propio vehículo? ¿Pueden darme otro vaso de agua?, solicita. Siempre de mala gana, Manco-Cápac se acerca a llenarle el vaso, tanto que el agua empieza a derramarse sobre el pupitre. Nadie me había preguntado antes ese dato, dice, al apenas acabar de beber. Bueno, llegó el momento de que responda. Confieso que si es por mi cuenta, lo hubiera omitido. ¿Por qué? Porque a ustedes iba a parecerles demasiado inverosímil que sin participar de sus mismas ideas, ella se jugara la vida sirviéndole de chofer, piensen que si la OSN llega a interceptarlos, hubiera muerto también en la refriega, eso es lo que pensé que iba a parecerles inverosímil. La compañera Judith busca con insistencia los ojos de Nicodemo, en espera de que le devuelva la mirada, y cuando lo consigue, se pone de pie, con extraña formalidad, las manos empuñadas rozando las costuras del pantalón: el tribunal me ha encargado esta parte del interrogatorio, y por eso es que el comandante Nicodemo está tomando las notas necesarias para que yo las incorpore después al acta. Ya me he dado cuenta, asiente el reo. Hay de por medio asuntos delicados, que es mejor, digamos, que sea una mujer quien haga las preguntas. Cortesía de la casa, dice Manco-Cápac, y va a reírse, pero se contiene. Además, el comandante Nicodemo no quiere implicarse, pues se trata, otra vez, de asuntos relacionados con su hermano, y considera que ya tuvo suficiente con la experiencia anterior. Nicodemo, como si se encogiera ante la alusión, baja aún más la cabeza mientras continúa escribiendo. ¿Qué preguntas son ésas?, sonríe el reo, de una manera que pretende ser comprensiva. ¿Estaba usted enterado de que su esposa sostenía relaciones sexuales con el compañero Igor?

En su cara sigue declarada la misma sonrisa que intentaba ser comprensiva, y ahora parece pegada con almidón crudo en sus mejillas, en su boca, en sus ojos, quiere convertirla en una mueca de incredulidad pero no puede, y tampoco contesta, es como si también hubiera tragado almidón. Deseo explicarle que ante la presión de las circunstancias los compañeros clandestinos caen a veces en este tipo de debilidades, aunque, por otro lado, les sobren virtudes, no sé si me entiende lo que estoy queriendo explicarle. Claro que la entiendo, empezó a decir mientras detenía el impulso de tocarse la cara porque casi podía oír el sonido del almidón resquebrajándose sobre su piel, santos que caen en el pecado, santos de esos de ustedes que no respetan a las mujeres de otros, que no respetan las casas ajenas donde les dan amparo. El que tiene que respetar es usted, dijo Manco-Cápac, poniéndose de pie, mientras se arrancaba el sombrero de la cabeza, pero Nicodemo le hizo una señal muy calmada de que se sentara. No me ha respondido, dijo la compañera Judith. ¿Qué pretende que le responda? ¿Sabía o no sabía acerca de esa situación anómala entre su esposa y el compañero Igor? Esto es como el juego de «venadito entrá a tu huerta», dijo. ¿Una trampa, eso es lo que quiere decir? Claro que sí, y además, está de por medio mi dignidad, no me gusta que me usen como trapo para limpiar el piso. Perdone si lo he hecho sentirse así. No se preocupe, qué puede importar a estas alturas mi dignidad. De verdad le pido perdón, pero explíqueme eso de la trampa, porque todavía no la veo por ningún lado. Está bien clara, lo importante no es que yo admita ser un perfecto cabrón, capaz de tolerar dentro de su propio hogar a un guerrillero que se acostaba con su esposa. ¿Y qué es entonces para nosotros lo importante? Que admita mi conocimiento de esa relación, para así concluir ustedes que yo denuncié a Ignacio ante Moralitos por venganza pasional. Pero esa trampa, si quiere verlo así, tiene una salida. ¿Cuál salida? Que usted no supiera nada de esa relación, y entonces es ella la que denunció al compañero Igor.

Ahora que por fin siente liberada la piel de la cara, la sonrisa que buscaba ser comprensiva se convierte en una risa franca. Pero es una risa muda. Si usted misma asegura que fueron amantes, menos razones hubiera tenido entonces para denunciarlo. ¿Por qué no? ¿Cómo iba a traicionarlo si existía entre ellos esa clase de relación? Porque así lo tenía de manera más fácil en sus manos, para luego entregarlo. Otra vez el mismo absurdo. No crea, esas situaciones se dan, sonrió ella con aquella conocida dulzura. Pero en todo caso nunca fueron amantes, ustedes no pueden probarlo. Tenemos el testimonio de la compañera Cristina. ¿Qué testimonio? Un informe rendido ante sus superiores en La Habana, adonde logró llegar por fin, ya sola. Quiero ver entonces ese informe. La copia está en Managua, en los archivos de la organización. Muy bonito, un informe que usted cita de memoria. Lo leí muchas veces cuando llegó a mis manos, y lo agregué a su expediente. Si no tienen aquí ese documento, podemos pasar a otro punto porque nada de eso es cierto. Se le perdona porque tiene razones para sentirse nervioso, doctor, pero los que decidimos cuáles son los puntos que hay que ver o no hay que ver somos nosotros, dijo Manco-Cápac, y otra vez se arrancó el sombrero.

La compañera Judith mira ahora al reo con algo de azoro, las manos de nuevo empuñadas contra la costura de los pantalones. Comprendo que tenga razón de dudar de mi palabra si no sabía de esa infidelidad, dijo, y si lo sabía, también es justa su renuencia a confesarlo, son cosas que le duelen a cualquiera. ¿Qué mencionaba esa declaración de la maestra? ¿No se va a ofender? No me voy a ofender. La compañera Cristina cuenta que esas relaciones comenzaron poco después de la llegada del compañero Igor, y se prolongaron cuando él ya se había ido, al extremo de que su esposa lo visitaba en la casa de seguridad del barrio Santa Rosa, y lo más grave, estuvo allí el mismo día de la captura, poco antes de que se diera el operativo. ¿Me habla en serio? No estoy aquí para divertirme a costillas de usted. Entonces, si es así, debo decirle, con toda sinceridad, que yo no sabía nada. ¿Nada? No sabía que iba a visitarlo a esa casa. ¿Pero que mantenían relaciones desde antes? Nicodemo alzó un tanto la cabeza, poniendo en sesgo el oído mientras el reo vacilaba, buscando con torpeza las palabras. Lo supe por boca de la cocinera doña Rosita Smith, dijo, y llevándose el puño a la boca quiso detener un sollozo. Manco-Cápac se acercó y le sirvió agua, pero no hizo caso del vaso, lleno otra vez hasta los bordes. Para nosotros es suficiente, aquí mueren las preguntas sobre ese tema, dijo la compañera Judith, y volvió a sentarse. No, dijo él, si ya empezaron con esto, tienen que saber cómo fue, doña Rosita Smith subió una mañana a la Casa Presidencial en taxi, jamás antes había ocurrido que se atreviera a buscarme allá arriba, por lo que sólo podía tratarse de alguna mala nueva, la hice pasar de inmediato aunque estaba por iniciarse una reunión del gabinete, ni siquiera quiso sentarse y de una vez me confesó que no podía más con su conciencia, como evangélica de la iglesia Morava que era no aguantaba seguir siendo cómplice del pecado, dándome entonces pormenores que no creo necesario repetir aquí. Ya le dije que está relevado del tema, insistió la compañera Judith. Déjeme desahogarme, le di las gracias y por decirle algo le pedí que regresara a sus quehaceres de la cocina, pero ella me comunicó que no volvería, ya había sacado sus cosas, y como la vi determinada, allí mismo le extendí un cheque con su liquidación, y cuando se fue, me entró de pronto la furia, ya estaban llegando los ministros y no me importó, me fui a mi casa, llevaba una pistola en la guantera, pero vean en lo que paró todo, al encontrarme cara a cara con Ignacio no le mencioné una palabra del asunto, nada más le pedí, de manera caballerosa, que mejor buscara otro lugar donde esconderse, dándole otra vez mis argumentos del peligro que nos causaba su presencia, y no discutimos esa vez, más bien me dio la razón en todo, y cuando le insistí en la casa que ya antes le había ofrecido alquilar por interpósita persona, me dijo que no me preocupara, que ya tenía donde trasladarse, y al regresar muy tarde esa noche, porque la reunión de gabinete se prolongó más de la cuenta, se había ido ya junto con la maestra, dejándome la nota junto con la dedicatoria en el libro que dije, vean que estoy siendo franco, pude haber fingido que me escandalizaba ante la revelación de la infidelidad de mi esposa y aprovechar así para echarle toda la culpa por la captura de Ignacio, señalarla como la causante de la denuncia, por celos con la maestra, por ejemplo, quién quita y la maestra no fuera también amante de Ignacio.

Manco-Cápac viene otra vez hacia él, con paso rápido, y en vez de servirle más agua, se inclina colérico sobre el pupitre y busca su oído como para darle un consejo, tan cerca que lo moja con el sudor de la barba: Tenga cuidado con lo que dice sobre la compañera Cristina porque su memoria es sagrada, sepa que cayó combatiendo en la montaña después que volvió de Cuba. Pido perdón por mi ignorancia, dice el reo. ¿Entonces?, lo emplaza la compañera Judith. ¿Entonces qué? ¿Fue capaz ella de haberlo denunciado? No, de ninguna manera, ya les dije. Admita al menos que pudo ser víctima de un chantaje, es algo sobre lo que especulamos mucho en aquel tiempo. No comprendo. Al enterarse Moralitos de esa relación, a lo mejor la obligó a descubrirle el escondite a cambio de no involucrarla, tome en cuenta que eso hubiera significado la ruina total de ustedes dos, ella sabía que necesitaban de la posición suya al lado de Somoza y de su amante, necesitaban del contrabando y de las libres de vehículos para seguir llevando la vida que llevaban, mucho pensamos en eso, porque dispuesta a seguir a Cuba al compañero Igor, como él se lo pidió, no estaba. ¿Ignacio le pidió que se fueran juntos a Cuba? Sí, viviendo ya en la casa de seguridad, así lo recuerda la compañera Cristina, y recuerda que su esposa sólo se reía cada vez que él le tocaba el tema. Créame que todo eso es nuevo para mí. La invitación a irse juntos es lo de menos, el compañero Damián jamás lo hubiera permitido, pero admitirla en la casa de Santa Rosa fue una violación grave de las normas de seguridad. Ya ve, en ese caso pudieron haberla seguido sin que ella se diera cuenta. Aun así, ya con la información en la mano, Moralitos quedaba en capacidad de presionarla para que fuera ella misma quien de todos modos denunciara la ubicación de la casa, porque en esos juegos valen mucho las complicidades obligadas, no se sabe para qué pueden servir después, pero allí quedan esos antecedentes, guardados en los archivos.

Mientras el comandante Nicodemo iba poniéndose de pie con movimientos lentos, como si se desembarazara de su propio cuerpo, su mano, larga y huesuda, con vellos negros sembrados en el dorso, pasó de las guedejas de su mentón al codo de la compañera Judith, y atendiendo aquella leve señal ella se sentó. No preparamos esta parte del interrogatorio para justificar de ninguna manera al compañero Igor, ni tampoco para censurarlo, dijo, mirándolo con extrema curiosidad, como si lo descubriera por primera vez sentado en el pupitre, él es un héroe de la revolución que está ya más allá de todo juicio humano, aunque si en aquel tiempo me hubiera tocado militar a su lado, hubiera pedido una sanción contra él por sus debilidades de conducta, y con esto no te estoy diciendo que me escandalice porque se metió en la cama de tu esposa, esas son para mí consideraciones burguesas. Olvidado del pañuelo campesino, sin dejar de mirarlo, tosió una y otra vez en el hueco de la mano: Pero está visto que un error sólo atrae otro error, ya se había ido a refugiar a tu casa, la casa del enemigo, aunque debo reconocer que las circunstancias difíciles lo empujaron, y luego, lo peor, permitió que tu esposa lo visitara como amante en la casa de seguridad que a duras penas habían logrado conseguirle los compañeros en medio de la represión tan feroz, debilidades que, ya ves, le costaron la vida.

Nicodemo había iniciado de nuevo su paseo, y ahora lo sentía hablar a sus espaldas: Quiero dejarte claro que tampoco me escandalizo por tus costumbres sexuales, de todo se ha rumorado de vos y esas suciedades estaban anotadas desde muy temprano en tu expediente, pero eso es asunto tuyo, aquí lo que estamos buscando averiguar son hechos, y no pongás esa cara, no veo por qué te vayás a ofender, ¿no fue bajo la acusación de sodomía que Somoza hizo que te llevaran a juicio, ese escándalo que tanto te gusta remojar en tu defensa? Como si se tratara de quitarse una basura, el reo se secaba los ojos con la manga de la camisa.

Lloraba. Nicodemo le puso las manos en los hombros. Podés estar tranquilo, ese caso de seducción y abuso sexual de menores no va a ser reabierto aquí, dijo. Al contrario, yo quiero declarar sobre eso, voy a demostrarles que no soy ningún degenerado, respondió, sin cuidarse ya de sus lágrimas. No, imaginate, nosotros revolviendo mierda, con el escaso tiempo que tenemos. Usted había prometido. ¿Qué había prometido? Que me iba a permitir ampliar mi declaración sobre ese punto. Okey, vamos a ver eso más tarde, lo que quiero ahora es que te serenés y nos contés toda lo que sepás sobre la muerte de Ignacio. Como usted disponga, comandante. Empecemos porque fuiste el testigo principal de Moralitos cuando quiso probarle a sus mismos compinches, los jueces militares, que se hallaba bebiendo licor con vos desde la hora de la captura de Ignacio. A mí me llamaron para que declarara si en determinada hora y fecha yo había almorzado con él, comandante, lo demás no es de mi incumbencia. Nada es nunca de tu incumbencia, pero el asunto está en que ésa fue una declaración falsa que fuiste a dar, con la venia de Somoza. No fue una declaración falsa, comandante. Nunca existió ese tal almuerzo prolongado en bebedera, lo inventaste todo desde el comienzo hasta el final. Hubo testigos que nos vieron juntos. Orejas, los mismos orejas de Moralitos, la dueña del Munich la primera, reconocida informante de la seguridad, y los meseros, debidamente aleccionados, todo una burda pantomima, porque bien pudieron haber exonerado a Moralitos de una vez, si todos los jueces militares eran comparsas de Somoza, lo mismo que el fiscal, y lo mismo que vos, que te prestaste a la coartada, pero el cadáver seguía sin aparecer, decenas de personas vieron el operativo de la captura, y además, Ignacio había gritado su nombre al momento en que lo sacaban a golpes de la casa, así que inventaron el cuento del volcán, porque al desaparecer el cadáver desaparecía el cuerpo del delito, todo parece un gran absurdo, pero bien sabés que así fue.

Volvió a su lugar y se sentó despacio, con gravedad, como si el resfriado hubiera terminado de quitarle todas las fuerzas. ¿Ahora me vas a decir que no sabés a quién se le ocurrió inventar la historia del volcán? No sé, no me imagino, comandante. Cómo no vas a saber. No, sinceramente le digo que no sé. Se te ocurrió a vos. Qué idea la suya, comandante. Se lo propusiste a Somoza y te dijo que probaran, a ver qué pasaba, y a pesar de que aquella genialidad se convirtió en algo monstruoso, increíble por monstruoso, echar al fondo de un volcán a un prisionero asesinado, siguieron adelante con la mentira, hasta que apareció el médico militar, que hundió a Moralitos con sus declaraciones, y hasta entonces no tuvo más remedio Somoza que pasar a su hermano de leche a Consejo de Guerra y condenarlo, sin necesidad alguna de cuerpo del delito. Nicodemo trenzó las manos e hizo tronar los dedos. Parecía a punto de un bostezo. Qué ironías las de la vida, dijo, porque en todo el caso pesó desde el principio algo que a Ignacio le hubiera dado risa, el apellido Corral,

Somoza no dejaba de tenerle cierto temor a la oligarquía, aunque mi padre no tuviera ya ninguna gran fortuna. En el fondo, un asunto de clase, intervino Manco-Cápac. Sí, un asunto de clase, y así Somoza aprovechaba también para darse color de justo frente a una bestia como Moralitos, una bestia que de todos modos no tardó en andar libre por las calles, a pesar de que se le suponía en prisión, y en la primera oportunidad asesinó a su testigo de cargo, el médico militar, le dio alcance a su jeep en un tramo solitario de la carretera a León, lo obligó a detenerse, le disparó a quemarropa con una escopeta de cañón recortado, y a la esposa, que iba sentada a su lado, sólo le dijo: «No se preocupe, señora, que no es con usted», no vas a decirme ahora que tampoco te acordás. Me acuerdo, comandante. Ahora, si me permitís, quisiera mencionarte algo que quizás ni te interese, dijo entonces Nicodemo. Diga, comandante, balbuceó el reo. La idea de que hubieran lanzado a Ignacio al fondo de un cráter hirviente de lava fue un golpe terrible que mis padres aguantaron con gran entereza. Me imagino, comandante, volvió a balbucear el reo. Salían a pasear en su carro, el mismo carro de modelo algo antiguo en que hicieron el viaje para asistir a tu boda, y cogían la carretera a Masaya, como por casualidad, pero de pronto, al llegar a la Piedra Quemada, sin decirse palabra, mi papá se desviaba hacia el camino que sube al volcán, se bajaban abrazados al llegar a la explanada del mirador, y abrazados se asomaban al abismo. Se detuvo, y como si necesitara tomar impulso, asió las manos a la mesa y se recostó en el asiento. Pero no vayás a creer que eso es todo, hay otra cosa que les dolió también, y mucho, adiviná qué es. No tengo la menor idea, comandante. Tu traición, que con tu falso testimonio hubieras querido librar al asesino, te acordás que cuando compareciste a declarar ante la Corte Militar ellos estaban entre el público. No lo tengo presente, comandante. Claro que lo tenés presente, y no quisiste darles la cara, porque mi madre buscó tu cara, quería preguntarte con los ojos si es que habías cambiado tanto desde que te sentaste a su mesa en Granada como para cometer aquella iniquidad, imaginate si llegan a saber que ese cuento del volcán también era invención tuya, pero bueno, ya te dejo en paz con eso, había prometido no volver a tocar asuntos personales y estoy faltando a mi palabra.

Nicodemo oyó la voz del reo, que le llegaba siempre en balbuceos. No te entiendo, dijo, y se llevó la mano a la oreja. No fui yo el de ese invento del volcán, comandante. ¿Quién, entonces, si se puede saber? El abogado de Moralitos, un tal Leónidas, me buscó como simple intermediario, se lo juro, yo lo único que hice fue transmitirle la idea a Somoza. Siempre terminás fingiéndote la mansa paloma, ahora parece que sólo hubieras conocido de lejos a ese abogado. Leónidas Galán Madriz, también le abrí un expediente bajo su apodo, El Niño Lobo, dijo la compañera Judith mientras sacaba la hoja terminada del rodillo de la máquina. Fue su secretario en el juzgado local en sus tiempos de estudiante, doctor, dijo Manco-Cápac.

Empezamos juntos la carrera de derecho, es cierto, fue mi secretario, pero jamás tuvimos amistad que se pueda llamar íntima. Una mezcolanza de lo más rara, usted militante del FER, y El Niño Lobo presidente de la Asociación de Estudiantes Somocistas, financiada por el Comandante Departamental de la Guardia Nacional, dijo la compañera Judith. Tan bien te fue con él, que lo nombraste tu colaborador en el Ministerio de Hacienda, dijo Nicodemo. Yo ya lo encontré allí, puesto por Manitos de Seda. Y se lo recomendaste a la pérfida Mesalina como abogado de confianza, para los chanchullos delicados. No pueden seguirme echando la culpa de todo, ustedes saben que ese hombre se volvió mi enemigo, saben que tenía en la Estación X aquel programa asqueroso, Cruz y Calavera, y cuando decidieron salir de mí usaron a esa víbora para destruirme. Vuelve la mula al trigo, dijo Manco-Cápac, suspirando. Es que es cierto, fueron calumnias muy viles, y qué lástima que fallaron aquella vez que quisieron ajusticiarlo a la salida del Mandrake. Esos eran los de la Tendencia Proletaria, nosotros, los de la GPP, no hubiéramos fallado, dijo la compañera Judith, y continuó su tecleo. Pues entonces, qué lástima que no fueron ustedes, aunque no entiendo mucho eso de las tendencias. Guerra Popular Prolongada, Proletarios, Terceristas, la unidad entre todos nosotros es hoy indestructible, se acabaron las tendencias, así que quítese esa preocupación, dijo Manco-Cápac, pero como otra vez lo veo vengativo, le advierto que a lo mejor en cualquier momento le echamos mano a su amigo, y sus deseos se cumplen.

¿Ese Mandrake, es un burdel o un garito de juego?, preguntó Nicodemo. Un night-club de lujo según he oído, comandante, con bailarinas extranjeras y todo. A vos siempre te llega todo de oídas, se reía ahora abiertamente Nicodemo, por tanto, también debés haber oído quiénes son los dueños. Se decía que Moralitos y El Niño Lobo, y que después de ser condenado Moralitos, El Niño Lobo le compró su parte. Y vos, nada tenías que ver en el negocio. Ya es lo único que falta, comandante, que me endilguen ser dueño de burdeles. Otra vez la mansa paloma, dijo el comandante Nicodemo, y de tanto reírse ya tosía.

Más bien una mansa paloma mensajera, dijo Manco-Cápac, como aquella vez de la plática por teléfono en la alta noche, usted dentro de la quinta de Jacinto Palacios, con la gran macolla de somocistas haciendo fila para ir al inodoro, las tripas revueltas de miedo, y nuestro amigo el doctor sentado en toda su gloria y poder en el búnker, queriendo salvar a su Jacinto del alma, que de todas maneras ya había pasado a mejor vida por valentón temerario. ¡Cállese!, le ordenó de pronto Nicodemo, con voz iracunda. Pero luego, aplacado, dijo: aprenda a guardar silencio, compañero.

La noche de anoche [Declaración judicial de Richard de Jesús Gadea Arburola, 1977]

En la ciudad de Managua, a los tres días del mes de enero del año de mil novecientos setenta y siete, siendo las diez de la mañana, el suscrito Juez Primero del Distrito del Crimen que sigue la causa incoada en contra de ALIRIO MARTINICA CASANOVA por los delitos de sodomía, corrupción de menores, lesiones corporales y violencia en las personas, se apersonó en compañía del secretario que autoriza la presente acta en las instalaciones del Hospital Militar, sito en la Loma de Tiscapa, a fin de tomar declaración en calidad de OFENDIDO al paciente RICHARD DE JESÚS GADEA ARBUROLA, de dieciséis años de edad, de oficio mensajero de oficina, soltero, y con domicilio permanente en el barrio Don Bosco de esta ciudad capital.

Una vez rendida por parte del declarante la promesa de decir verdad, y prevenido de las consecuencias penales que se desprenden del hecho del falso testimonio, expresa sentirse ofendido por la persona de ALIRIO MARTINICA CASANOVA debido a los hechos que a continuación procede a narrar, siendo como siguen:

Que a mediados del mes de diciembre del año recién pasado se presentó en busca de trabajo en las instalaciones presidenciales conocidas como «el búnker», y que existiendo una plaza libre de «office-boy», la tal plaza le fue concedida, entrando a cumplir sus funciones desde el día siguiente con un sueldo mensual de ochocientos córdobas, además del almuerzo que recibía en las cuadras de la Primera Compañía del Batallón Presidencial. Que debido a la naturaleza de sus tareas no tardó en entrar en relación con el doctor ALIRIO MARTINICA SALAMANCA, Secretario Privado del Señor Presidente de la República, quien solía requerir del declarante servicios de café, aguas gaseosas y hielo, lo mismo que fotocopias y encuadernación de documentos; y ya por último, al acercarse el desenlace de los hechos motivo del presente proceso judicial, le prestaba ayuda para cotejar informes oficiales, actas de reuniones y otros, tareas que a veces podían durar hasta la una o dos de la madrugada.

Que una de esas veces, en las vecindades de Navidad, mientras se encontraban los dos solos, cerca de la medianoche, cuando todos los demás funcionarios y empleados ya se habían retirado, MARTINICA SALAMANCA, al alcanzarle un documento que debían cotejar, lo tomó suavemente de la mano, lo cual el declarante estimó al principio como un gesto cariñoso, impresión que no obstante se desvaneció por completo al notar que el gesto no sólo se prolongaba demasiado, sino que degeneraba en caricias; sigue expresando que sintió mucha vergüenza ante la enojosa situación, y por respeto a su superior no se atrevió a retirar la mano, lo cual debió prestarse a equívocos, pues la noche siguiente volvió a ocurrir lo mismo, solamente que esta vez los avances fueron de mayor cuantía, ya que las caricias, antes limitadas a la mano, se extendieron al cuello y mentón, extremos que toleró mal de su agrado por causa del mismo erróneo respeto de antes; pero cuando a la tercera ocasión MARTINICA SALAMANCA procedió a abrazarlo, y trató de llevar sus urgidas caricias hasta el área de las posaderas, el deponente buscó cómo escaparse del acoso, consiguiéndolo muy a duras penas.

Que unos dos días después del último hecho que relata, y esto ocurrió el día viernes veintitrés de diciembre, el supradicho MARTINICA SALAMANCA volvió a requerirlo para que lo auxiliara a deshoras en tareas de oficina, a lo cual se negó inicialmente, temeroso de que fueran a repetirse las mismas odiosas manifestaciones; pero más temeroso se hallaba de perder la colocación de la cual dependía su sustento, si el hechor llegaba a denunciarlo bajo cualquier pretexto para que fuera despedido, de modo que terminó accediendo muy a su pesar, aunque no dejó de extrañarse de que sobre el escritorio no hubiera ninguna clase de documentos de los que ocuparse, sino una botella de vodka, pidiéndole MARTINICA SALAMANCA que fuera en busca de dos vasos y un recipiente con hielo, a todo lo que sin más remedio obedeció.

Que cuando estuvo de regreso trayendo lo encargado, MARTINICA SALAMANCA sirvió vodka en los dos vasos, agregó hielo, y le extendió uno de ellos instándolo a que brindaran por una feliz

Navidad y un próspero año nuevo. Que el declarante, una vez explicado el motivo del brindis, sintió que no sería correcto negarse al mismo y procedió a ingerir lo más rápido que pudo el licor servido en su vaso, tras de lo cual se despidió, puesto que resultaba más que notorio que no había ningún trabajo por hacer; pero MARTINICA SALAMANCA lo retuvo por un brazo, manifestándole que un solo trago no era suficiente para la celebración de tan magno acontecimiento, y que debían proceder a tomarse el segundo, y sin darle tiempo de ninguna ulterior protesta, se lo sirvió, escanciando esta vez el licor de manera abundante.

Que de esta manera prosiguió la indeseable situación, MARTINICA SALAMANCA sirviéndole de nuevo cada vez que había agotado el contenido de su vaso, sólo para proponerle de inmediato un nuevo brindis, y así sucesivamente, llegando en determinado momento el declarante a sentirse muy mareado, pues en este punto debe agregar que debido a su corta edad no acostumbra el consumo de bebidas alcohólicas, y por tanto, los efectos etílicos se manifestaban en su persona con más fuerza. Que debido a lo anterior sólo recuerda de manera nebulosa los hechos acaecidos en adelante, siendo incapaz de relatarlos con precisión y detalle, salvo que tras manosearlo a su gusto y antojo, MARTINICA SALAMANCA procedió a destrabarle la hebilla de la faja y a bajarle el zipper del pantalón, acciones frente a las que no pudo presentar resistencia alguna debido a su estado de avanzada embriaguez, ni tampoco a las que siguieron, como fue pedirle que se sentara en una silla para quitarle los zapatos y jalarle los pantalones hasta despojarlo de los mismos, cosa que hizo luego con los calzoncillos. Que ya desnudo de sus ropas, excepto la camisa, se dio a prodigarle abundantes caricias en sus partes genitales, obligándolo finalmente a ponerse de pie y arrimarse de espaldas contra el escritorio, llevado por las más aviesas e inconfesables intenciones, momento este en que el declarante debe haber perdido por completo el conocimiento, pues ya no recuerda nada más de lo sucedido.

Que serían las cinco de la mañana cuando logró despertarse, y a esa hora descubrió que se hallaba dentro de uno de los servicios higiénicos que son del uso del personal administrativo, sentado en la taza del inodoro, y los pantalones, calzoncillos, y zapatos colocados encima del lavamanos; que quiso incorporarse, pero sintió un dolor muy intenso en el recto, y al palparse la zona antes dicha descubrió que sangraba, horribles evidencias ambas de lo acontecido, ante lo cual sólo sintió ganas de huir, pero primero buscó cómo limpiarse la sangre, utilizando papel higiénico para tal efecto; que se vistió luego como pudo y salió de las instalaciones rengueando, de tan adolorido como iba, sin decir la más mínima palabra al centinela de turno en la aguja, pues se moría de vergüenza; como tampoco pensaba contárselo a ninguna otra persona, siendo además su intención no volver nunca a aquel lugar, por la misma vergüenza que sentía, aunque así perdiera la colocación.

Continúa manifestando el declarante que toda esa mañana la pasó muy mal, pues los dolores en el recto arreciaban, y la hemorragia, aunque no abundante, se mantenía, y decidió sincerarse con un amigo, quien le ha solicitado reserva de su nombre, y este amigo le aconsejó que debía acudir ante la autoridad judicial competente, para que así quedara demostrado que en Nicaragua se respetan las leyes y que su peso puede caer sobre cualquiera que transgreda las mismas. Que convencido por estas palabras de aliento buscó esa misma noche del sábado veinticuatro de diciembre al juez que sigue la presente causa en su propia casa de habitación, decidido a interponer la denuncia correspondiente, siendo atendido con prontitud y esmero de parte del susodicho juez, a pesar de hallarse entregado junto con su familia a los preparativos de la cena de Nochebuena. Que es todo cuanto tiene que decir. Leída que fue la presente, la encuentra conforme, la ratifica, y firma.

9.

La bujía desnuda cuelga como un fruto sin peso de los cabos del cordón entre las láminas podridas del cielo raso, y su resplandor amarillo no alcanza a borrar la penumbra sucia del aula, oscuro el amontonamiento de los pupitres, una mancha apagada la pizarra, lejana otra vez la colchoneta a rayas tendida en el rincón como si nunca fuera a alcanzarla mientras avanza a tientas aturdido por la fatiga, dejarse caer y acurrucarse de costado, los brazos entre las piernas, no importan los ruidos del patio que otra vez han vuelto a alzarse en fiesta en este receso nocturno del juicio que nadie le ha dicho cuánto va a durar, la música de marimba en los parlantes *ese toro no sirve, ese toro no sirve*, en sonsonete repetido por el golpe de los bolillos sobre el teclado de madera, risas, silbidos, un acompasado batir de palmas mientras palpita no muy lejos la planta portátil, y en el micrófono está otra vez el jefe del comité de orden, compañeros, saludamos muy a gusto a la niña Carmela Maritano, venerable sacristana del recordado padre Gaspar, héroe y mártir de la revolución, muchas gracias por abrirnos las puertas de esta casa cural, niña Carmela, muy lucida bailarina como la están pudiendo admirar, y por añadidura nuestra capitana de las Hijas de María, láncese de nuevo al ruedo que el pueblo entero la aclama, niña Carmela, y al ruedo volvía porque golpeaban insistentes otra vez los bolillos de la marimba mientras arreciaban los silbidos, ¡eso, niña Carmela!, ¡así se divierte sanamente nuestro pueblo!, ¡a ver, aquel miliciano, si es tan valiente, que le haga pareja!, ¡viva la revolución popular sandinista!, ¡no hay más, gallina vieja con el ala mata!, ¡venga otro voluntario, que éste ya clavó pico!, y entonces un chillido se entromete en el micrófono, ¡sáquenme de la chirona al esbirro Alirio Martinica para que baile conmigo, compañeros, su segura servidora, Carmela Maritano!, y tras el chillido, que se ahoga en un jadeo, cesa en los parlantes la marimba y la banda de chicheros rompe a tocar *la gran puta que te parió se vistió de colorado*, una estridencia que lo detiene en seco al borde mismo de la colchoneta que lo aguarda tan impaciente susurrándole aún: «Vení acostate, serenate, dormí», pero ya va de regreso, se aleja con las manos por delante como si temiera tropezar, otra vez a tientas, no sabe hacia dónde se dirige, pero sí que el viaje hacia la colchoneta ha sido inútil, no va a acostarse, no va a serenarse, no va a dormir.

¿Dónde está, doctor, que no lo veo?, la voz de Manco-Cápac se abría paso en la penumbra, y él, desde el rincón al lado de la pizarra, donde al fin se había acuclillado, al alzar la cabeza, con desgano, no vio una figura a contraluz de la puerta, sino dos. ¿No le había dicho que quién quitaba y se le cumplían sus deseos de toparse de vuelta a aquel secretario suyo del juzgado?, pues contemple qué alegre sorpresa, aquí le traigo de cuerpo presente a Leónidas Galán Madriz, regalo que le guardábamos en la bodega de Cáritas para mientras acababa la sesión, entérese, lo halló una patrulla de milicianos en Nagualapa, una de las tantas haciendas de Somoza, refugiado nada menos que en la casa de una lagarta dueña del comisariato, que se lo cuente él mismo, comiéndose una mojarra frita estaba, muy a cuerpo de rey, en el porche frente al lago, con vista a los volcanes de la isla de Ometepe, y hasta su media botella de Ron Plata servida en la mesa, pues nada mejor, pensaron los compañeros milicianos, que mandarlo por veredas a Tola, sabiendo ellos de la existencia del tribunal investigador, y como falta todavía bastante para que termine el receso, porque estamos por el momento muy ocupados en asuntos urgentes y nuevos, aquí se lo dejo para que platiquen a gusto, hablen lo que quieran, que lo que es a mí, ni pláticas ni coloquios me estorban.

El Niño Lobo que ahora tenía enfrente le pareció más peludo que nunca, más tupida la maraña de los brazos, las cejas y las mejillas, más exagerado el alboroto del cabello, más estrecha la frente y aún más prominente el mentón que ahora alzaba, entretenido en contemplar la bujía en el cielo raso como si se extrañara de que su luz fuera tan débil y pensara pedir que la cambiaran por otra de mejor resplandor. Y cuando por fin, sin apartar los ojos de la bujía, empezó a andar hacia él, sacudiendo como toda la vida los hombros a paso corto de mambo, lo primero que notó fue que rengueaba en daño de su vieja majestad arrabalera, un desacuerdo de compás debido a que calzaba un solo zapato, mientras en el otro pie el calcetín sucio se estiraba por la punta, pero allí venía avanzando de todos modos con su aire de indiferente desprecio, igual a como hacía su entrada, siempre tardía, al aula de la facultad, para hundirse en el pupitre de última fila y entregarse de inmediato a repasar los paquines que robaba en la barbería Los Tres Villalobos, viejos números de *El Llanero Solitario* y *La pequeña Lulú*, desapercibido en absoluto de lo que Ulpiano, Lombroso o Calamandrei estuvieran disertando, aunque pronto a perseguir a cualquiera de los tres, escaleras abajo, para aturdirlos de zalamerías, y pronto también a hacerse el pendejo a la hora de los exámenes, los ojos en el cielo raso igual que ahora, ¿las sociedades anónimas?, si son anónimas, dejémoslas mejor en el anonimato, maestro, y por sus zalamerías, o por lástima, terminaban poniéndole la nota mínima, pésimo estudiante pero sabio sin embargo en ardides judiciales, porque más que en el aula aprendía en los juzgados el arte de los rábulas y los coimeros, fianzas de la haz salidas del aire, embargos preventivos tramposos, cartas de venta falsas y tercerías de dominio inventadas, y cómo podía llevar el apellido Galán aquel abominable adefesio peludo boca de jaiba, exclamó un día Ignacio en los billares de Lezama para que el aludido lo oyera, y el aludido lo oyó, y acercándose con su temblor de hombros y su pasito corto y leve, contestó, mientras entrechocaban, díscolas, las bolas en las mesas, que la galanura no estaba en su hocico sino en su alma transparente, donde podían verse en conserva todos sus pecados como fetos en un vaso de alcohol, vos, comemierda granadino tufoso de apellido pero roto del fondillo, porque también manejaba con destreza el arte del lenguaje florido, y era Jacinto quien lo había bautizado desde el principio con aquel sobrenombre, porque a pesar de su aspecto siniestro, por peludo, al mismo tiempo daba lástima su cara infantil desvalida, triste de tan inocente aún a la hora de proclamar sus maldades, si no te tienen miedo no te quieren, decía, como si fuera a soltar el llanto, guardiero, que quería decir, informante ad honorem, oreja por vocación, no le importaba que lo vieran acodado en las ventanas del Cuartel Departamental que daban a la plaza Jerez, asomándose a la acera para piropear a las muchachas que paseaban en gavilla por las tardes, siendo él quien al acercarse los carnavales universitarios preparaba, bajo paga rigurosa, los manifiestos de los candidatos a Rey Feo porque conocía las historias escabrosas de León y otras las inventaba con toda propiedad, más temible que cualquiera de los circunstantes de la mesa maldita donde no se le admitía pues, según el Capitán Prío, hasta en la calumnia debía haber decencia, una pécora sin hígado capaz de haber insertado en uno de aquellos pasquines una décima alusiva a las costumbres sodomitas de los padres del convento de La Merced, virtuosos sin tacha y todos mayores de ochenta años, su secretario, y no otro, cuando fue nombrado Juez Local de lo Civil, inicio de aquella sociedad de réditos tan diversos que volvería a tomar vida cuando años después, para su sorpresa, salió a recibirlo a la puerta misma de su nuevo despacho de oficial mayor del Ministerio de Hacienda, siempre a paso de mambo y ahora de corbata florida y saco de diolén a rayas, qué casualidad, hermano, vos y yo juntos otra vez, y él lo aceptó en herencia como su asesor, al fin y al cabo a nadie mejor sabido en las mañas y artimañas de los siete juegos del garrote podía hallar.

Seguía El Niño Lobo buscándolo en juego como si aquél fuera un bosque espeso, una mano ahora en la frente para hacer viscera, y cuando llegó al rincón y casi se tropieza con sus rodillas encogidas, fingiéndose de pronto sorprendido de verlo en lugar y situación semejante, no hizo otra cosa que preguntarle: ¿Vos, papito, aquí?, y era la misma voz de filo romo, acuciada por la risa, con que solía decirle esto es tuyo, esto es mío, como si cantara una lotería, cuando entre juez y secretario se repartían el cobro por algún embargo, camino ya del Dulce Encanto del implacable Higinio para celebrar la suerte del día, la misma voz chabacana con la que se entendía en secreteos en su despacho del Ministerio de Hacienda, o por teléfono, después, cuando lo llamaba por una de las líneas reservadas a la Casa Presidencial para consultarle los ardides notariales que debía ejecutar en beneficio de la pérfida Mesalina, y ya nunca más, desde que había concentrado en su contra el fuego de las baterías pesadas de su programa de radio Cruz y

Calavera para enterrarlo en vida, hasta ahora, y entonces, al saberlo tan cerca, tan cerca su olor de animal remojado, se puso de pie en un envión torpe, con ganas desesperadas de huir, pero de pronto, vencido por una necesidad de consuelo que tenía mucho de impúdica, no supo a qué horas se entregaba en aquellos brazos hirsutos mientras las lágrimas corrían por su cara sin que hiciera amago de enjugárselas, no tenía vergüenza en llorar de la manera en que estaba llorando como si aquél fuera verdaderamente un bosque y El Niño Lobo lo hubiera encontrado muerto de sed y muerto de frío en la espesura, y la boca de jaiba tan cerca de su oreja que lo consolaba diciéndole ternuras, si te hice lo que te hice fue porque vinieron órdenes de arriba, vos sabés cómo eran esas cosas, papito, me llamó la Dama a su mansión una noche ya muy noche, yo creí que sería para alguna escritura de emergencia, llevé mi protocolo, pero ni culo, allí estaba el Hombre esperándome en la sala aquella de los espejos dorados igual al VIP del Mandrake, los dos en un sofá agarraditos de la mano como en visita de novio, y sin pedirme siquiera que me sentara, porque vos sabés cómo le fascina al Hombre mantenerte de pie para que no haya dilaciones ni confianzas, me dio la orden de rempujarte bonito, te iban a juzgar por mariconadas en que te habías metido o no te habías metido, qué importaba, pero todo debía ser al centavo, el juez, que ya estaba aleccionado, te abría auto cabeza de proceso, el Hombre te exigía la renuncia y yo empezaba con mis revelaciones a través de la ondas hertzianas, qué les habías hecho para que te quisieran joder tan a fondo, ni loco que me iba a poner a averiguarlo, menos iba a avisarte nada de lo que se te venía encima porque me cortaban los huevos con todo y paloma, qué otra cosa iba a hacer entonces sino agacharme, pero ya se estaba riendo El Niño Lobo, se separaba de su abrazo, me estás mojando la camisa, no jodás, es la única que tengo, si no me permitieron agarrar siquiera otra mudada de repuesto, almorzando en paz y sosiego una mojarra frita ornamentada con cebolla y tomate frente al lago apacible me hallaba, es cierto, sentado a una mesa bien puesta en el porche de la casita donde me tenía escondido mi comadre Alba Luz, la viuda nalgona aquella de beso apasionado a pesar de su labio leporino, que me había prometido una lancha para sacarme de noche por el rumbo de Cárdenas, pero aparecieron los piricuacos en plan de asaltar la casa, para qué tanto alboroto, déjenme terminar mi almuerzo y enseguida platicamos, les pedí, expresiones mías de urbanidad que más bien los encresparon, que con ellos no iba a jugar ningún esbirro, la palabrita en boga, que entonces me dejaran por lo menos calzarme, bien sabés que a mí para comer me gusta la comodidad de sentirme en calcetines, pero ni eso, apenas tuve tiempo de meterme un zapato y el otro quedó en el tambo, espérense, señores, tengan calma, pero ellos, que ni mierda de señores, aquí se acabaron los señores, ahora todos somos compañeros, pues espérense, compañeros, a que me calce el otro zapato, nosotros no somos compañeros suyos,

¿entonces en qué quedamos?, y uno, muy feroz y grosero, al que llaman comandante Nube Negra, se me vino encima, probá lo que es andar descalzo como los pobres campesinos aunque sea una vez en tu vida, hijo de puta, bueno, está bien, descalzo iré si tales son sus órdenes, pero esa condición no es nueva para mí, tengan en cuenta que yo soy de cuna humilde como ustedes, y ya en el trayecto les conté mi vida sufrida de jornalero desde los siete años, que arrié bueyes, que sólo comíamos tortilla con sal, ellos oyéndome con algo de duda, Nube Negra siempre hosco, y así me trajeron, con un solo zapato, andando a paso renco entre piedras y zarzales, renco igual que el nunca bien ponderado Calamandrei.

Cuándo has sido vos campesino, dijo él, invadido ahora por unas ganas tristes de reírse también. Lo mismo quiso saber Nube Negra, el repugnante ése, enseñame las manos, me dijo, para ver si alguna vez has cogido un machete, enseñame las tuyas, le dije yo, y lo jodí, porque me había dado cuenta que no era sino estudiante, por la pinta y por todas las sandeces que hablaba sobre la aurora de la revolución proletaria, como en aquellos folletos de la Editorial Progreso que venían de Rusia, en el comando en León había montones de esos folletos decomisados, te acordás, se les pegaba fuego pero antes teníamos que leerlos porque para combatir al comunismo ateo y disolvente era necesario conocer bien su doctrina por dentro, repetía el coronel Guillén. Yo qué me voy a acordar. Las reuniones secretas en el cuartel. Nunca estuve en ninguna reunión en el cuartel. Sí, cuando te nombraron juez y a mí secretario, el mismo año en que terminaste amancebado con aquella chavala potrancona vendedora callejera de frutas, para más señas, el coronel me dijo que te invitara y fuiste conmigo varias veces. No sé, a lo mejor alguna líquida vez. Te dieron carnet de agente ad honorem. Jamás me dieron ningún carnet. Bueno, tal vez en lo del carnet me equivoco. Qué clase de equivocación, no jodás. A mí no tenés por qué negarme nada. Me estás achacando cosas que aquí me pueden costar la vida. De todas maneras reconocé que eran unas lecturas aburridísimas, la plusvalía del capital medida por la renta de la tierra y no sé cuánta mierdolaga más. No se te habrá ocurrido contarle eso de las reuniones secretas al comandante Nube Negra. Como si fuera pendejo, de ahora en adelante nadie me saca que fui de los fundadores del FER junto con vos, y por vida tuya espero que no me vayás a desmentir.

Las ganas tristes de reírse se disipaban para no dejar rastro, y otra vez fue a acuclillarse en el rincón, al lado de la pizarra. Esas mentiras aquí de nada van a valerte, dijo. Ahora hay que ser lo que mejor convenga, respondió El Niño Lobo mientras se posesionaba de la colchoneta. Cuando estés en el interrogatorio me vas a contar, ellos saben de tu vida más de lo que vos creés. No, papito, se acabaron los interrogatorios, nunca más volverán. ¿De dónde sacaste eso?, dijo, y ya volvía a pasos apresurados, como si lo empujara una ráfaga repentina. De lo que captan mis atentas orejas, dijo

El Niño Lobo mientras le hacía sitio de manera cariñosa en la colchoneta, en la bodega de Cáritas tienen instalado su equipo de radio, y como me ordenaron quedarme arrimado a unas cajas de aceite de soya estibadas en el fondo, se olvidaron por cuentas de mí, de modo que fue mi sana diversión contemplar sus movimientos, oyéndolos entrar y salir para comunicarse por el aparato, sobre todo ese Manco-Cápac, el mancuncho barbudo, que es tan parlanchín, aunque poco después de las cinco apareció también el cura Nicodemo, llamado de urgencia. Me acuerdo que salieron juntos, dijo él, me dejaron solo con la compañera Judith, que se dedicó a revisar las actas. Allí fue el momento. Debés ir sabiendo que si hablan delante de vos con tanta libertad es porque para ellos estamos muertos, ya lo tengo por experiencia. Mejor poneme atención, que te conviene, en lugar de estarme entreteniendo en dilaciones vanas. ¿Qué fue entonces lo que oíste? Se va el cura Nicodemo, levanta campo junto con su concubina. Es su esposa, replicó él, se casaron en Costa Rica. Sólo babosadas se te ocurren para seguirme interrumpiendo, se la coja legalmente o no, a vos qué te importa, se van, a lo mejor ya se fueron, el cura Nicodemo dio orden de que llenaran el tanque de su jeep con diesel del que guardan como reserva de emergencia en unos bidones en la misma bodega. ¿Adónde se van? A Rivas, y El Niño Lobo movía las manos como si ahuyentara a los que partían, mataron al que llaman comandante Ezequiel. Ése es el verdadero jefe, dijo él, agarrándolo por la manga de la camisa. Pues le puso la guardia una emboscada en el camino a Potosí, cuando iba en una camioneta de tina, con cuatro guerrilleros más, a buscar que en el taller del ingenio Santa Rita le cortaran unos tubos de plomería para usarlos en el ataque al cuartel de Rivas rellenos de dinamita y charneles, eso fue lo que el operador de radio le estaba repitiendo al cura Nicodemo en presencia de Manco-Cápac. Mataron entonces al verdadero jefe, repitió para sí mismo, sin soltarlo de la manga. El jefe de ellos, nosotros no tenemos más jefe que el Jefe, mientras aguante en el búnker, dijo El Niño Lobo. Callate, lo reprendió, casi sin voz. No seás pendejo, todo lo que tienen en contra de nosotros ya está acumulado. Pero es mejor andarse con tiento, sobre todo a la hora de contestarle al tribunal. Sos duro de mollera, ya te dije que los interrogatorios se acabaron. Vos mismo oíste lo que dijo Manco-Cápac, que las sesiones iban a seguir. Entró aquí mintiendo y haciéndose el fuerte, pero entre ellos, afuera, todo era carrera y discusión. ¿Discusión sobre qué? Sobre la insistencia del cura Nicodemo de irse a Rivas, donde nadie lo está llamando, porque muerto el tal Ezequiel tienen que poner otro jefe, y el cura Nicodemo quiere ser ese jefe para dirigir el ataque y tener alguna acción de guerra a su favor. No te equivoqués, es el comisario político de la columna. Puro adorno, papito, lo han apartado porque pertenece a la GPP, donde están los rudos comunistas del antiguo testamento, y este territorio lo dominan los Terceristas, que han resultado los más vivos, porque le juegan la cucamona a los yankis y tienen dominada la Junta de Gobierno que formaron en Costa Rica. ¿Y Manco-Cápac? ¿Manco-Cápac qué? ¿Está en contra de que el comandante Nicodemo se vaya para Rivas? Pues claro que está en contra, por eso ha sido la discusión, Manco-Cápac es Tercerista, igual que el Ezequiel ese que mataron, y seguramente sus instrucciones son las de tener entretenido aquí en Tola al cura Nicodemo, aunque ya sabés, jesuita es jesuita, siempre quieren irse arriba. Pero los dos son comandantes. Aquí comandantes son todos, mientras tanto no agarren por completo el poder, si es que lo agarran, y comiencen a matarse entre ellos, ya vas a ver.

Como si hubiera gastado todas las fuerzas que le habían llegado en ráfaga de manera repentina, volvió a pasos contados a ocupar su lugar en el rincón, y otra vez se sentó, encogido en sí mismo. Cuando toda esa turba que está en el patio reciba el anuncio de que mataron al comandante Ezequiel, nos llegó la hora, dijo. No van a darles la noticia hasta ver qué pasa con la toma de Rivas, para no desmoralizarlos, y mientras tanto tendrán que buscarles otra entretención, porque lo que son las lecturas, ya terminaron. ¿Cuáles lecturas? Las de tus declaraciones, estuvieron sacando los manojos de hojas mecanografiadas para leerlas en el patio, y cuando se acababa un manojo, se quedaba la plebe esperando otro, como capítulos de radionovela. No te creo, dijo. Favor que me hacés, porque así me callo y me duermo, que es lo que quiero desde hace rato. No, no te durmás, suplicó, y otra vez se puso en camino hacia la colchoneta, ahora a gatas. De lo más interesante para los escuchas fue que el cura Nicodemo viniera a resultar hermano del héroe y mártir Igor, dijo El Niño Lobo y bostezó con toda la boca, o sea, el mentado Ignacio Corral, el cutufero aquel, íntimo cofrade tuyo, que se creía alta vara por descendiente del prócer Ponciano Corral, qué prócer ni qué nada, un mulato sin alcurnia fusilado por los filibusteros en castigo de que se volteó a última hora, ministro de guerra del invasor William Walker, nada menos. ¿Acaso leían mis declaraciones por los altoparlantes de la barata? No, no querían que vos te dieras cuenta, así que la respetable concurrencia se arrimaba a las lectoras, esas estudiantas que andan disfrazadas de guerrilleras, y ellas se iban pasando las hojas para leerlas delante de los grupos, como en un rezo. ¿Todo lo que yo declaré? Sin quitarle puntos ni comas, papito, hacé de cuenta que te pusieron a cagar en un excusado con las puertas en pampas.

Ahora estaba de nuevo de pie y se sacudía los pantalones por las rodillas, un acto inútil, si se considera la suciedad sin remedio que mostraban, desde la pretina hasta los ruedos. Yo traté de ser sincero en esas declaraciones, dijo. La sinceridad te valga, respondió El Niño Lobo al tiempo que se volteaba de cara a la pared, nadie sabe si por confesar que se cogieron a tu mujer bajo tu propio techo al final te van a tener lástima, o sólo les va a dar risa. Por lo menos en esta lipidia en que estamos, respetame, dijo, y volvió a sacudirse las rodillas. ¿No fue eso lo que vos mismo declaraste? Ellos ya lo sabían, de todos modos, dijo, encogiéndose ahora de hombros. Bicho experimentado ese cura Nicodemo, dijo El Niño Lobo con la voz pesada de sueño, te fue llevando de la mano con arte malévolo hasta que te sacó lo que quiso. ¿Vos ya lo conocías? Pedro Fabro Corral S.J., para poder atacar a alguien en mi programa, de arriba tenían que pasarme primero los datos, y este cura fue siempre el mejor ejemplo del jesuita que inocula ideas exóticas a la inexperta juventud. Igual te pasaron mi expediente de la OSN. No, a vos te conocía de sobra para necesitar del auxilio de la OSN, se iba apagando la voz del Niño Lobo, lo que llegó a mis castas manos fueron las piezas de tu historia con Richard de Jesús, el office-boy. Un invento en el que tuviste parte, dijo. ¿Ni siquiera le tocaste las nelfis al mozalbete?, preguntó al rato El Niño Lobo, siempre de cara a la pared. Nunca se te quitó lo degenerado, respondió. Para mi gusto, te lo escogieron de primera, culito redondo y bien proporcionado, me consta porque me lo llevaron a los estudios de Estación X para que le hiciera la entrevista de rigor, y lo tuve muy de cerca. Un cochón de arrabal, eso es lo que era. Con unos ojos lánguidos de la princesa está triste qué tendrá la princesa. Vos sabés bien de dónde fueron a sacarlo. Por supuesto, dijo El Niño Lobo mientras se volvía ahora hacia él y se incorporaba a medias, el coronel Jirón, el sucesor de Moralitos, lo mandó a reclutar de urgencia al Lago de los Cisnes, no me vas a decir que nunca estuviste en ese antro de libélulas vagas de una vaga ilusión. Muy a menudo, vestido de lentejuelas y calzando tacones altos, dale gusto a tu fantasía depravada si eso te complace. Me hubiera encantado verte en una facha matadora como esa que me estás describiendo. Vos sí eras cliente de confianza. Estuve, no lo niego, pero no por vicio de poner el candelero, sino porque allí acogían también putas, y algunas del Mandrake, cuando me debían reales, se me escapaban para ir a refugiarse en esas penumbras donde no les cobraban peaje, y por eso, en más de una ocasión tuve que ir a sacarlas con gente armada, hubieras oído entonces al cochonerío cacaraqueando espantado. Muy decente lugar, por algo le pegaron fuego la noche del motín en la carretera norte, después que mataron a Pedro Joaquín Chamorro. Según mi parecer, más bien le llegaron las llamas del incendio de Plasmaféresis, la compañía aquella que compraba sangre a los borrachines y pordioseros para exportar el plasma y que manejaba Pedro Ramos, el cubano de Miami, amigo tuyo. Ningún amigo mío. ¿No te encargaste vos de la escritura de Plasmaféresis? Como de muchas otras que tenían que ver con negocios en que intervenía Somoza. Por interpósita de mano, porque el título de abogado no lo sacaste nunca. Ahora me habla el estudiante laureado. Decime si no es divertida la vida, yo soy doctor de verdad en derecho, y vos no. A todo le has hallado siempre diversión. Bueno, en lo que estábamos, quemaron Plasmaféresis en venganza porque a tu cliente, digamos, pues, que era tu cliente, lo acusaban de haber mandado a matar a Pedro Joaquín, con la venia del Hombre, por lo mucho que denunciaba ese negocio de la sangre en su periódico. ¿Me vas a decir ahora que yo tuve que ver en todo eso? De ninguna manera, sólo estamos aclarando cómo se quemó el hogar de Richard de Jesús, tu cruel tormento, si lo alcanzaron las llamas de Plasmaféresis, que es lo que creo, te repito, o quién quita, a lo mejor quisieron los revoltosos castigar por aparte el pecado contranatura, ya ves cuánto sacerdote santo anda mangoneando esta samotana, y dicha sea la verdad, los shows de medianoche eran allí poco edificantes, nalgas sueltas por doquier.

El Niño Lobo bostezó de nuevo, sentado ya en la colchoneta. La verdad es que aunque hubieras pecado con el mozalbete, no era motivo suficiente para que mandaran a joderte con semejante sevicia, dijo. Me cocinaron vivo, respondió él. ¿Qué jodido fue lo que hiciste para sacarte esa lotería tan negra? ¿Qué voy a ganar a estas alturas con contártelo? Puede ser que mucho, puede ser que poco, pero si es que te quisiste coger a la Dama, sos un animal de asta y pezuña. Todo lo contrario, más bien no me la quise coger. Barajámela despacio, dijo El Niño Lobo y se acomodó lo mejor que pudo sobre la colchoneta.

Iban a ser las seis de la tarde. Hizo sonar tres veces el claxon, como siempre, y el guardián le abrió el portón automático desde la caseta exterior. Fue a estacionarse en el parqueo de visitantes, que lucía desierto, y cartapacio en mano, porque traía asuntos para tratar, se dirigió hacia el portal de la mansión, extrañado de no ver un solo guardaespaldas ni una sola criada por los alrededores, y tampoco el Volkswagen de la Yadira, si habían convenido en encontrarse allí a las cinco y él llegaba con atraso, aquel silencio madre roto por el viento que bajaba de la sierra y erizaba el agua de la piscina encendida como una ventana de luz turquesa en la hondonada al fondo del jardín. Entonces la divisó. Venía subiendo desde la piscina por el arco de escalones de piedra, haciéndose visible poco a poco, la cabeza empapada primero, luego el torso, después las piernas, hasta tenerla de cuerpo entero. No me digás que venía desnuda, dijo El Niño Lobo. Traía encima sólo una camisa de hombre, de mangas largas, desabotonada hasta el ombligo, y bajo la tela húmeda se transparentaban los pechos alzados y duros. Túrgidos, dijo El Niño Lobo, pechos túrgidos, siempre me ha gustado esa expresión de Rubén Darío. Pero eso no era lo peor, lo peor era que los faldones de la camisa descubrían el pubis a cada paso que daba. Todo el mico, susurró, admirado, El Niño Lobo. Sí, dijo él, la pelambrera chorreando agua. Me estoy templando, dijo El Niño Lobo. Calzaba unas sandalias doradas, de correas. Sandalias de vestal, otra vez Rubén Darío. El sendero de lajas sólo daba paso a una persona, estábamos ya demasiado cerca, tanto que sentía el olor a agua clorinada que traía impregnado en la piel. Avanzaste. Cómo se te ocurre, no me quedaba más que retroceder, pero no iba a hacerlo de espaldas, hubiera sido ridículo. Tenés toda la razón. Así que antes de mi intento de dar la vuelta, le dije algo así como «la espero en la sala», porque aunque tuviéramos tanta confianza nunca dejé de tratarla de usted. No te me salgás por la tangente que eso del tratamiento no es de interés del caso que nos ocupa. Al notar mi intento de devolverme me agarró de la mano, y cuando en sus dedos fríos, enjoyados, sentí el relieve de sus anillos, eso fue lo que me turbó más, el contacto con los anillos, y no el contacto con sus dedos. ¿Y entonces? Entrecerró los ojos, toda la cara bañada de gotitas de agua, y entreabrió los labios carnosos. Parece cosa de Silvana Mangano esa escena, se relamió El Niño Lobo. Sus dedos húmedos, con aquella carga de anillos, empezaron entonces a deslizarse por mi pantalón, tanteando camino abajo. Camino a la paloma iba esa mano. Me la acarició. Andate derecho a los hechos, y no me hablés por favor del cartapacio, que no me interesa saber si todavía lo tenías agarrado por la manigueta, o se te había caído al suelo del susto. Fue una caricia muy breve, como furtiva. También me gusta esa palabra del padre y maestro mágico, furtiva, ¿y después? Me hizo señas con la cabeza para que la siguiera de regreso a los vestidores de la piscina. ¿La seguiste? No, por fin di la vuelta, pensando en subirme a mi carro y mejor irme, pero hubiera sido demasiado el desaire, así que decidí esperarla en la sala, como le había dicho al principio. La sala que se parece al VIP del Mandrake. Los cortinajes de terciopelo estaban cerrados y casi no se veía nada, así que entré como a tientas. Tiene esa sala a cada lado del sofá unas lámparas de pie de bronce con sombreretes rosados, seguro encendiste una. La encendí, y mientras la aguardaba sentado en el sofá, no sabía si la escena anterior iba a volver a repetirse. A lo mejor se te aparecía en bata de baño y siempre desnuda por debajo. Hacé cuenta, tampoco uno es de hierro. Te comprendo, dijo El Niño Lobo, suspirando muy hondo, imaginate si el Hombre entra de pronto en esa sala y los halla en la maturranga. En ese caso hubiéramos oído el alboroto, los portazos de los vehículos de la caravana, las carreras de los escoltas. Vamos a lo que sigue. Salió por fin una de las empleadas, encendió todas las luces, y le pedí que me llevara un vodka. Stolichnaya, te apuesto. Mientras me lo traía agarré el teléfono para tratar de hablar con la Yadira, furioso con ella por su tardanza, pero rezando al mismo tiempo de que ya viniera en camino. La Dama la esfumó de la escena, está claro. Le había encargado quedarse en el salón de belleza cerrando las cuentas de un pedido de cosméticos que acababa de llegar, pero tratándose de una mujer caprichosa, vos la conocés, todo se le pudo haber ocurrido en el mismo momento en que me vio aparecer. ¿Alguna ardiente fantasía mientras se bañaba desnuda en la piscina? Tal vez se sentía molesta con el Hombre por algo y quiso vengarse utilizándome a mí. O fue su vieja furia carnívora, papito, la que es puta siempre vuelve. No hay ley más sabia. ¿Qué pasó, pues, al fin? Muy al rato mandó a avisarme que se hallaba indispuesta, aquejada de dolor en los ovarios. ¿Así mismo te mandó a decir? Con esas precisas palabras, y ya no volví a verla nunca más en la vida. Entonces, empujada por el despecho mortal, se quejó ante el Hombre de que habías querido forzarla. Sí, y yo, de muy pendejo, ni cuenta me di de la trama. ¿Nunca te dijo el Hombre ni media palabra? Nada, disimuló muy bien su cólera mientras urdían entre los dos la venganza. Richard de Jesús, nalgas de nácar, su venganza y tu pecado. Por favor no volvás con eso, dijo, no sé por qué me he puesto a contarte toda esta desgracia, a vos, sobre todo, y emprendió otra vez el regreso a su rincón. Porque estamos solitos en el mundo, papito, por eso, dijo El Niño Lobo.

Se quedaron en silencio, como olvidados el uno del otro. Él se restregó las mejillas y sintió en los dedos la aspereza de su barba. Casi podía verla, encanecida, como si estuviera frente a un espejo. Tal vez te acordás de una película que dieron una vez en León, dijo al rato, Spencer Tracy era un sacerdote que una medianoche llegaba a un presidio a confesar a un condenado a muerte en capilla ardiente, se abrían y cerraban puertas de hierro en los corredores, se asomaban los presos por las rejas a ver pasar a Spencer Tracy, que iba rezando con los labios mientras cargaba el valijín donde guardan los curas las cosas sagradas, detrás de sus pasos una escolta de guardianes, y entonces se abría una última puerta, aparecía el condenado, vestido con un uniforme de tela gris, muy burda, y se arrodillaba para recibir los últimos auxilios, *El pabellón de la muerte* se llamaba esa película, y el preso era Montgomery Clift, nunca cometió el delito por el que lo ejecutaron en la silla eléctrica, haber violado y asesinado a una monja que trabajaba auxiliando a los inmigrantes pobres en un barrio de Nueva York, Natalie Wood era esa monja. Se ve que te gustan las películas. Hace muchos años dejé de ir al cine, pero si me estaba acordando de esa escena es más bien por lo de la capilla ardiente, desde entonces se me quedó grabada esa expresión. El Niño Lobo, recostado en la pared, trenzó las manos en la nuca y lo miró por largo rato, con curiosidad divertida, tratando de adivinarlo desde lejos. A mí me repugna ese tipo de expresiones lóbregas, como capilla ardiente, pero a vos, además, te gustan las novelas, dijo. Nunca leí muchas novelas, sólo las de Mickey Spillane. Pero lo que debiste haber sido en la vida es escritor de novelas, como Curzio Malaparte. No hubiera servido para eso, qué ocurrencia más peregrina. Cómo vas a creer que no, si acabás de contarme la novela que todavía creés que vas a poder repetir delante del cura Nicodemo, por mucho que te insista en que se acabaron los interrogatorios. Ahora sos vos el que me va a decir a mí qué es lo falso y qué es lo verdadero en mi desgracia, dijo él, con sorna vacilante. Pues así como lo oís, papito. ¿Y qué es lo verdadero, si se puede saber? Te cayó el rayo desde las alturas porque se te fue la lengua, porque saliste a divulgar, muerto de risa, el hecho de que el Hombre se había desgraciado del vientre dentro de la piscina el día que la Dama le celebraba su cumpleaños, en la pura intimidad, nada más con sus amigos más escogidos, los dignos de ser cagados, vos, entre ellos, por supuesto, todos metidos en la piscina que se convirtió en letrina, para que así la rima sea completa. ¿Quién te contó eso? El Niño Lobo se reía, más gozoso que nunca. ¿No te has puesto a pensar que si yo estaba entre los escogidos para hacerte polvo, todo lo que tenía que ver con tu caso debía llegar a mis oídos? Ese percance nada tuvo que ver con lo que me pasó después, dijo, tras vacilar un momento. ¿No advirtió a todos el Hombre que quien saliera a contar ese percance, como vos lo llamás, quedaba condenado a la muerte civil? Fue Pirañita el que se encargó de pasar la voz. Me imagino cómo quedarían aquellas toallas bordadas con las iniciales de la pérfida Mesalina, después de que los festejantes corrieron a secarse. Todo fue por causa de la medicina, dijo. ¿Qué medicina? Una que produce incontinencia fecal si se mezcla con alcohol. ¿Medicina para qué? Somoza estaba pesando más de trescientas libras para entonces y ella mandó a buscar a Miami esa medicina, que era un invento de moda. ¿Una medicina que quita el hambre? No, retiene en el intestino la grasa, y luego toda esa grasa es expulsada, revuelta con el excremento. ¿En cualquier circunstancia y lugar se te vienen las ganas? Si uno se excede con el licor, no hay manera de detenerse, esté donde uno esté. Damas y caballeros cagados por partes iguales, suspiró El Niño Lobo. No, las mujeres estaban platicando aparte en el jardín, sentadas en los cheslones, rodeando a la pérfida Mesalina y nosotros rodeando a Somoza junto al bar que tiene esa piscina, la parte donde uno está metido de un lado en el agua y del otro el barman sirve los tragos en lo seco, vos conocés. De lejos vi esa piscina, jamás me metí en ella, no te olvidés que yo siempre fui de segunda. Vos has sido siempre lo que te conviene, dijo, con triste desdén. Pero bueno, ¿qué hiciste al sentir que el Hombre solventaba las tripas de modo tan soberano? Lo que hicieron los demás, quedarme quieto, sin decir ni media palabra. Paralizados de miedo, mientras la mancha turbia se extendía como tinta de calamar y los iba alcanzando poco a poco. Quién se iba a atrever a moverse. Ya hubiera querido verte cómo alzabas el pescuezo para que un vaivén infausto no te salpicara la boca. Esa es ya exageración tuya. No me digás que también es exageración mía que además de cagarse dentro de la piscina, Somoza se cagó en tu vida porque violaste la prohibición de silencio. Jamás se me hubiera ocurrido semejante imprudencia. Fuiste a contárselo a tu señora esposa, sólo que en tu alegre versión particular vos no aparecías dentro de la piscina, así podías reírte a gusto de los demás. ¿Por qué iba a contárselo a ella, que nunca quiso saber nada de lo que pasaba en los dominios de la pérfida Mesalina? Por ínfulas, papito, así le dabas a oler algo de tus intimidades del poder, y ella, no creo que por inocente, lo repitió en sus ruedas de canasta uruguaya, al fin y al cabo le habían matado a tu rival Ignacio y en algo se vengaba, infidencia, sin embargo, que no tardó en llegar a oídos de la OSN, se dedicó el coronel Jirón a seguir las pistas, y tras confabularse con Pirañita, comparecieron juntos delante del Hombre, le entregaron un dossier bajo el nombre sugestivo de Alacrán, muy bien adornado en contra tuya, y ya te podés imaginar, Pirañita feliz viendo que el Hombre ordenaba, casi sin voz, que te agarraran y te quebraran la vida, pero Jirón, no Jefe, jodámoslo con gracia, por el lado de esa su debilidad que le tenemos registrada desde los tiempos de Moralitos, metámosle un ninfo que lo tiente y después que lo acuse de violación, que aparezca entonces el médico forense con el dictamen de desgarramiento del tejido anal y laceraciones en el recto, y que a partir de allí ya todo sea cosa del juez.

Afuera, en el patio, alguien cantaba unos números como si jugaran bingo, y entre número y número cantado el silencio era de absoluto recogimiento. ¿Me podés decir ahora qué cara puso el Hombre al producirse el infausto suceso de la piscina?, preguntó El Niño Lobo. Todavía no ha quedado conforme tu curiosidad, dijo él. Dame ese gusto. No sé, cómo querés que lo sepa, quién se hubiera atrevido en ese momento a mirarlo a la cara. Te apuesto que fue él quien se salió primero del agua embijada, y aun ya afuera, nadie se atrevía a moverse. Me estás preguntando por puro gusto cosas que ya sabés. No papito, tanto detalle lo ignoro, pero me guío por mi intuición, y sólo por delicadeza para con vos, no te digo que me guío por mi olfato. Ve quién habla de delicadeza. Y lo peor, que la tal medicina ésa de nada le sirvió. Es cierto, siguió engordándose, y a los pocos meses le vino el infarto que por poco se lo lleva. Vos ya estabas castigado para entonces. Ya me había venido a vivir a Santa Lorena. Y cuando supiste del infarto te alegraste pensando que pronto volverías a las alturas, porque muerto el perro, se acabó la rabia. No me alegré, nunca me alegro del mal ajeno, dijo.

El Niño Lobo, apoyándose de manos, buscaba cómo incorporarse en la colchoneta, divertido ante su propia torpeza. Se puso al fin de pie y vino a buscarlo al rincón con su paso de mambo, la punta del calcetín del pie descalzo aún más estirada. Y ve si no has sido injusto con la Dama, vos, Malaparte, le dijo mientras se acercaba, porque en esa trama ella nada tuvo que ver, hasta el final te defendió, suplicándole al Hombre, con lágrimas en los ojos, que por una falla como ésa no podía despreciar tantos años de fidelidad, y él, a punto de pegarle una trompada, le gritó que si no sería que también le gustaban los degenerados. Es cierto que me defendió, lo supe por boca de la Yadira, dijo, contrito. Le recordó, sobre todo, que si alguien había acudido a su lado la medianoche del terremoto, habías sido vos, qué mayor prueba de lealtad quería entonces, dejar abandonada a tu esposa, sola y a oscuras en Bolonia, sin saber si con una nueva sacudida la casa se le venía encima, para correr en pijama al Retiro. Lo hallé borracho, eso nunca se lo conté a nadie, daba órdenes a gritos en medio de las sombras, órdenes que nadie oía porque hasta Pirañita lo había abandonado, y cuando me vio llegar, me abrazó, llorando como un niño de pecho. Malagradecido él, pero no la Dama, y aun así, en tus declaraciones ante el tribunal del cura Nicodemo no te importó echarle tierra, gran ingrato. Yo lo único que quiero es salvar mi vida, dijo. Para eso vas a necesitar más que ensañarte con ella ahora que nos espera lo peor, dijo El Niño Lobo. Él le buscó la cara una y otra vez, como si se le hubiera perdido en la penumbra. ¿Qué es lo que nos espera?, preguntó. El juicio ante las masas, papito, van a ponernos frente al populacho para que la amable concurrencia resuelva si somos culpables o inocentes, ahora mismo están entregando los números, el que no tenga número no puede votar. El comandante Nicodemo no va a permitir eso, dijo, poniéndose de pie. Cuántas veces querés que te repita que el cura Nicodemo ya va a estas horas camino de Rivas con su concubina, a ver si todavía agarra algo de gloria militar. No es posible que me deje aquí en manos de las turbas, insistió. Olvidate del cura Nicodemo de una vez por todas, olvidate de la compañera Judith, desaparecieron de tu vida, no fueron más que personajes secundarios en toda esta mojiganga, la verdadera función empieza ahora, en cuanto nos suban al tablado de los actos escolares, allí es donde debés echar mano de todas tus artes. ¿Artes de qué? Artes de artista, qué otras artes, el juicio de las masas populares va a consistir en que te suben al tinglado, Manco-Cápac anuncia tu nombre, da una lista de lo que alegan que hiciste, después te toca a vos defender tu causa, y si votan a favor tuyo, te salvás. ¿Una votación en urnas? Nada de urnas, el voto va a ser un aplauso. Aplausos, repitió, como hipnotizado. Aplausos atronadores, vas para afuera, ningún aplauso, te jodiste. Esos son inventos tuyos, para asustarme, dijo, asustado. Al contrario, te lo informo desde ahora para que te serenés y sepás ordenar tu cabeza, porque los chances no son muchos que digamos, se trata de arrancar aplausos que no te van a dar por argumentos legales, eso mantenelo claro para que no te andés por las ramas, tenés que entusiasmarlos con algo que los conmueva, o con algo divertido, y fijate bien el consejo que te doy, vos, en tu caso, no tenés mejor cuento que contar que el de la piscina en la que Somoza se desgració con todos los cortesanos adentro, muertos de miedo de salirse mientras sentían cómo iba llegándoles la mierda al pescuezo, todo lo que necesitás es que se rían y que te aplaudan, y no se te ocurra omitir que vos también estabas adentro. Eso no es ningún juicio legal, dijo. ¡Juicio legal!, qué lindo que te veo, papito, como si estuviéramos aquí para pedir gusto, dijo El Niño Lobo y regresó a la colchoneta.

La jaula de Blackjack [Testimonio de María del Socorro Bellorín, Tola, 2002]

La caravana venía de Santa Lorena por el camino que entra del lado de finca de los Jácamo llamada La Gloria, y yo, vagabunda de mí, metida en el alboroto fui a darle recibimiento. Mediaba mayo, tal vez junio, no sé si me acuerde bien, pues debe figurarse el tiempo mayúsculo discurrido, añales, tenía entonces yo poco más o menos la edad de trece años, y ya me ve ahora madre de tres hijos que van para casaderos, y por añadido, dejada de dos hombres, uno de ellos bolo como él solo, que más bien lo dejé yo por agresivo, nunca he aguantado que me alcen la mano en sombra de amenaza, menos permitir que me peguen, o me las peguen, allí tiene usted una gruesa diferencia pero también una suma que a ninguna mujer cabal le cuadra, y aquel hecho de saberlo en querencia aparte vino a ser el más grave delito, ya me sabía bien mi cartilla porque para eso tuvimos revolución, si no había sido yo brigadista alfabetizadora en las montañas, puño en alto, libro abierto, convirtiendo la oscurana en claridad, si no había sido voluntaria de los cortes de café, si no me había entrenado en los batallones de reserva de mujeres, si no había pasado por escuela de cuadros antes de recibir mi broche de militante, ¿y me iba a dejar ofender de acción o de palabra por un bergante cualquiera? Pero regreso mejor a su interés antes de que me ponga a hablarle del otro de los dos desgraciados, y así no acabaremos nunca.

Trece años en aquel tiempo, pero no desespere pensando en que el discurrir de mi memoria esté acaso lleno de lagunas de ignorancia por causa de mi corta edad de entonces, pues para aliviar esa carencia es que me preparé bien cuando mi prima Xiomara me anunció su venida, y así he andado preguntando a los que eran más adultos y mejor se acuerdan de detalles, preguntando y apuntando, porque el deber de contar es un deber serio, quién lo sabe mejor si no usted. Una cipota algo hombrejona y angurrienta de vagancias, dije, tentada siempre de contradecir los mandamientos de mi mamita, no te subás a ese palo a buscar nidos de oropéndolas que te vas a desgajar con todo y rama, no te montés en esa yegua rucia que es chúcara, no te juntés con chavalos varones que sólo las bellaquerías maliciosas buscan, y por fin, esa vez, no te vayás a meter a esa manifestación, puede haber desaguisado porque anda latente el peligro, la guerra sigue en lo fino y aquí no te me aparezcás diciendo que te hirieron de un balazo por chúcara y entrometida a menos que querás matarme de una vez. Pero fui al recibimiento, desoyéndola, igual que concurrió la población entera de Tola, bajo la atracción de que venía prisionero Alirio Martinica, caporal de mando fuerte al lado del mismo Somoza y su querida la pérfida Mesalina, y cuando en Tola se decía burgués somocista, mejor era decir de una sola vez Alirio Martinica, retrato vivo de las corrupciones y crueldades urdidas contra el sufrido pueblo trabajador.

Con lo dicho. La gente se desató en hormiguero hacia el parque central apenas comenzó la barata a anunciar por las calles que lo traían preso después de ser capturado en la costa cuando quería subirse a un barco, huyendo el muy bárbaro con un cartapacio donde además de joyas y dinero llevaba documentos secretos de la invasión que se nos venía encima de parte de los yankis para salvarle el pellejo a Somoza, todavía oigo al locutor de la barata repitiendo, entre los cantos revolucionarios que ponía en los parlantes, «al parque, al parque, de allí partirá el magno desfile, compañeros», y serían las ocho de la mañana cuando empezó el retumbar de las descargas de pólvora, la bullaranga de los sones de toros, y ya con las banderas sandinistas por delante, arrancamos todos a topar la caravana, asunto de nomás divisarla para que la multitud se desbandara a su encuentro a quien llegara primero, grave trifulca entonces porque no había quien no quisiera ver de cerca a Alirio Martinica, y no sólo verlo, despedazarlo allí mismo querían apenas lo advirtieron detrás del vidrio de la cabina del camión, porque dígame a ver si no era demasiado el rencor, una pobreza negra, una calamidad de llanto por todos estos confines, el campesinado penando de tan grosera necesidad que terrones comía si bien podía, y mientras tanto Alirio Martinica en francachelas con mujeres altivas que le traían por docenas a su hacienda desde Managua, servido a toda hora en sus mínimas apetencias y placeres por legión de sirvientes, pero no conforme, a la menor nimiedad el muy prepotente mandaba poner cautivos en un cepo a sus mozos de agricultura, sujetos de pies y de manos a medio sol. Un déspota, en resumidas cuentas.

¿Yo conocerlo? Nunca antes en mi vida, tan lejos como Santa Lorena no me aventuraba en mi antojo de correrías, pero allí estaba ahora delante de mi vista, la mandíbula en temblores, la calva perlada de sudor, los ojos de gato de monte sin concierto ni sosiego, abierta de asombro la boca ancha, como de pescado bagre que se ahoga fuera del agua. Yo era una niña entonces, sin vicio de fijarme en hombres, pero si ha sido que me encuentro con él, digamos tres años después, ya en capullo, me hubiera causado risa más bien su figura en lugar de perturbarme el entendimiento como a tantas, pues según se decía, con una mirada le bastaba y sobraba para llevárselas a su aposento de los espejos, a retozar en la famosa cama de agua donde los cuerpos se hundían como en un molde suave, olas van, olas vienen en vaivén, pero lo que es a mí, ya le digo, jamás hubiera hecho que se me mojara el blúmer [risas], perdone la desfachatez, que yo sé que es usted hombre serio, ¿o no? [risas], ¿puedo hablarle, así, sin embargarme de palabra? Pues bien me alegro.

Querían bajarlo allí mismo del camión para sacarle la ñaña, tan álgido era el odio que se derramaba en aquellos días como si se hubiera rajado un cántaro, los pobres derrotados, sin segundo calzón que ponerse, pretendiendo desquitarse de tantas inquinas y malos sufrimientos, y cuando le digo que estuvieron a punto de hacerlo tucos es porque yo estaba en primera fila, usted sabe cómo son los chavalos que donde quiera alcanzan, no hay hueco por donde no se metan, y éramos varios, una pandilla peleantina que tenía por capitán a un Rafaelito Tamariz, niño tal por cual, muy aventado y decidido, maña suya cegar a los demás con los reflejos de un espejito que andaba siempre en la bolsa, uno de esos espejitos redondos, para vanidad de las mujeres, que habían regalado como propaganda del Partido Liberal en las últimas elecciones que ganó Somoza antes de que se le viniera encima la revolución. Si se salvó en aquel momento Alirio Martinica es porque aparecieron las madres que llegaban a denunciar la masacre de Belén, un engaño de gran alevosía cometido por guardias disfrazados de guerrilleros, usted sabe, usted conoce, yo me acuerdo de haberlo visto en un acto que hubo en Belén en el primer aniversario de la masacre, tomó la palabra en nombre de la dirigencia revolucionaria, muy bonito lo que dijo, muy cabal, quién iba a adivinar entonces que después se iba a salir de las filas del Frente Sandinista, algo que no le discuto, está en su derecho, pero como militante no estoy de acuerdo, arréglese con Daniel, ¿cuándo van a arreglarse? [risas], bueno, en fin, ¿por dónde íbamos?, fíjese qué constancia la mía de estarme orinando siempre fuera del huacal [risas].

Pues se presentaron las madres enlutadas a dar cuenta del asunto grave de la masacre y se calmó la agitación cuando anunciaron que una de ellas iba a dirigirse a los presentes por el micrófono de la barata, habló, detalles no me acuerdo, pero más que todo señaló a dos de los hechores que venían prisioneros en la plataforma del camión, y allí mismo la gente, insolentada en tropel, los agarró, olvidándose de Alirio Martinica, eran un tío y su sobrino, asesino de marca mayor el chavalo, no parecía, fueron amarrados sin contemplaciones y los llevaron a fusilar en gran comitiva, yo iba en esa comitiva con Rafaelito Tamariz y el resto de la pandilla, apersogados del pescuezo y de las manos daban tumbos contra el suelo y volvían a alzarlos, y al llegar al cementerio los pusieron contra el muro y los mataron abrazados porque ése fue su gusto, abrazarse fuertemente cuando los apuntaron con los fusiles. ¿Esos datos ya le constan? Bueno, pues sigamos.

Volviendo del cementerio supimos que tenían a Alirio Martinica en la casa cural y para allá nos fuimos siguiendo al torbellino de gente que entraba en el patio, haga de cuenta y caso una romería de fiesta patronal por la animación, pero ya después el clima reinante se volvió de inconformidad, empezaron a levantarse voces alteradas en son de pendencia, qué era eso de interrogatorio, para qué tanta averiguata si las ofensas de aquel hombre eran de sobra conocidas, pero salían a cada rato unas muchachas discípulas de la catequesis del padre Gaspar y que ahora andaban luciendo uniformes guerrilleros, se subían al escenario de los actos escolares y buscaban apaciguar a la concurrencia, pero no había forma, todo el mundo que no y que no, que ya sacaran a ese desgraciado para fusilarlo de una vez, igual que los guardias malditos asesinos de indefensos infantes, y de nada valían las diversiones, concursos de bailes que querían improvisar en el escenario, juegos de prenda, unos maromeros malcomidos que llegaron con una cabra sajurina, nada, fracasaba la jarana por más que ahora hablaba desde el tablado un responsable disciplinario nombrado por no sé quién, un tal Servando Salinas, de oficio albañil, pero a pesar de su edad tampoco le hacían caso, lo rechiflaban sin recato, un viejo que le advierto ya murió, por si acaso pensaba entrevistarlo, lo atropelló un camión cargado de cal, no pasó mucho tiempo para que se volviera un reaccionario de marca mayor, pestes vociferaba en la puerta de su casa contra la revolución, por lo que un día los compañeros del Comité de Defensa Sandinista de la manzana escribieron un reporte al delegado del Ministerio del Interior en Rivas y vinieron a llevárselo preso bajo acusación de diversionismo ideológico, aunque lo sacaron por gestiones del cura, sucesor del padre Gaspar en la parroquia, y ya volvió más sereno.

Pero volvamos la bobina para atrás, y sepa entonces que algunos levantiscos empezaron a cranear la idea de descolgarse por el techo de la iglesia, y a través de unos portillos de las ventanas del aula de kindergarten, donde estaban interrogando a Alirio Martinica, lanzar chupones prendidos en gasolina para que la humareda ofuscara a los que estaban adentro, así mismo como se saca a los zompopos de las guaridas, ya afuera agarrarlo, y de allí, viaje con él para el cementerio, un plan bastante atrevido, viéndolo bien, porque pudo haber degenerado en incendio, una construcción tan vejestoria como la casa cural, que estaba de veme y no me toqués, agarra fuego en un suspiro, y quién quita arde también la iglesia. Lo supieron probablemente los jefes guerrilleros, y para contrarrestar los ánimos decidieron mandar a publicar las declaraciones que rendía Alirio Martinica, comisión que las muchachas guerrilleras que le he mencionado supieron cumplir a cabalidad, buena voz, entonación bonita, manera pausada, así mismo como el padre Gaspar enseñaba en la catequesis popular, yo iba a asomarme a esas reuniones de jóvenes católicos pero era demasiado menor para que me dieran parte, me acompañaba Rafaelito Tamariz y el padre Gaspar repetía esta advertencia: «Rafaelito, me cuidas a esta niña, tú eres responsable de que no me le pase nada de nada, y cuando te digo nada de nada, tú sabés a qué me refiero, coño», porque mucho repetía la palabra «coño», y era muy gracioso oírsela, ahora que ya hace tiempos sé lo que quiere decir «coño», me asusto algo de que el padre Gaspar utilizara semejantes lisuras, pero usted debe estar pensando «de qué puede asustarse esta bandida» [risas], viera cuánto agradezco en mi corazón que el padre Gaspar se preocupara de cuidarme la virginidad, que no fueran a desgraciarme siendo tan criatura, aunque en ese sentido Rafaelito Tamariz no significara peligro del menor tamaño, el pobre, agarró el camino pacífico de meterse a sacristán y ahora huele a flores muertas, se ha ido poniendo idiota quijada floja, y de tanto golpearse el pecho ya le suena a hueco, ¡ay, mi amor!, ya estoy otra vez descarrilada, qué vaina ésta la mía.

Santo remedio la revelación de las declaraciones. Había varias lectoras al mismo tiempo, cada una con su grupo de oyentes, entre ellas se iban pasando aquellos legajos de papeles que venían a figurar algo así como capítulos de un libro entretenido, y entonces, en los descansos, salían a relucir los comentarios de unos, qué hombre más nefasto y obstinado pícaro, malandrín de tal catadura no se ha visto, es el diablo y la manta pintada, pero otros eran de contrario parecimiento, fíjense bien, decían, en algunas cosas tiene razón, más bien provoca cierta lástima, si hasta a la mujer se la batearon dentro de su propia casa, a nadie le gusta que otro le arrugue las sábanas por muy guerrillero de la causa popular que sea, y como hasta bandos se estaban formando ya, en razón de las discusiones acaloradas que iban subiendo de diapasón, las lectoras fueron advertidas por la jefatura de brindar una arenga al terminar cada capítulo, compañeros, no nos dejemos engañar ni sorprender por perfidias del enemigo, compañeros, tengamos en cuenta nuestros intereses de clase, compañeros, jamás nos dejemos conmover por explotadores sin conciencia ni moral, y así por ese estilo.

¿Nicodemo? No me acuerdo de ningún comandante Nicodemo que se haya subido a hablar al escenario en son de despedirse, que alguien agarrara viaje rumbo a Rivas avecinándose aquel combate tremendo no es de extrañar, si para muchos la vida había cogido como un mal olor, les hedía en el cuerpo, aunque usted me dice que no era un guerrillero cualquiera de esos de la charbasca que ardían por pelear, sino un doctor jesuita de fina distinción, ¿de esos que usan sotana de casimir y perfuman el pañuelo que lleven metido en la manga?, bueno, apartemos eso de la sotana, pero tantas extrañeces se vieron, ricos potentados que dejaron sus almohadones de plumas por venirse a pelear en la revolución del lado de los pobres, aunque acuérdese del dicho de Sandino, «sólo los obreros y campesinos llegarán hasta el fin», una sabia profecía, porque cuántos no se apartaron acobardados a medida que les fueran tocando lo que más les duele siempre, la bolsa, y para serle sincera, tampoco me acuerdo del todo de esa compañera Judith, esposa del jesuita, que copiaba a máquina las actas, si se hallaban ocupados adentro interrogando a Alirio Martinica, poco tenían que hacer en el patio, aunque el otro de barba tupida que menciona, Manco-Cápac dice usted que era su seudónimo y yo acato, sí se me hace muy presente, salvo que no se me manifiesta su mano manca. Vea lo que es el recuerdo, yo lo tengo frente a los ojos con sus dos manos buenas y sanas.

De la muerte del comandante Ezequiel no se supo mientras duró el juzgamiento popular de los reos en el escenario, sino hasta bien tarde del día siguiente cuando se corrió la noticia de que había caído en el ataque al cuartel de Rivas, y al ratito, ya anocheciendo, entró su cadáver a Tola, algo digno de contemplar la llegada de sus restos mortales en un camión recuperado a los perros, el ataúd cubierto por la bandera rojinegra y dos filas de guerrilleros haciendo guardia a cada lado, no terminaba de avanzar el camión contenido por la pujanza del aglomeramiento, y cuando tocó bajarlo en el costado de la iglesia, donde iba a ser enterrado, las manos se amotinaban para arrebatarlo, saque cuenta, un muchacho de escasa figura corporal, parco de modo y con remilgos de palabra, que hasta ayer nomás pasaba frente a las puertas, camino de la catequesis, diciendo adiós sin alzar la vista porque se aturdía de timidez, y ahora hombres hechos y derechos se disputaban cargarlo en hombros soplándose los mocos.

Y pregunte esto a cualquiera, que no me dejarán mentir, mientras lo bajaban a la fosa las palomas que viven en el alar del templo salieron volando en desbandada, porque hubo una descarga de fusilería en homenaje, pero como si una mano las juntara en el aire vinieron a posarse todas en racimo sobre el ataúd, las ahuyentaban a sombrerazos y regresaban, las muy tercas, razón por la que alguien dijo que era un milagro y ya lo repitieron todos, milagro, algo que volvió a ocurrir cuando dieron sepultura definitiva allí mismo, en una fosa vecina, al padre Gaspar, sitio donde descansan cerca de cincuenta combatientes allegados, pero a qué se lo cuento, vino usted a ese entierro que fue amenizado con música fúnebre y parada militar y todas esas remetálicas ceremoniosas debido a que gozábamos ya del poder.

Entonces, regresemos al camino real que ya otra vez me fui por veredas. En el patio de la casa cural habían colgado de unos palos una ristra de bujías, se fue la luz por un sabotaje sandinista para dejar oscuro Rivas y así agarrarle mejor el viaje al ataque al comando, pero trajeron un motor, y ya cuando cayó la noche esas luces adornaban muy bonito, el ambiente era otra vez de festividad mayor, se presentaban números de danza en el escenario, unos subían a bailar solos, otros en comparsa, y en nada ofendían esas diversiones a la sagrada imagen de bulto de la Virgen de la Concepción, muy hermosa señora, adornada con su peluca crespa, que si siempre estuvo en su sitio, en una esquina del tablado, no había por qué moverla. ¿La sacristana Carmela Maritano? Por supuesto, siempre de blanco y la cinta celeste de hija de María al cuello. Mujer dual, porque si bien le gustaba bailar delante de los demás, al mismo tiempo gobernaba sobre todo asunto sagrado, ella los ornamentos, bien planchados en el ropero de la sacristía, ella el bacín del cura que sacaba del dormitorio con su propia mano, ella los alimentos de la mesa cural, que llegaran de la cocina cubiertos con mantelitos almidonados por aquello del mosquero, costumbres esas que el padre Gaspar cambió porque no orinaba en bacinilla ni le gustaba comer sentado, él mismo iba a servirse el plato a la cocina y con el plato en la mano se paseaba, denostando las rudezas del corazón de piedra de los ricos avariciosos que hacían farándula de la religión. Pero perdóneme, ya estoy otra vez en la luna de Valencia.

Le digo, pues, serían las diez de la noche, o más. Subieron al escenario al trompetista de la banda de chicheros para que tocara un llamado al silencio, y entonces el mundo entero se calló. Parlantes y músicas, voces y rumoreos, como si le hubieran sacado todos los ruidos al aire y sólo quedara aquella trompeta que seguía en su clamor de procesión del prendimiento. Vino y subió entonces ese jefe guerrillero que usted dice, Manco-Cápac, vamos a ver, déjeme recapacitar muy bien lo que me acuerdo de sus palabras para no enredar la pita, y nada vaya a tomármelo de todas maneras al pie de la letra, que si mi memoria le parecerá robusta en ciertos aspectos, en otros va a hallarla de apariencia más bien flaca, a pesar de las recopilaciones de datos que ya le dije me preocupé de hacer por mi cuenta para que me encontrara preparada.

Que las leyes burguesas ya no servían para nada, fue diciendo, que el pueblo se haría cargo de aprobar leyes de nueva justicia cuando la revolución triunfara, algo que no iba a tardar mucho porque ya pronto caería el cuartel de Rivas y entonces las fuerzas del Frente Sur pasarían directo hasta Managua, a juntarse con los otros frentes guerrilleros victoriosos, pero que mientras no ganaran imperio esas nuevas leyes, era de necesidad que el pueblo mismo asumiera desde ahora mismo sus responsabilidades, sobre todo en asuntos que significaban vida o muerte, porque de lo contrario, muy fácil sería excusarse después, cuando bajaran las pasiones de la guerra, sangre era sangre, y al ser derramada no podía caer solamente sobre la cabeza de los jefes de la revolución. Que ya todos habían oído la lectura de las declaraciones de Alirio Martinica y se habían hecho más o menos una idea de la entraña negra y matrera de aquel individuo, pero que la revolución era generosa y se le iba a brindar la oportunidad de defenderse personalmente, no sólo a él, sino a otro reo capturado en la hacienda Nagualapa, un nombre que, para serle franca, no me acuerdo. ¿El Niño Lobo? Vea qué apodo, ahora que usted me lo dice y se me presenta su cara velluda, me da risa.

Pues que los dos iban a ser juzgados, pero antes iba a comparecer una mujer, una de las tantas amantes de Alirio Martinica. Y a ver si usted, que tanto sabe de letras, me explica la causa de que esa palabra, amante, junto con otras de sentido tan tierno y jubiloso como querida, se aplican tan libremente a esa clase de mujeres atrevidas e inconstantes, capaces de burlarle a uno el marido, y a las otras, casadas de velo y corona delante del altar, y muchas veces sufridas de aguantar palos de borrachos, las nombran esposas, palabra que más bien suena a cerrojo de cautiverio. ¿No le parece extraño? Dijo, pues, aquel Manco-Cápac que esa mujer, ¿Yadira?, Yadira, no subía para ser juzgada, ella había recibido ya perdón de los altos mandos, sino para dar un testimonio de conciencia, y ante eso, muchos rechiflaron y protestaron, qué corona tenía, pero el muchacho Manco-Cápac dio con mucho modo la explicación de que ella había colaborado en aclarar los hechos de la causa, según iban a escucharlo de sus propios labios, y allí acabó la cuestión, hubo más bien un silencio de conformidad, y los que andaban regados se apuraron en congregarse, por lo que el amontonamiento se hizo peor de cerrado.

De pronto ya los traían a los tres. Adelante, la mujer. Bien le digo que todo su aspecto era el de una putona de esas de alto precio, la crenchas revueltas y la cara abotagada de desvelo como si viniera de dormir la mona, y no teniendo escalera propia el escenario, la encaramaron por medio de una silleta. Luego subió ese Niño Lobo peludo. ¿Un solo zapato? Imposible acordarme tanto. Y para cerrar el desfile, Alirio Martinica, todo sucio y derrotado. Los dos varones quedaron juntos en un extremo de la tarima, la mujer en el otro extremo, y Manco-Cápac anunció entonces que tras declarar la mujer lo que tenía que declarar, los dos reos iban a gozar del derecho a la palabra, y al terminar cada uno su alegato, el pueblo decidiría mediante un aplauso si los perdonaba. Déjeme que me explique. Si cuando el reo terminara de hablar lo aplaudían, quedaba libre, si no, quedaba condenado, y tenía que ser un aplauso fuerte y claro, que se oyera hasta en la calle. De números asignados a cada quien para tener el derecho de aplaudir, sinceramente no me acuerdo, difícil lo veo, quién iba a prohibirle aplaudir a quién, en congregación tan poco llevadera, por asunto de faltarle un requisito.

Todos los ojos se quedaron pendientes del escenario. Tal vez una tosecita por allá, el llanto de un tierno por acá, ni una sola palabra de ofensa, ni un solo muera, ninguna altanería. Pienso yo que quietud tan apacible se debía a la claridez de cabeza de los presentes acerca del poder tan grande que habían recibido, que es el poder de mandar a alguien a la tumba con sólo mantener quietas las manos. No se vaya a imaginar que aquella reflexión callada duró una eternidad, aunque lo pareciera. Debió ser nada más un instante, porque de pronto estaba hablando ya la mujer, ateperetada la boca como si todas sus palabras hubieran querido salir al mismo tiempo en un hervor de saliva, y va entonces de lanzar denuestos contra Alirio Martinica tal si le hubieran echado gasolina en el galillo, un asombro general, qué insolencias no le dijo, ruin explotador, lacayo de la dictadura, vendido al imperialismo, burgués vendepatria, de dónde sacaba esa mujer de trotes y zarabandas aquel vocabulario propio más bien de cuadros militantes, y mientras se despachaba hermoso, Alirio Martinica agachaba la cabeza, aturdido de tanto garrotazo, al contrario del otro, que mantenía la frente en alto, muy sonreído, los brazos cruzados descansando sobre el pecho como si fuera el dueño de toda la función, y para colmo, viene de pronto aquella mujer y empieza a decir que Alirio Martinica era un impotente como a ella le constaba, que ya el instrumento mágico no era ninguna siringa agreste, ante lo que hubo entonces un amago de risa que no pasó a más, tal vez porque todos aquellos improperios mortales sobre intimidades propias de los dos ella los decía llorando a lágrima partida, asunto que sonaba muy discordante y no daba para mucha risa, y después, sin dejar de llorar, va de seguirlo ofendiendo, violador de menores, no servía con las mujeres pero sí con los párvulos, pero no pudo seguir en su letanía por causa del llanto, y así llorando, fue a arrodillarse a los pies de la Virgen, le besó la orla del manto, y luego, abrazada por los hombros, la llevó Manco-Cápac hasta la silleta que servía de escalera donde otros guerrilleros la recibieron, y ya nadie la volvió a ver más.

Vino entonces el turno del peludo, El Niño Lobo, vaya que no me canso de reírme del apodo. Figúreselo usted caminando hasta el centro del tablado como si lo llamaran a recibir algún premio o diploma, muy prestante aún en el momento en que Manco-Cápac pasó a dar cuenta de la sarta de delitos que le achacaban, leídos de la hoja de un cuaderno escolar, una lista que, ayúdeme a decir, daba miedo, oreja denunciante de la OSN, abogado y notario al servicio particular de la pérfida Mesalina, plumífero a sueldo de la dinastía, estaba oyendo yo esa palabra «plumífero» por primera vez y jamás se me olvidó, me daba la impresión de referirse a un pájaro zancón pero ya vine a saber por usted que llaman así a los periodistas que dedican su pluma a escribir sandeces en alabanza de algún poderoso, o a hundir por fuerza de calumnias arteras a alguien, ¿verdad que es así?

Y mientras oía la retahíla de felonías que le endilgaban, se mantuvo moviendo la cabeza de arriba abajo, como quien acepta sus culpas con ánimo declarado de contrición y firme propósito de enmienda. Al llegar la lista al punto final hizo una reverencia muy cortesana, empezó a pasearse de ida y vuelta por el escenario sin decir por el momento la menor palabra, las manos peludas cogidas por detrás, y al fin, haga de cuenta que nos estuviera haciendo un gran favor a todos, se detuvo. Miró de reojo al público. Se volteó. Alzó una mano, dispuesto a comenzar. Pero como si se hubiera arrepentido en el último momento, siguió su paseo, hasta que de pronto, cuando menos se esperaba, comenzó su discurso, primero calmado, tanto que no se le escuchaba bien, pero fue subiendo de tono, y ahora sí, qué hermosura de voz galante de artista del micrófono la que salía de aquella boca pécora, como quien va tocando las teclas de un armonio de iglesia, he sido ruin, he sido bellaco, alimaña que se arrastra por el polvo de los suelos, cerdo que se revuelca en el muladar, quién puede negarlo, ni yo mismo lo niego, no tendría valor, pero no busquen en mí la culpa pues nada ganarían, culpen al sistema clasista al que hemos sido sometidos a la fuerza, un sistema de corrupción y rebajamiento, un chiquero, en un chiquero hemos vivido enlodados, yo mismo soy un chancho inmundo, otra vez lo reconozco, y si de algo sirve, que el pueblo me degüelle si a bien lo tiene, pero antes debemos preguntarnos si serviría de algo a la revolución triunfante que me abran a mí el güergüero, y vea qué pico de oro el hijo de puta, lo que le cuento es apenas una sombra de todo aquel encanto de florilegios que iba desgranando, cualquier decisión del pueblo la aceptaba, ahora, por fin, el pueblo soberano asumía el mando, los obreros y campesinos, su propia clase, porque él era hijo de campesinos víctimas de parejas humillaciones, y qué mejor ser castigado por los de su propia clase, una bendición, y aunque a veces el arrepentimiento pareciera llegar demasiado tarde, no se olvidaran de la parábola del evangelio de San Mateo acerca de aquellos jornaleros que se presentaron al plantío con gran retraso, ya cuando los demás llevaban el día entero de estar aporcando, deshijando, desyerbando, y el patrón les pagó el mismo sueldo a todos a pesar de las protestas de los que habían llegado desde muy temprano, una enseñanza de Nuestro Señor a sus discípulos de que el reino de los cielos está abierto aun para los que renieguen de sus pecados a última hora, pero para qué, no fuera nadie a pensar que estaba pidiendo perdón, cualquier castigo bien merecido se lo tenía, y ojalá, si se salvaba, cosa que no creía, la revolución lo enviara a rehabilitarse a un lugar como Cuba, a aprender la teoría del proletariado, algo así como volver a nacer, y volvía a los chanchos, al chiquero, mientras se paseaba tan campante, hasta dónde habíamos llegado, hundidos en el lodo inmundo, bastaría dar un ejemplo, un ejemplo vergonzoso, pero ya los tengo aburridos y mejor me callo.

Empezaron a oírse peticiones seguidas, que diera el ejemplo de que hablaba. ¿Cuál ejemplo era ése? Meneó la cabeza, volvió a bajar la voz y casi no se le oía. Es que no quiero perjudicar a otra persona, dijo, sobre todo si esa persona ha sido un amigo. Pero la gente, necia, no quería saber razones de amistad ni nada parecido, ¡que lo diga!, exigían en un griterío soliviantado. Entonces él abre los brazos, los deja caer, como si no pudiera con aquel peso, y empieza con que estaba una vez Somoza celebrando en orgía su cumpleaños, rodeado de sus verdaderos íntimos fraternos, la real macolla, metidos todos dentro de la piscina en los jardines de la mansión de la pérfida Mesalina... y desde atrás se oyó que preguntaban: ¿Vos estabas allí?, y él: ¿Yo?, a mí qué iban a invitarme, yo era del montón, como ustedes, pero bueno, siguió, se habían metido todos a aquella hermosa piscina alumbrada por dentro con luces de los más variados colores, el agua calentada a temperatura agradable por máquinas subterráneas para que nadie sufriera calambres, una nube de meseros llevándoles champán francés hasta el borde mismo de la piscina, garrafones de whisky, de vodka, de ginebra, las bandejas repletas de viandas para deleite del paladar, un pollo entero si querían, un pavo relleno, un churrasco, camarones empanizados, una langosta entera, un pescado sin espinas a la Tipitapa, lo que se les antojara, y se oyó otra voz, muy asombrada: ¿Bebían y comían dentro del agua? Todo lo que quisieran, ya les dije, era su costumbre, los meseros leían de corrido el pensamiento a los festejantes, para eso estaban, y, además, a la orilla de la piscina iban arrimándose los músicos por turnos, un ejército de mariachis, tríos selectos de boleros románticos, una orquesta de mambos y guarachas tropicales, y ahora iba hacia el borde del escenario como para no perderse ninguna pregunta, ya sé que quisieran saber si había mujeres, les contesto que sí, es lo que más abundaba, mujeres desnudas a granel, verdaderas diosas celestiales, una seña les hacían y se dejaban ir en pelotas dentro de la piscina levantando cortinajes de agua, y entonces las pescaban por debajo con las manos. ¿Qué fue lo que pasó al fin?, preguntó alguien desde muy atrás, ya con la impaciencia sobrada. Y la sacristana, que ocupaba en primera fila una mecedora, mientras todo el mundo se aglomeraba de pie, en el patio y en los corredores, se volvió, llena de enfado, para contestar al curioso que si le parecía poco toda aquella revoluta licenciosa de mujeres que se dejaban pescar desnudas debajo del agua como si fueran guabinas lucias, y ya se estaba formando un escándalo de risas por un lado y protestas por el otro, cuando el peludo impuso orden desde el escenario con sólo alzar las manos, haga de cuenta que estaba dirigiendo una orquesta, y siguió su relación sin dejar el paseo pausado.

Todos los serviles rodeaban a Somoza dentro del agua, dijo, cada uno con su vaso en la mano, cuando se oyó desde abajo un ruido ronco y sonoro como de algo que se está vaciando, y de pronto el agua transparente empezó a teñirse alrededor de Somoza, una nube oscura que iba extendiéndose, y el olor, amigos míos, una tufalera insoportable que ni tendalada de zopilotes muertos, dicho lo cual se detuvo y se tapó la nariz. Un niño que no tendría seis años volteó a ver a su mamá que lo cargaba, y dijo: ¡Fue que se obró Somoza dentro del agua, mamá! El peludo miró entonces al niño con ojos de sabiduría: Tú lo has dicho, niño, se desocupó Somoza dentro de la piscina. Preguntó entonces la mamá: ¿Qué hicieron los demás? Nada, absolutamente nada habían hecho, contestó. Y ahora clavaba a Alirio Martinica con una mirada acusadora, todo lo que estoy contando no es más que la verdad, papito, y no me podés desmentir, vos estabas metido hasta el pescuezo dentro de esa piscina, no te atreviste a moverte una sola pulgada mientras aquello avanzaba y te llegaba al borde de la boca, imagínense, con todo lo que Somoza come.

Unas risitas traseras se oyeron primero, luego carcajadas ya francas por todas partes. Entonces, el muy tunante, extendió el dedo acusador hacia Alirio Martinica: ¡El somocismo no es más que pura mierda, y en esa mierda se bañan los serviles!, tronó. Hubo un amago de aplauso, como quien quiere y no quiere, pero muy pronto ese amago se había desgranado ya en cascada cerrada, tal parecía que iba a caerse la casa cural, y va de inclinarse el peludo para recibir la ovación, como los consumados artistas de las tablas. ¿Alirio Martinica? El tal no podía estarse quieto, la indecisión pintada en la cara, a veces esperanzado y de inmediato afligido, como si ansiara entrar por la brecha de aquellos aplausos tumultuosos, pero al mismo tiempo como si les tuviera miedo.

El mentado Manco-Cápac proclamó que el reo quedaba libre por veredicto popular, resonó otro aplauso recio en premio al anuncio, y entonces el agraciado hizo su última reverencia y se fue caminando a pasitos cortos, como si se contuviera de brincar de alegría. Ya qué le importaba nada. Al pasar frente a Alirio Martinica se detuvo muy cortés para despedirse y le extendió la mano, pero aquel otro no atinaba más que a mirarlo como un bobo que bota la baba. Entonces, él mismo le cogió la mano, y mientras se la sacudía como si fuera de trapo, volvió la cara al público, haga de caso que iban a tomarle alguna fotografía. Ya después bajó por la silleta para perderse en dirección al portal de la calle, perseguido todavía por algunos aplausos sueltos.

Todavía se oían abajo risas, comentarios, una algazara a medio viento, cuando Manco-Cápac impuso silencio, compañeros, presten por favor atención, que el juicio proseguirá en debida y legal forma, aquí tenemos por fin a Alirio Martinica, que viene a responder ante la vindicta popular. Por palabras de ese jaez se fue. Y como en el caso anterior, empezó a leer de otra hoja del mismo cuaderno, y a medida que iba leyendo se callaban todos muy dóciles, una lista el triple de inmensa, no veo caso repetirla, usted lo tendrá todo apuntado de conformidad.

Pero una cosa sí le digo. Un hervor de rabia iba encendiéndose, atizado por aquella jaculatoria leída con voz de envergadura solemne. La sacristana se mecía enérgica en su mecedora, y mientras miraba al reo sin parpadear, repetía: «Alirio Martinica, tan altanero en las alturas para que un día te vieras desvalido, como te estoy viendo». El murmullo venía creciendo como si las abejas fugadas de un colmenar zumbaran en nube cerrada con ganas de clavar el aguijón, a quién, no hay forma de equivocarse a quién. Con el balanceo sin gobierno de un borracho le hizo entonces una reverencia a la sacristana y se rió, con esa misma cara desconcertada que ponen los borrachos, sacudió la cabeza y volvió a reírse, una risa impotente, como si más bien tragara aire, y luego se arremangó, entreteniéndose en cada pliegue de las mangas, como si se estuviera alistando para meter los brazos en algo, melaza, lodo o qué, sus ojos en los de la sacristana, y la sacristana sin amagar, mirándolo con la misma fijeza del principio.

Aplaudió. Era como si la invitara a aplaudir, dos, tres palmadas, pero ella, aunque no le quitaba de encima la vista, más bien se afirmó en los brazos de la mecedora. A la quinta o sexta palmada aquel aplauso se había ido desmadejando, y visto su fracaso, más bien se dedicó a secarse el sudor de las manos en la barriga. El murmullo de abejas perseguidoras volvió a crecer, más insolente que antes, mientras la sacristana alzaba la barbilla, vanidosa de su victoria. Y en lo que acatamos, andaba él ya paseándose por el escenario, como había mirado hacer al peludo en su número, una parodia sin gracia. Manco-Cápac se le arrima entonces y le pregunta: «¿Va a hablar o no?». Dice sí. Sigue en su paseo. Y de pronto, con lo que sale, Señoras y señores, señoritas, distinguido público que nos acompaña, deseo contarles un gracioso cuento,

¿tengo la venia de ustedes? Pero silencio siempre. Y entonces él, a ver, los que quieran que cuente este cuento que den su aceptación por medio de un cálido aplauso. Y silencio. Se ríe. Es sólo para que vayan practicando, dice. Pero silencio en la noche.

Se detiene al centro del tablado, avanza unos pasos: Respetable concurrencia, había una vez un profesor llamado Ulpiano que explicaba a sus discípulos durante una clase acerca de ciudades y pueblos caracterizados por el tamaño del miembro viril de sus habitantes, siendo entre todos ellos dueño del campeonato un pueblo de nombre Tola, y esto estaba diciendo el profesor cuando unas señoritas estudiantas, sentadas en la primera fila, se pusieron de pie muy indignadas para irse en protesta, y ya cuando iban llegando a la puerta las llamó, señoritas, adónde van, el tren para Tola sale hasta dentro de una hora.

Risas no hubo, sólo caras duras, como labradas en piedra. ¡Jamás ha pasado ningún tren por Tola!, dijo alguien, y otro: ¡Respetá a la Santísima Virgen! Fue todo. Entonces cambió la manera de reírse. Era ahora una risa desaforada que le venía desde las tripas, y mientras recorría el tablado de ida y de vuelta, aplaudiéndose, cada vez más a la carrera, oiga lo que decía: ¡Es cierto que yo estaba metido dentro de esa piscina hasta el pescuezo! ¡Es hoy el día y no se me quita el tufo por más que me baño y me baño! ¡Vengan esos aplausos! ¡Arriba esas palmas!, volvía a reírse de la misma manera infame, pedía de vuelta los aplausos, pero era como si implorara delante de una pared muda que sólo dejaba pasar aquel murmullo de abejas impacientes, hasta que alguien gritó: ¡Ni siquiera vergüenza le da, al muy inmundo! Y luego alguien más: ¡Ya bájenlo, que aburre!

Lo llevaron a fusilar en calzoncillos y camisola. Por qué, ni me lo pregunte, que de eso no puedo yo darle cuenta. Pero así fue que lo vi desde que salió por el portón de la casa cural al ser las seis de la mañana, calzoncillos de esos bóxer que antes fabricaba la Tricotextil, y camisola sin mangas. Iba, además, descalzo, una soga calzada al pescuezo y las manos amarradas por delante con el mismo mecate, igual que el día anterior el guardia y su sobrino.

En la calle esperaba una gran jaula, de esas para poner adentro lapas, loras, tucanes, toda clase de pájaros de plumaje vistoso, tan grande que dentro alcanzaba perfectamente un hombre, aunque algo encogido, pero si me dice usted que más bien hubo allí cautivo una vez un mono, sea. Entonces, entre alegrías de música y festejos de pólvora, fue metido en la jaula, y ya con él adentro la cargaron a pulso hasta ponerla en la tina de una camioneta de acarreo para el desfile al cementerio, el gentío derramado en el trayecto entre aquella bendición de banderas rojinegras impedidas de flamear de tan mojadas, pues habían dormido seguramente en descampado bajo el mundo de agua que cayó aquella madrugada sobre Tola, una extrañeza porque aquí casi jamás llueve.

Pero iban secándose las banderas de la victoria con el sol que ahora pegaba duro sobre las cabezas, mientras la camioneta se detenía a veces, porque era tal el tumulto humano que no la dejaban avanzar, yo allí, cerca de la jaula, brincando los charcos de lluvia, Rafaelito Tamariz que brincaba a la par mía, y no me va creer, la sacristana brincaba también como si tuviera mi propia edad, el muchachero la levantaba en algarabía cuando se tropezaba, y como era ella muy frágil, parecía entonces que iba volando.

Después vino el fusilamiento, pero eso usted ya lo sabe porque se lo han contado, qué tiempos aquellos, compañero.

Epílogo

«Siempre vienen los dioses. Bajarán
de sus máquinas y salvarán a unos
y a otros los eliminarán a la fuerza;
y cuando implanten su orden
se retirarán. —Y luego este o aquel
harán lo que les toca, y con el tiempo,
los demás, lo suyo. Y de nuevo
volveremos a empezar.»

C. P. CAVAFIS,
La intervención de los dioses

De espaldas al muro de adobe sintió que las piernas se le aflojaban, como si fuera a resbalarse sin remedio, acordándose de la canción aquella de la roconola del Hotel Lacayo que decía *como un muñeco de trapo*, y al verlo vacilar se le acercó al trote Manco-Cápac, el sombrero de fieltro en vaivén en una mano, para preguntarle si no quería mejor una silla. Él dijo sí, una silla. Oyó entonces la orden que fue relevándose en boca de la gente congregada en el baldío bajo el sol que ya empezaba a arder

traigan una silla

una silla

silla

y después de quebrarse en ecos, la orden fue a morir en el límite del baldío que servía de campo de beisbol, allá donde empezaba a dispersarse la muchedumbre y circulaba lejana una pregonera de frutas cargando su canasta en la cabeza. La voz cantarina de la muchacha entraba alegremente en su oído, pero pensó que podría tratarse de una ilusión. También en el aire en el que tremolaban las banderas llegaba a su nariz una fragancia de anonas maduras, pero bien pudo tratarse de otra ilusión.

Tras una escasa hilada de palmeras se alzaban al fondo del baldío las últimas casas de Tola, las más de ellas billares y cantinas de paredes de adobe, ahumadas por los fogones de las fritangas callejeras que se instalaban los días en que los equipos de Potosí, Buenos Aires, San Jorge o Belén venían a jugar contra Tola. Una pareja de niños, varón y mujer, se había encaramado en la cumbrera de uno de los techos, y el niño, vestido con una camisa escotada de uniforme beisbolero de liga infantil a la que sólo quedaba un botón, jugaba a cegar al reo manipulando un espejo de bolsillo.

Al fin sacaron de una de aquellas casas una silla cargada a varias manos, y el niño del espejo, que se había descolgado apresuradamente del techo, salió al paso de los cargadores, lo ayudaron a escalar, se sentó de un salto, y mientras la silla navegaba sobre las cabezas y entre los cartelones y las banderas, su pasajero fingía ser obispo y bendecía a uno y a otro lado entre las risas que se regaban como un rumor de lluvia. La niña, vestida con una bata suelta de zaraza floreada, se había agachado en cuclillas y aplaudía desde la cumbrera.

Llegó la silla a su destino. El niño escapó a gatas entre las piernas de la gente y la silla fue colocada contra el muro. Él vio entonces que era la misma silla de cabecera, coronada por un penacho de hojas de laurel grabado en el remate del espaldar, que con otros muebles declarados de segunda había viajado un día en un camión desde Managua hasta Santa Lorena. Lo sentaron. Dieron otra orden. Los milicianos del pelotón de fusilamiento se acercaron en formación de dos en fondo y permanecieron marcando el paso, las botas pesadas de lodo, antes de obedecer a la voz de girar a la derecha

derecha

dere

con lo que quedaron alineados de frente a él, sobre la raya de cal. A una nueva voz que mandaba posición de descanso, las culatas de sus fusiles chocaron contra el suelo. Eran ocho. Unos llevaban la pañoleta rojinegra anudada al sombrero y otros al cuello. Había entre ellos una mujer de mediana edad, el pelo lacio ceñido por una peineta, y otra, muy morena, de quizás dieciocho años, los labios pintados de rojo carmesí, luciendo con gracia su gorrita de lona sobre los rizos tupidos.

Habían excavado la fosa en el baldío, muy cerca del muro. Tampoco iban a enterrarlo en sagrado. Sobre el túmulo de tierra removida, en el que habían dejado una pala clavada, ascendía una fila de hormigas llevando pedacitos de hojas que al translucir con el sol se tornaban amarillas. Igual que el aroma de las anonas maduras, también le llegaba el olor húmedo de terrones del túmulo. Al lado, aguardaban los enterradores. Eran tres, el principal y sus dos ayudantes, todos descamisados. El principal, de pelo cano, las tetillas flojas y la barriga desinflada, mantenía la cuerda que usaba para bajar los ataúdes enrollada alrededor del hombro, y de uno de los bolsillos traseros de su pantalón sobresalía una botella de aguardiente con tapón de olote. Los ayudantes, flacos y renegridos de sol, eran casi niños. Uno de ellos terminaba de chuparse un mango y tiró con desgano la semilla amarilla sobre los terrones del túmulo. Las hormigas se desordenaron por un momento, pero luego emprendieron de nuevo su marcha.

El niño del espejo había vuelto a escalar el techo, donde lo esperaba la niña de la bata floreada, y ahora los dos caminaban sobre la cumbrera haciendo piruetas de equilibrio con los brazos abiertos. El sol que ardía en las tejas quemaba seguramente sus pies descalzos. El niño se detuvo, sacó el espejo, lo empañó con el aliento, y tras limpiarlo con un faldón de su camisa de beisbolero se miró en él. La niña se lo arrebató para mirarse también, se restregó los labios con el dedo y sonrió.

Desde la cumbrera no era fácil distinguir a cabalidad la figura de Manco-Cápac, otra vez al trote llevando ahora en la mano uno de aquellos pañuelos colorados que Nicodemo cargaba en su mochila. El reo, aferrado a los brazos de la silla, la cabeza fija contra el espaldar, dudaba en aceptar que lo vendaran, pero al fin se negó. Lloraba. Sus lágrimas tenían un fulgor acuoso. Los niños no alcanzaban a escuchar lo que Manco-Cápac le estaba diciendo, inclinado sobre su oído, porque además el viento soplaba en dirección contraria y se llevaba el murmullo hacia las tumbas descascaradas y crecidas de monte al otro lado del muro. Por lo visto es algo muy largo de decir, y de oír, y los niños se miran, como si así se consolaran de perderse las palabras que el viento adverso desvanece, yo desnudo y panzoncito sentado en la acera, doctor, y usted que no cesaba en sus rondas acechándola, se la llevó seducida al fin en aquel taxi una mañana muy de mañana, la dejó después preñada y abortó en secreto, un amor de esos para la eternidad a pesar de la perfidia, salió usted tiempos después retratado en *Novedades* al lado de Somoza, la espié que escribía al lado de la foto las palabras «amor mío», y entonces, tras mucha insistencia se confesó conmigo, de manera que tarde lo sabe, mi apellido es Campuzano, Marco Aurelio Campuzano para servirle, fuimos en un tiempo cuñados, cuñado.

El niño se desentendió y miró al cielo brillante, encandilado por los deslumbres que antes había jugado a copiar en el espejo de mano. La niña, los brazos en jarras, alzó la vista también. Era un cielo pulido, limpio de nubes. Y desde lo alto, más allá de los tejados, más allá de los penachos de las palmeras, la multitud parecía girar en un remolino de cabezas, giraba la silla contra el muro de adobe, giraban los milicianos apuntando al prisionero sentado en la silla, y todo se cerraba en un torbellino irisado en el que flotaban cada vez más minúsculas las cabezas, una masa gaseosa en la que crepitaban las banderas como las chispas rojas y negras de una fogata.

Managua, Masatepe, enero / marzo 2001,
julio 2001 / junio 2002.
Berlín, abril / junio 2001.

Sobre los documentos que auxilian a este libro

El testimonio del doctor Edgard Morín:

Antes de partir hacia Berlín en abril de 2001, donde debía ocupar la Cátedra Samuel Fischer de Literatura Comparada en la Universidad Libre, dejé grabada una entrevista con Carlos Fernando Chamorro para su programa *Esta Semana* del canal 2, en la que hablaba acerca del tema del presente libro, entonces en proceso. Cuando el programa se emitió recibí allá un mensaje electrónico del doctor Edgard Morín, quien ejerce como médico internista en Managua. En ese mensaje me contaba que había visto el programa y me ofrecía unos datos sobre Alirio Martinica que estaba seguro, decía, iban a interesarme. A pesar de mi insistencia para que me enviara la información prometida, no recibí respuesta. Lo llamé por teléfono al volver y me dijo que se hallaba muy apenado conmigo. El apenado debía ser yo, en todo caso, le repliqué, porque las urgencias de un escritor nunca toman en cuenta la lista de pacientes que un médico debe ver todos los días. Al día siguiente encontré en mi correo electrónico su testimonio, que he agregado de manera intacta al libro.

Los «escáneres» mencionados por él captaban, efectivamente, las comunicaciones de la Guardia Nacional establecidas a través de una red en frecuencia modulada, en la banda ancha. A esta red se podía ingresar también desde teléfonos particulares o radioteléfonos de campaña, llamando a una central que efectuaba un *phone-patch.* De esta manera es que Alirio Martinica y Lorena López pudieron comunicarse entre Managua y Santa Lorena.

El folleto de Coronado Salvatierra:

No resultó fácil dar con el folleto *Los héroes de abril* del periodista Coronado Salvatierra (Tipografía Vargas, San José, Costa Rica, 1962. 78 págs.). Fue Samuel Rovinski quien, por mi encargo, logró localizarlo en la Biblioteca Nacional de Costa Rica, tras muchas pesquisas, pues estaba indebidamente clasificado bajo la denominación «Historia de Costa Rica, siglo XX». El capítulo «El chacal en su guarida» es el que me resultó más apropiado para ilustrar al lector sobre los acontecimientos del 4 de abril de 1954.

En la *Guía de hombres de prensa de Nicaragua* de Jorge Eduardo Arellano (Ediciones del Instituto de Cultura Hispánica, Managua, 1991), se explica que Coronado Salvatierra nació en Managua en 1908 y fue redactor de los diarios *La Estrella de Nicaragua* y *Flecha*, antes de salir al exilio en 1947, cuando fue perseguido por redactar e imprimir unas hojas volantes en contra del golpe de estado que perpetró el viejo Somoza en contra del efímero presidente, doctor Leonardo Argüello. Salvatierra murió en Liberia, Costa Rica, en estado de extrema pobreza, en 1974.

La declaración de Alirio Martinica ante la CMI:

Alirio Martinica compareció el miércoles 28 de julio de 1971 en calidad de testigo ante la Corte Militar de Investigación (CMI) que se instaló en el Campo de Marte para ocuparse de la desaparición del prisionero Ignacio Corral (Igor).

Era corriente que el diario *Novedades* publicara la transcripción estenográfica de las declaraciones vertidas en estos procesos militares, y así ocurrió con el testimonio de Martinica, aparecido en la primera página, con pase a la página 12, de la edición No.11.361 del día jueves 29 de julio de 1971 bajo el título «Doctor Martinica confirma: coronel Morales nunca se separó de su lado».

Los cables de Associated Press:

El periodista Onofre Gutiérrez fungió por largos años como corresponsal de la AP en Managua, y al darse los acontecimientos alrededor de la desaparición y muerte de Ignacio Corral en 1971, envió numerosos despachos por telex a la central de Nueva York. El actual corresponsal, Filadelfo

Alemán, puso a mi disposición los archivos de la época, y escogí tres de esos despachos por parecerme los más representativos.

Gutiérrez reportó asimismo el terrible hecho ocurrido en 1972, cuando Moralitos, ilegalmente en libertad, asesinó a su testigo de cargo. Por esos milagros de la literatura, el episodio se dio tal como yo lo había imaginado en mi fábula *El proceso del león (De tropeles y tropelías*, 1971): el león feroz, condenado por asesino contumaz, escapa de su jaula y también devora al testigo de cargo.

La carta de Lorena López:

A finales de 1998 tuvo lugar en Miami el lanzamiento de mi novela *Margarita, está linda la mar*, junto con la de Eliseo («Lichi») Alberto, *Caracol Beach*, como parte de la gira de promoción del Premio Alfaguara que habíamos recibido ese mismo año. La directora de Alfaguara en Miami, Leyhla Ahuile, contrató a la firma Sosnowski & Lavine para el trabajo de prensa, y así, la primera mañana me encontré sentado a la hora del desayuno frente a Lauree Pallafock, una joven ejecutiva de relaciones públicas, muy entusiasta y enérgica, que me exponía la lista de entrevistas a cumplir, casi todas ellas en estaciones de radio del exilio cubano.

No me sentía a gusto ante la perspectiva, dados mis antecedentes sandinistas aún frescos. Pero Lauree me llevó de la mano durante dos o tres días por aquellos meandros de los que, contra mis pronósticos, salí galantemente tratado. Para una de esas entrevistas hube de concurrir al restaurante Rancho Luna en el corazón de la Pequeña Habana, porque el programa se transmitía en vivo, a la hora embullada del almuerzo, entre un desconcierto de voces que llegaban desde todas las mesas proclamando el milagro de la muerte inminente de Fidel Castro. Yo disfruté, sin embargo, de mi propio milagro. Tras el vidrio de la cabina de una de aquellas emisoras, mientras discurría el programa, apareció una desconocida que no tardó en entrar como en su casa, me dio un sonoro beso en premio de las cosas lindas que venía escuchándome decir mientras conducía su auto, dijo, y se sentó frente a uno de los micrófonos a participar en la tertulia. No era otra que Olga Guillot, quien me dio otro beso aún más sonoro al oírme recordarle, admirador rendido suyo, el furor que había causado en Managua en los años sesenta cuando llegó para cantar en el club de llave *113*, derrumbado por el terremoto de 1972.

Un mediodía en que Lauree me dejaba a las puertas del restaurante Christy's en Coral Gables, donde debía almorzar con Álvaro Vargas Llosa, presentador de mi novela en el acto de esa noche, me contó muy de pasada que su madrastra era nicaragüense, viuda de un funcionario de Somoza fusilado antes del triunfo de la revolución por los guerrilleros sandinistas y casada en segundas nupcias con su padre, viudo también, un corredor de seguros navieros ya retirado. Enseguida, y sin dejarme reaccionar, puso su mano sobre la mía y me pidió que lo olvidara, eran asuntos ahora demasiado antiguos, y ni siquiera sabía por qué me lo había mencionado.

Después del acto de lanzamiento en el Ashe Auditorium del James L. Knight Center de la Universidad de Miami, hubo una fiesta ofrecida por Alfaguara en el Victor's Café, y mientras un conjunto cubano tocaba, para variar, *Guantanamera*, Lauree se acercó a mí, trayendo de la mano a una mujer atractiva a pesar de sus más de sesenta años, de imponente estatura y cabello platinado. «This is Lorena, my stepmother», me dijo Lauree, y usó el inglés porque seguramente no quería decir madrastra, que en español suena horrible. El nombre Lorena, y el dato de que su primer marido había muerto fusilado en Nicaragua, empezaban a decirme algo. Y no tardé en concluir que se trataba de la viuda de Alirio Martinica. Para empeorar las cosas, su padre, el coronel Catalino López, aparecía en *¿Te dio miedo la sangre?* en colores no muy halagadores, y ella misma, «la huérfana», figuraba como otro de los personajes. Si había leído o no aquel libro mío de hacía años, no era el momento de averiguarlo.

Pero la historia de Alirio Martinica me rondaba desde hacía un tiempo la cabeza, y allí tenía frente a mí a la testigo principal de su vida. Además, después de dos whiskys dobles empiezan a disiparse las cobardías, y me dejé llevar por la certeza de que el destino suele trabajar con solicitud de ayuda de cámara para los escritores en necesidad;

caprichoso como es tantas veces, sin embargo, quiso que uno de esos oleajes repentinos que ocurren en las fiestas atestadas me arrebatara hacia otro grupo y ya no la vi más esa noche. No iba a dejarlo, de todas maneras, que se escurriera de prestarme aquel servicio.

Cuando Lauree llegó por mí al día siguiente para acompañarme a la última de las entrevistas, le dije que quería hablar con Lorena y le expliqué, en términos muy generales, mi proyecto del nuevo libro. Ella, otra vez profesional en todo, se ofreció a concertar el encuentro y no tardó en llamarme al hotel para informarme que estaba arreglado. La cita sería esa tarde, tras la firma de autógrafos programada en Barnes & Noble de Coconut Grove. No obstante, Lorena no llegó y recibí de Lauree la más banal de las excusas, una jaqueca.

El año pasado encontré en el buzón de mi web site un mensaje de Lorena. Había leído en *The New York Times* el artículo de Stephen Kinzer sobre mí, «A sandinista who renounced the sword for the pen», y quería mi dirección electrónica para escribirme en privado. Entonces me envió la carta que he incluido en este libro, y que ya no necesita más comentarios, salvo que me sentí muy a gusto de que me tratara con tanta confianza desde el principio, dejando de lado el enojoso «usted».

No fue la única carta suya, pues luego respondió en otras a preguntas que le sometí, y esas respuestas han sido utilizadas abundantemente en los pasajes que conciernen. El destino, como ven, terminó por no fallarme.

El informe de Margot Úbeda Rivera (Cristina):

El nombre verdadero de *Cristina* fue Margot Úbeda Rivera, nacida en Santa Cruz, departamento de Estelí, el 18 de marzo de 1950, y caída en combate en Aguas Zarcas, comarca de Río Iyas, departamento de Jinotega, el 11 de junio de 1973.

Su informe aparece registrado bajo el número H29/71 en el fondo de documentos del FSLN que custodia el Instituto de Historia de Nicaragua y Centroamérica (IHNCA) de la Universidad Centroamericana (UCA), dirigido por Margarita Vannini.

Carlos Fonseca, jefe máximo del FSLN, se encontraba en La Habana en 1971, y entre sus seudónimos utilizaba el de *Misael*, como consta en otras piezas de correspondencia; por tanto, no hay duda de que es a él a quien está dirigido el informe. También murió a manos de la Guardia Nacional el 7 de noviembre de 1976 en Boca de Piedra, comarca de Zinica.

El informe, escrito a mano, consta en una copia fotostática rudimentaria, de aquellas que se trabajaban con ácidos de revelado sobre papel sensible, y que por desgracia tienden a desleírse pasado el tiempo; de allí lo difícil que resultó su lectura.

Grabaciones y transcripción de escucha telefónica:

Cuando en las primeras horas del 19 de julio de 1979 las fuerzas guerrilleras entraron a ocupar las instalaciones del búnker, para entonces desiertas, lo que encontraron fue un verdadero caos, tanto allí como en las dependencias militares adjuntas. En la Oficina de Seguridad Nacional (OSN) había un reguero de expedientes y papeles, algunos a medio quemar, pero en «el cuarto de escucha», desde donde se monitoreaban y transcribían día y noche las conversaciones telefónicas, todo lucía en orden; las grabadoras de carrete parecían haberse detenido en aquel mismo momento, aún quedaban ceniceros sucios y botellas de cerveza al lado de las máquinas de escribir, y los archivadores se hallaban intactos, tanto los que contenían los legajos de transcripciones como los que contenían los carretes.

Según recuerda el comandante guerrillero Hugo Torres Jiménez, ahora oficial retirado del Ejército con el grado de General de Brigada, y uno de los que entró de primero, eran tres las grabadoras de carrete, dos marca Grundig, y una RCA Víctor, muy viejas. Se activaban al producirse una señal de llamada «entrante» o «saliente» de cualquiera de los «teléfonos de interés», cuyas «cuñas», habían sido previamente intervenidas en cualquiera de las dos centrales de Telcor, ambas de sistema analógico: la de Villa Fontana y la más antigua del Palacio de Comunicaciones que sobrevivió al terremoto de 1972. Los «teléfonos de interés» cambiaban según el rol de cada día, pero algunos, entre ellos los del búnker, jamás eran descuidados.

En los archivos del Centro de Historia Militar (CEM), del Ejército de Nicaragua, dirigido por el teniente coronel Ricardo Wheelock, se conserva una buena cantidad de legajos de transcripciones, aunque faltan muchos carretes; no hay duda de que en aquel momento representaron un atractivo souvenir para los guerrilleros.

Por ventura para mí, las tres conversaciones que se incluyen las encontré en un grueso legajo con el nombre de Alirio Martinica mecanografiado en la ceja de la carpeta; en un listado adjunto al legajo aparece anotado el número del carrete correspondiente a cada transcripción; y, por ventura también, las cintas allí estaban.

El lector debe entender que Transcripción C.T significa Transmisión de Comunicación Teléfonica; C.M., seguida de un número, corresponde a Cinta Magnetofónica; Hora C, hora de comienzo de la conversación, y Hora T, hora de finalización de la misma; SPS, quiere decir Señor Presidente Somoza.

Declaración judicial de Richard
de Jesús Gadea Arburola:

El proceso en contra de Alirio Martinica por sodomía y otros cargos relacionados fue abierto por el Juez Primero del Distrito del Crimen de

Managua, doctor Encarnación Traña Olivares, por auto dictado la noche del 24 de diciembre de 1976, tras haber recibido denuncia verbal de Richard de Jesús Gadea Arburola. Traña Olivares era reconocido por sus vínculos con la OSN, que le remitía a los reos acusados de actividades subversivas para su procesamiento.

Una vez recibida la denuncia, requirió al médico forense, doctor Calixto Hermógenes Bonilla Arteaga, para que practicara un reconocimiento físico del denunciante. El examen, efectuado la misma noche, certifica el hallazgo de lesiones y excoriaciones en el ano y tubo rectal, consecuencia de penetración violenta, curables en el lapso de dos semanas. Las vacaciones judiciales obligaron al juez a tomar la declaración a Gadea Arburola en su cuarto del Hospital Militar el lunes 3 de enero de 1977, primer día hábil. Tanto el texto del dictamen forense como la declaración fueron publicados en la edición 14116 del diario *Novedades* de la fecha siguiente. Alirio Martinica, quien renunció ese mismo día a su cargo de secretario privado de Somoza, nunca fue llamado a declarar y el caso quedó en abandono. El expediente desapareció y no figura en el registro judicial de la Corte Suprema de Justicia.

Testimonio de María del Socorro Bellorín:

Mi hermana Marcia se ocupa en proyectos de desarrollo campesino para la Fundación Cantera, que regentan en Managua las religiosas de la orden de Santa Inés, donde tiene por compañera de trabajo a Xiomara Bello, originaria de Tola. Estos proyectos cubren varias comunidades rurales del departamento de Rivas. Entre ambas me ayudaron a localizar a numerosos testigos, la mayoría de ellos viejos y fieles militantes del FSLN. Uno de los testimonios más valiosos fue el de María del Socorro Bellorín, prima hermana de Xiomara, tomado en su casa de Tola el 1 de marzo de 2002, y que incluyo de manera íntegra.

Me ha sido también muy útil el reportaje «Las últimas horas de Martinica», suscrito por los periodistas Ernesto Acuña y Julio Jácamo, y que se publicó en *El Nuevo Diario* del lunes 23 de junio de 1980, exactamente un año después de ocurridos los acontecimientos.

El interrogatorio de Alirio Martinica:

Las actas del interrogatorio se conservan de manera incompleta en los archivos del IHNCA, cajas FSBZ 18, 19 y 20, como parte de la documentación correspondiente al Frente Sur Benjamín Zeledón, al que pertenecía la columna Gaspar García Laviana, y que operaba en la retaguardia bajo el mando del comandante Ezequiel.

De acuerdo con esas actas podemos corroborar que la captura de Alirio Martinica se dio la mañana del jueves 21 de junio de 1979; fue llevado a Tola el viernes 22 y los interrogatorios se realizaron hasta muy entrada la tarde; el juicio popular tuvo lugar esa noche, y su fusilamiento la mañana del sábado 23. Desde primera hora de la madrugada de ese mismo sábado se había iniciado la ofensiva guerrillera para tomar Rivas dirigida por el comandante Ezequiel, quien hizo difundir la noticia de su propia muerte con la idea de que el ejército de Somoza bajara la guardia, un ardid que contribuyó poco a su propósito, pues la resistencia resultó encarnizada y el intento fracasó por esa vez. La muerte verdadera del comandante Ezequiel, cuyo nombre era Álvaro Virroy Méndez, se produjo en un accidente de tráfico ocurrido en agosto de 1980, cuando viajaba de Rivas a Managua para asistir a una reunión de mandos militares del recién creado Ejército Popular Sandinista (EPS). Es obvio que en el relato de María del Socorro Bellorín sobre sus funerales hay una confusión no sólo de fechas sino de circunstancias, mas yo he querido dejarlo así por razones de novelista.

Índice

Otros títulos de Sergio Ramírez en Punto de Lectura

Sergio Ramírez
Margarita, está linda la mar

1907. León, Nicaragua. Durante un homenaje que le rinde su ciudad natal, Rubén Darío escribe en el abanico de una niña uno de sus más hermosos poemas: «Margarita, está linda la mar...».
1956. En un café de León una tertulia se reúne desde hace años, dedicada, entre otras cosas, a la rigurosa reconstrucción de la leyenda del poeta. Pero también a conspirar. Anastasio Somoza visita la ciudad en compañía de su esposa, doña Salvadorita. Está previsto un gran banquete. Habrá un atentado contra la vida del tirano, y aquella niña del abanico, medio siglo más tarde, no será ajena a los hechos. El autor logra que una importante etapa de la historia de su país quede reflejada en una cumplida metáfora de realidad y leyenda.

Otros títulos publicados en Punto de Lectura

Patente de corso (1993-1998)
Arturo Pérez-Reverte

El nuevo dardo en la palabra
Fernando Lázaro Carreter

Un tranvía en SP
Unai Elorriaga

Antología del cuento triste
Augusto Monterroso / Bárbara Jacobs (ed.)

A paso de cangrejo
Günter Grass

Imperio
Henry Kamen

Francomoribundia
Juan Luis Cebrián

5 hombres.com
El Club de la Comedia

Don Camilo
Giovanni Guareschi

El camarada don Camilo
Giovanni Guareschi

Don Camilo y los jóvenes de hoy
Giovanni Guareschi

La vuelta de don Camilo
Giovanni Guareschi

El pueblo de la noche y *Mohicania revisitada*
Manuel Rivas

Imagining Argentina
Lawrence Thornton

Diablo Guardián
Xavier Velasco

Mujer en el baño
Manuel Rivas

Bea, una becaria en Marte
Carlos Latre

Con ánimo de ofender
Arturo Pérez-Reverte